MILNE LIBRARY
STATE UNIVERSITY COLLEGE
GENESEO, NEW YORK

DISCARDED
S.U.N.Y. - GENESEO

D1314637

BIBLIOTECA ROMANICA HISPANICA

DIRIGIDA POR DAMASO ALONSO

VI. ANTOLOGIA HISPANICA

CAMILO JOSE CELA

685814

MIS PAGINAS PREFERIDAS

ANTOLOGIA HISPANICA

PQ
6605
E44
A6
1956

© Editorial Gredos, Madrid, 1956

Talleres Gráficos «JURA», San Lorenzo, 11.—Madrid

EN VEZ DE PROLOGO

Un amigo al que debo mucha consideración —Dámaso Alonso— me ha sugerido la conveniencia de preparar una especie de antología o florilegio de lo que llevo escrito, que ya va abultando. En el colegio, en la clase de francés, dábamos "morceaux choisis" de los escritores importantes; los "morceaux choisis" más ejemplares, según mi profesor de entonces, eran los de Lafontaine.

A los doce o catorce años, que se tiene el corazón venenoso pero la cabeza pura, se suelen despreciar los escritores de "morceaux choisis". Particularmente, debo confesar que a los treinta y nueve que tengo ahora sigo pensando lo mismo. Esto de los "morceaux choisis" es, a mi modesto entender, un despropósito: algo como vaciarle un ojo a la mujer amada, o cortarle una oreja o un par de dedos, para después ponerlos sobre la mesa y, a solas, recrearse en su contemplación.

Dámaso Alonso también me apunta la conveniencia de que exprese mis puntos de vista sobre qué es lo que me propuse en mis libros y cuáles fueron los medios que empleé para conseguirlo. Yo no me propuse nada o casi nada. Algunas veces expliqué algo de esto, que debe andar por los prólogos de las reediciones, algunas aludidas, e incluso copiadas, en esta ocasión. Incluyo aquí el de *Mrs. Caldwell*, que trata de algo de lo que se me pide. Estética, lo que se dice estética, yo no tengo. Yo suelo es-

July 1961 - Stechert - 1.13
84244

cribir lo que me parece, sin mayores propósitos ulteriores. El lector, si es algo espabilado, quizá tienda a desconfiar de los escritores que se pasan el tiempo hablando de estética. La preocupación por la estética, decía Dostoiewski, es la primera señal de impotencia. Yo tuve algo de preocupación por la estética pero, afortunadamente, se me fué ya. Pasé una temporada en que me sentí débil y enfermo y me preocupé de esto de la estética. Después me fuí reponiendo y me puse más fuerte y vi, con alegría, que no era sino pasajero sobresalto, gracias a Dios, lo que tomara por precoz impotencia. Se me quitó un gran peso de encima.

Esta selección de páginas mías la empecé sosegado, aunque incierto, la continué con ira y la rematé con coñac. Cuando ya tenía rotos varios libros y anotadas algunas ideas que no servían para nada, pensé cortar por lo sano y plantar, pero me faltó valor. Esta selección es casi perfecta, por motivos que me reservo. Yo creo que está muy bien hecha y, desde luego, mucho mejor de la que yo —sin la existencia de los motivos aludidos— hubiera podido escoger. En ella se saca bastante partido a mis páginas, todo el que se puede sacar.

C. J. C.

Palma de Mallorca, 17 de diciembre de 1955.

PROLOGO A "MRS. CALDWELL HABLA CON SU HIJO"

ALGUNAS PALABRAS AL QUE LEYERE

He coleccionado definiciones de novela, he leído todo lo que sobre esta cuestión ha caído en mis manos, he escrito algunos artículos, he pronunciado varias conferencias y he pensado constantemente y con todo el rigor de que pueda ser capaz sobre el tema y, al final, me encuentro con que no sé, ni creo que sepa nadie, lo que, de verdad, es la novela. Es posible que la única definición sensata que sobre este género pudiera darse, fuera la de decir que "novela es todo aquello que, editado en forma de libro, admite debajo del título, y entre paréntesis, la palabra *novela*".

No voy a hablar aquí de que, en hipótesis, la novela es un documento, un espejo, una cámara tomavistas. Tampoco voy a aludir para nada a la teoría del ambiente, o a la de la técnica, o a la del argumento. La novela es siempre una concreta realidad y nunca una figuración y, por otra parte, éstas son cosas cuyo planteamiento es sobradamente conocido y cuyas conclusiones son sobradamente vagas e imprecisas. Una novela puede ser y no ser todo eso y aun muchas cosas más; puede pertenecer a ésta o a la otra escuela, o a una escuela que esté todavía por inventar, y ser una magnífica novela o una novela calamitosa, que es lo más frecuente.

A mí me parece que para el novelista es peligroso encorsetarse en una manera determinada y creer que son malas todas las demás. Por lo menos, yo he intentado, hasta donde he podido, todo lo contrario: creer que todas las formas son igual de buenas o igual de malas, y que lo que prevalece, a la postre, es el talento del escritor, suponiendo que los escritores puedan ser capaces de tenerlo, cosa que más bien me inclino a no admitir.

Esta *Mrs. Caldwell* es la quinta novela que publico y la quinta *técnica de novelar* —¡qué horrorosa y pedantesca expresión!— que empleo. En *La familia de Pascual Duarte* quise ir al toro por los cuernos y, ni corto ni perezoso, empecé a sumar acción sobre la acción y sangre sobre la sangre y aquello quedó como un petardo. Los novelistas de receta, al ver que había tenido cierto buen éxito, el cierto buen éxito que pueda tener un libro en un país donde la gente es poco aficionada a leer, empezaron a seguir sus huellas y nació el *tremendismo,* que, entre otras cosas, es una estupidez de tomo y lomo, una estupidez sólo comparable a la estupidez del nombre que se le da.

En *Pabellón de reposo* intenté hacer el anti-Pascual. Algún crítico dijo que el *Pascual Duarte* estaba muy bien, pero que había que verme en la piedra de toque del sosiego, de la inacción. Aunque no lo entendí mucho, como no soy amigo de polemizar, porque la discusión, como el amor y el afán de mando, me parece un claro signo de deficiencia mental, escribí *Pabellón de reposo,* que es una novela donde no pasa nada y donde no hay golpes, ni asesinatos, ni turbulentos amores, y sí tan sólo la mínima sangre necesaria para que el lector no pudiera llamarse a engaño y tomar por reumáticos o por luéticos a mis tuberculosos. Sin referencia geográfica, onomástica o temporal que permitiese su localización en una época o lugar determinados (salvo, quizá, la relativa, y siempre muy aproximada, situación en el calendario que pudiera averiguarse por las terapéuticas empleadas con mis marionetas), *Pabellón* fué mi prueba pacífica, mi experimento pacífico, o dicho de otra manera, mi experimento por el segundo camino, mi segunda prueba.

En mi *Lazarillo* —el libro se llama nada menos que *Nuevas andanzas y desventuras de Lazarillo de Tormes*, título que me parece algo largo para citarlo así— probé a actualizar o a intentar actualizar, no ignorando todos los riesgos y peligros que esto tiene, uno de los más antiguos, bellos e ilustres mitos de nuestra literatura clásica: el del criado de cien amos, el pícaro que vive de milagro e incluso por pura casualidad. Creo que, como ejercicio, puede ser provechoso para el escritor, si se tiene algo de suerte. Se navega siempre un poco bordeando el *pastiche*, bien es cierto, pero también se aprenden muchas cosas que pueden ser de utilidad.

El *Lazarillo* lo escribí porque quise —cuando el escritor rompe a escribir lo que quieren los demás, empieza a dejar de serlo—, y también porque de *Pabellón* se dijo algo paralelo, digamos paralelo, a lo que se comentó del *Pascual Duarte:* sí, sí, eso está muy bien, o relativamente bien, claro está, pero donde hay que ver al autor es en un tablado español y no en un escenario abstracto, que lo mismo puede ser de aquí que de otro lado cualquiera. Bueno. En el *Lazarillo* desbrocé, para mi particular andadura, un nuevo camino en mi predio y, por lo menos, me entretuve.

Del *Lazarillo* se opinó (no vengo diciendo más que parte de lo malo; lo bueno es algo que no interesa más que a mi mujer, a mi editor y, muy relativamente, a mí), que sí, como siempre, que si tal y que si cual, pero que el campo, antes y ahora el campo, y que a ver cuando me atrevía con la ciudad. En vista de eso, di un viraje y escribí *La colmena.* Nunca agradeceré bastante a mis enemigos la cantidad de sugerencias que me brindan, a pesar de su escasa imaginación.

La colmena es la novela de la ciudad, de una ciudad concreta y determinada, Madrid, en una época cierta y no imprecisa, 1942, y con casi todos sus personajes, sus muchos personajes, con nombres y dos apellidos, para que no haya dudas. En los juicios que *La colmena* despertó, juicios no siempre mantenidos, por cierto, en el plano de la rigurosa objetividad que requiere la crítica literaria, se barajaron, con frecuencia, cartas marcadas, naipes que hacían posible, e incluso fácil, la flor del fullero. Leal a mi manera de ser, que no sé si es buena o mala, pero que, en todo caso, es mía y no tengo otra, paso, como sobre ascuas, por encima de esta cuestión. El deber del escritor es seguir escribiendo; es también, su único premio.

Mrs. Caldwell, y llegamos a mi quinta y por ahora última novela (*), me enfrenta con un mundo cuya manera de tratarlo, de tratarlo por mí y en este caso, va a encontrar el lector, si quiere hacerlo, poco más adelante. Sería mala idea —la mala idea del espectador de películas policíacas que dice en voz alta quién es el criminal, si el doctor, el marido o el criado— meterme ahora en el berenjenal donde pueda estar escondida la clave de mi libro, si es que mi libro, cosa que no creo, tiene clave alguna.

Pero de todo lo dicho, el sufrido lector aun no habrá podido colegir sino que, en mis cinco novelas, hubo, sí, cinco temas, e incluso cinco decorados diferentes, pero no, en modo alguno, cinco preocupaciones dispares o,

---

(*) N. del E.—Con posterioridad, C. J. C. ha publicado *La catira*, novela de ambiente venezolano.

como decía antes y vuelvo a pedir perdón, cinco *técnicas de novelar*.

Hasta qué punto pudiera ser esto así, es conclusión que cae fuera de mi competencia. No se olvide que mi papel no pasa de ser el del ponente que informa, el del testigo que quizás sea un testigo de excepción, pero que, en caso alguno, es el juez que resuelve y falla.

Pascual Duarte es una novela lineal, escrita en primera persona, que abarca toda una intensa vida.

Pabellón de reposo es más bien una novela ensamblada, como los pisos de parquet, escrita, también en primera persona, desde los diversos ángulos de cada uno de sus personajes, y en la que no se atiende sino a los estertores, a las últimas luces de cada candil.

En el *Lazarillo*, una novela calendario, sigo con la primera persona y me ocupo del despertar de mi pícaro hasta su oficial consideración de hombre, hasta su entrada en el cuartel para servir al Rey.

En *La colmena* salto a la tercera persona. *La colmena* está escrita en lo que los gramáticos llaman presente histórico, que ya asomó, si bien tímidamente, en algún pasaje de mi obra anterior. *La colmena* es una novela reloj, una novela hecha de múltiples ruedas y piececitas que se precisan las unas a las otras para que aquello marche. En *La colmena* no presto atención sino a tres días de la vida de la ciudad, o de un estrato determinado de la ciudad, que es un poco la suma de todas las vidas que bullen en sus páginas, unas vidas grises, vulgares y cotidianas, sin demasiada grandeza, esa es la verdad. *La colmena* es una novela sin héroe, en la que todos sus personajes, como el caracol, viven inmersos en su propia insignificancia.

En *Mrs. Caldwell* intento, hasta donde pensé que pudiera hacerlo sin riesgo de confundir al lector, la segunda persona. Pero, en fin, de *Mrs. Caldwell* ya hablaré cuando vayamos por su segunda o tercera edición; se tiene mayor frialdad, mayor sinceridad, mayor aplomo, con los libros ya a cierta distancia, que con los libros recién cocidos y recién puestos en el escaparate, todavía calientes, como las aromáticas y casi animales barras de pan de las tahonas.

Y esto es todo, o parte, de lo que hoy he probado a decirles. Pido al lector cierta indulgencia para conmigo. A estas gentes que ahora me rodean [1] sin explicarse demasiado qué rara suerte de ganado soy, no se lo hubiera podido contar. No dudo que el lector, si es amigo, habrá de saber comprenderlo así.

C. J. C.

---

[1] En Navacepeda, en la sierra de Gredos, un día de julio de 1952 en que fuí a pescar truchas al Tormes y tuve que quedarme en la posada, una posada que se llama, nada menos, que *Estancia del Almanzor*, porque llovía a cántaros, escribí estas líneas y gané cerca de seis duros al gilé a unos arrieros: unos arrieros que ignoraban con qué extraño sujeto se estaban jugando los cuartos.

LA FAMILIA DE PASCUAL DUARTE

La familia de Pascual Duarte *es una novela en la que los capítulos aparecen sin título e incluso sin número. Los tres trozos que se ofrecen en esta antología llevan, a efectos de orientación para el lector, un simple titulillo que no pertenece al texto. El primero de ellos —el que aquí se llama* La boda— *está formado por los capítulos que, en la novela, hubieran podido ser el octavo y el noveno. El segundo, que llamo* La muerte del hijo, *lo componen los que se podrían haber numerado décimo y undécimo, y el tercero —el que en esta ocasión nombramos* Cartas del cura y del guardia civil— *va incluído en lo que en la edición aparece en* Otra nota del transcriptor, *que es el final de la novela.*

No sigo el texto de la primera edición («Editorial Aldecoa», 1942), sino el de la cuarta («Ediciones del Zodíaco», 1946); como explico en las Andanzas europeas y americanas de Pascual Duarte y su familia *(Bibliofilia, IV volumen, «Editorial Castalia», 1951, que recojo después, con algunas variantes, en la quinta edición, «Ediciones Destino», 1951, y retiro, «porque no es buen sistema eso de andar hurgando siempre sobre las mismas cosas porque al final se enconan, como los granos», en ulteriores ediciones) «no era lógico que Pascual Duarte llevara a Lola, en su viaje de novios, en la yegua del señor Vicente, y que esa misma yegua muriera días más tarde, apuñalada por Pascual, en la cuadra de la casa de éste y sin que el señor Vicente protestara ni dijera siquiera una palabra». La modificación es minúscula pero suficiente. Hela aquí:*

Primera edición, páginas 79 y 80: «... la senté a la grupa de la yegua del señor Vicente, que para eso me la había prestado...»

Edición de «Zodíaco», página 114: «... la senté a la grupa de la yegua, que enjaecé con los arreos del señor Vicente, que para eso me la había prestado...»

Después vi que se me había escapado el la *que subrayo y, a partir de la quinta edición, puse* los, *que es lo único lógico.*

Creo que los trozos seleccionados son, en cierto modo, bastante orientadores de la tónica general del libro.

[LA BODA]

Al cabo de poco más de un mes, el 12 de diciembre, día de la Virgen de Guadalupe, que aquel año cuadró en miércoles, y después de haber cumplido con todos los requisitos de la ley de la Iglesia, Lola y yo nos casamos.

Yo andaba preocupado y como pensativo, como temeroso del paso que iba a dar —¡casarse es una cosa muy seria, qué caramba!— y momentos de flaqueza y desfallecimiento tuve, en los que le aseguro que no me faltó nada para volverme atrás y mandarlo todo a tomar vientos, cosa que si no llegué a hacer fué por pensar que como la campanada iba a ser muy gorda y, en realidad, no me había de quitar más miedo, lo mejor sería estarme quieto y dejar que los acontecimientos salieran por donde quisieran; los corderos quizás piensen lo mismo al verse llevados al degolladero... De mí puedo decir que lo que se avecinaba momento hubo en que pensé que me había de hacer loquear. No sé si sería el olfato que me avisaba de la desgracia que me esperaba... Lo peor es que ese mismo olfato no me aseguraba mayor dicha si es que quedaba soltero...

Como en la boda me gasté los ahorrillos que tenía —que una cosa fuera casarse a contrapelo de la voluntad y otra el tratar de quedar como me correspondía—, nos resultó, si no lucida, sí al menos tan rumbosa, en lo que cabe, como la de cualquiera. En la iglesia mandé colocar unas amapolas y unas matas de romero florecido, y el aspecto de ella era agradable y acogedor quizás por eso de no sentir tan frío al pino de los bancos y a las losas del suelo. Ella iba de negro, con un bien ajustado traje de lino del mejor, con un velo todo de encaje que le regaló la madrina, con unas varas de azahar en la mano y tan gallarda y tan poseída de su papel, que mismamente parecía una reina; yo iba con un vistoso traje azul con raya roja que me llegué hasta Badajoz para comprar, con una visera de raso negro que aquel día estrené, con pañuelo de seda y con leontina. ¡Hacíamos una hermosa pareja, se lo aseguro, con nuestra juventud y nuestro empaque!... ¡Ay, tiempos aquellos en que aún quedaban instantes en que uno parecía como sospechar la felicidad, y qué lejanos me parecéis ahora!...

Nos apadrinaron el señorito Sebastián, el de don Raimundo el boticario, y la señora Aurora, la hermana de don Manuel, el cura que nos echó la bendición y un sermoncete al acabar, que duró así como tres veces la ceremonia, y que si aguanté no por otra cosa fuera —¡bien lo sabe Dios!— que por creerlo de obligación; tan aburrido me llegó a tener. Nos habló otra vez de la perpetuación de la especie, nos habló también del Papa León XIII, nos dijo no sé qué de San Pablo y los esclavos... ¡A fe que el hombre se traía bien preparado el discurso!

Cuando acabó la función de iglesia —cosa que nunca creí que llegara a suceder— nos llegamos todos, y como en comisión, hasta mi casa, donde, sin grandes comodidades, pero con la mejor voluntad del mundo, habíamos preparado de comer y de beber hasta hartarse para todos los que fueron y para el doble que hubieran ido. Para las mujeres había chocolate con tejeringos, y tortas de almendra, y bizcochada, y pan de higo, y para los hombres había manzanilla y tapitas de chorizo, de morcón, de aceitunas, de sardinas en lata... Sé que hubo en el pueblo quien me criticó por no haber dado de comer; allá ellos. Lo que sí le puedo asegurar es que no más duros me hubiera costado el darles gusto, lo que, sin embargo, preferí no hacer porque me resultaba demasiado atado para las ganas que tenía de irme con mi mujer. La conciencia tranquila la tengo de haber cumplido —y bien— y eso me basta; en cuanto a las murmuraciones... ¡más vale ni hacerles caso!

Después de haber hecho el honor a los huéspedes, y en cuanto que tuve ocasión para ello, cogí a mi mujer, la senté a la grupa de la yegua, que enjaecé con los arreos del señor Vicente, que para eso me los había prestado, y pasito a pasito, y como temeroso de verla darse contra el suelo, cogí la carretera y me acerqué hasta Mérida, donde hubimos de pasar tres días, quizás los tres días más felices de mi vida... Por el camino hicimos alto tal vez hasta media docena de veces, por ver de refrescarnos un poco, y ahora me acuerdo con extrañeza y mucho me da que vacilar el pararme a pensar en aquel rapto que nos diera a los dos de liarnos a cosechar margaritas para ponérnoslas una al otro, en la cabeza. A los recién casados parece como si les volviera de repente todo el candor de la infancia...

Cuando entrábamos, con un trotillo acompasado y regular, en la ciudad, por el puente romano, tuvimos la negra sombra de que a la yegua le diera por espantarse —quién sabe si a la vista del río— y a una pobre vieja que por allí pasaba tal manotada le dió que la dejó medio descalabrada y en un tris de irse al Guadiana de cabeza. Yo descabalgué rápido por socorrerla, que no fuera de bien nacidos pasar de largo, pero como la vieja me dió la sensación de que lo único que tenía era mucho resabio, la di un real —porque no dijese— y dos palmaditas en los hombros y me marché a reunirme con Lola. Esta sonreía y su sonrisa, créame usted, me hizo mucho daño;

no sé si sería un presentimiento..., algo así como una corazonada de lo que habría de ocurrirle. No está bien reírse de la desgracia del prójimo, se lo dice un hombre que fué muy desgraciado a lo largo de su vida; Dios castiga sin palo y sin piedra, y, ya se sabe, quien a hierro mata... Por otra parte, y aunque no fuera por eso, nunca está de más el ser humanitario.

Nos alojamos en la Posada del Mirlo, en un cuarto grande que había al entrar, a la derecha, y los dos primeros días, amartelados como andábamos, no hubimos de pisar la calle ni una sola vez. En el cuarto se estaba bien; era amplio, de techos altos, sostenidos por sólidas traviesas de castaño, de limpio pavimento de baldosa, y con un mobiliario cómodo y numeroso que daba verdadero gusto usar. El recuerdo de aquella alcoba me acompañó a lo largo de toda mi vida como un amigo fiel; la cama era la cama más señora que pude ver en mis días, con su cabecera toda de nogal labrado, con sus cuatro colchones de lana lavada... ¡qué bien se descansaba en ella! ¡Parecía mismamente la cama de un rey!... Había también una cómoda, alta y ventruda como una matrona, con sus cuatro hondos cajones con tiradores dorados, y un armario que llegaba hasta el techo, con una amplia luna de espejo del mejor, con dos esbeltos candelabros —de la misma madera—, uno a cada lado para alumbrar bien la figura... Hasta el aguamanil —que siempre suele ser lo peor— era vistoso en aquella habitación; sus curvadas y livianas patas de bambú y su aljofaina de loza blanca, que tenía unos pajarillos pintados en el borde, le daban una gracia que lo hacía simpático... En las paredes había un cromo, grande y en cuatro colores, sobre la cama, representando un Cristo en el martirio; una pandereta con un dibujo en colores de la Giralda de Sevilla, con su madroñera encarnada y amarilla; dos pares de castañuelas a ambos lados, y una pintura del Circo

Romano, que yo reputé siempre como de mucho mérito, dado el gran parecido que le encontraba. Había también un reló sobre la cómoda, con una pequeña esfera figurando la bola del mundo y sostenida con los hombros por un hombre desnudo, y dos jarrones de Talavera, con sus dibujos en azul, algo viejos ya, pero conservando todavía ese brillar que tan agradables los hace. Las sillas, que eran seis, dos de ellas con brazos, eran altas de respaldo, con un mullido peluche dorado por culera (con perdón), recias de patas, tan cómodas que mucho hube de echarlas de menos al volver para la casa, y no digamos ahora al estar aquí metido. ¡Aún me acuerdo de ellas, a pesar de los años pasados!

Mi mujer y yo nos pasábamos las horas disfrutando de la comodidad que se nos brindaba y, como ya le dije, en un principio para nada salíamos a la calle. ¿Qué nos interesaba a nosotros lo que en ella ocurría si allí dentro teníamos lo que en todo el resto de la ciudad no nos podían ofrecer?

Mala cosa es la desgracia, créame. La felicidad de aquellos dos días llegaba ya a extrañarme por lo completa que parecía...

Al tercer día, el sábado, se conoce que señalados por los familiares de la atropellada, nos fuimos a encontrar de manos a boca con la pareja. Una turbamulta de chiquillos se agolpó a la puerta al saber que por allí andaba la Guardia Civil, y nos dió una cencerrada que hubimos de tener un mes entero clavada en los oídos. ¿Qué maligna crueldad despertará en los niños el olor de los presos?; nos miran como bichos raros, con los ojos todos encendidos, con una sonrisilla viciosa por la boca, como miran a la oveja que apuñalan en el matadero —esa oveja en cuya sangre caliente mojan las alpargatas—, o al perro que dejó quebrado el carro que pasó —ese perro que tocan con la varita por ver si está vivo todavía—, o a los cinco gatitos recién nacidos que se ahogan en el pilón, esos cinco gatitos a los que apedrean, esos cinco gatitos a los que sacan de vez en cuando por jugar, por prolongarles un poco la vida —¡tan mal los quieren!—, por evitar que dejen de sufrir demasiado pronto... En un principio me atosigó bastante la llegada de los civiles, y aunque hacía esfuerzos por aparentar serenidad, mucho me temo que mi turbación no permitiera mostrarla. Con la Guardia Civil venía un mozo de unos veinticinco años, nieto de la vieja, espigado y presumido como a esa edad corresponde, y esa fué mi providencia, porque como con los hombres, ya lo sabe usted, no hay mejor cosa que usar de la palabra y hacer sonar la bolsa, en cuanto le llamé galán y le metí seis pesetas en la mano se marchó más veloz que una centella y más alegre que unas castañuelas, y pidiéndole a Dios —por seguro lo tengo— ver en su vida muchas veces a la abuela entre las patas de los caballos. La Guardia Civil, quién sabe si por eso de que la parte ofendida tan presto entrara en razón, se atusó los mostachos, carraspeó, me habló del peligro de la espuela pronta, pero, lo que es más principal, se marchó sin incordiarme más.

Lola estaba como transida por el temor que le produjera la visita, pero como en realidad no era mujer cobarde, aunque sí asustadiza, se repuso del sofocón no más pasados los primeros momentos, le volvió el color a las mejillas, el brillo a la mirada y la sonrisa a los labios, para quedar en seguida tan guapota y bien plantada como siempre.

En aquel momento —bien me acuerdo— fué cuando le noté por vez primera algo raro en el vientre y un tósigo de verla así me entró en el corazón, que vino —en el mismo medio del apuro— a tranquilizar mi conciencia, que preocupadillo me tenía ya por entonces con eso de no sentirla latir ante la idea del primer hijo. Era muy poco lo que se le notaba, y bien posible hubiera sido que, de no saberlo, jamás me hubiera percatado de ello...

Compramos en Mérida algunas chucherías para la casa, pero como el dinero que llevábamos no era mucho, y además había sido mermado con las seis pesetas que le di al nieto de la atropellada, decidí retornar al pueblo por no parecerme cosa de hombres prudentes el agotar el monedero hasta el último ochavo. Volví a ensillar la yegua, a enjaezarla con la sobremontura y las riendas de la feria del señor Vicente y a enrollarle la manta en el arzón, para con ella —y con mi mujer a la grupa como a la ida— volverme para Torremejía. Como mi casa estaba, como usted sabe, en el camino de Almendralejo, y como nosotros de donde veníamos era de Mérida, hubimos de cruzar, para arrimarnos a ella, la línea entera de casas de forma que todos los vecinos, por ser ya la caída de la tarde, pudieron vernos llegar —tan marciales— y mostrarnos su cariño, que por entonces lo había, con el buen recibir que nos hicieron. Yo me apeé, volteándome por la cabeza para no herir a Lola de una patada, requerido por mis compañeros de soltería y de labranza, y con ellos me fuí, casi llevado en volandas, hasta la taberna de Marinete *El Gallo*, adonde entramos en avalancha y cantando, y en donde el dueño me dió un abrazo contra su vientre, que a poco me marea entre las fuerzas que hizo y el olor a vino blanco que despedía. A Lola la besé en la mejilla y la mandé para casa a saludar a las amigas y a esperarme, y ella se marchó, jineta sobre la hermosa yegua, espigada y orgullosa como una infanta, y bien ajena —como siempre pasa— a que el animal había de ser la causa del primer disgusto.

En la taberna, como había una guitarra, mucho vino y suficiente buen humor, estábamos todos como radiantes y alborozados, dedicados a lo nuestro y tan ajenos al mundo que entre el cantar y el beber se nos iban pasando los tiempos como sin sentirlos. Zacarías, el del señor Julián, se arrancó por seguidillas. ¡Daba gusto oírlo con su voz tan suave como la de un jilguero! Cuando él cantaba, los demás —mientras anduvimos serenos— nos callábamos a escuchar como embobados, pero cuando tuvimos más arranque, por el vino y la conversación, nos liamos a cantar en rueda, y aunque nuestras voces no eran demasiado templadas, como llegaron a decirse cosas divertidas, todo se nos era perdonado.

Es una pena que las alegrías de los hombres nunca se sepa a dónde nos han de llevar, porque de saberlo no hay duda que algún disgusto que otro nos habríamos de ahorrar; lo digo porque la velada en casa de *El Gallo* acabó como el rosario de la aurora por eso de no sabernos ninguno parar a tiempo. La cosa fué bien sencilla, tan sencilla como siempre resultan ser las cosas que más vienen a complicarnos la vida.

El pez muere por la boca, dicen, y dicen también que quien mucho habla mucho yerra, y que en boca cerrada no entran moscas, y a fe que algo de cierto para mí tengo que debe de haber en todo ello, porque si Zacarías se hubiese callado como Dios manda y no se hubiese metido en camisa de once varas, entonces se hubiera ahorrado un disgustillo y ahora el servir para anunciar la lluvia a los vecinos con sus tres cicatrices. El vino no es un buen consejero...

Zacarías, en medio de la juerga, y por hacerse el chistoso, nos contó no sé qué sucedido, o discurrido, de un palomo ladrón, que yo me atrevería a haber jurado en el momento —y a seguir jurando aún ahora mismo— que lo había dicho pensando en mí; nunca fuí susceptible, bien es verdad, pero cosas tan directas hay —o tan directas uno se las cree— que no hay forma ni de no darse por aludido ni de mantenerse uno en sus casillas y no saltar.

Yo le llamé la atención.

—¡Pues no le veo la gracia!

—Pues todos se la han visto, Pascual.

—Así será, no lo niego; pero lo que digo es que no me parece de bien nacidos el hacer reír a los más metiéndose con los menos.

—No te piques, Pascual; ya sabes, el que se pica...

—Y que tampoco me parece de hombres el salir con bromas a los insultos.

—No lo dirás por sí...

—No; lo digo por el gobernador.

—Poco hombre me pareces tú para lo mucho que amenazas.

—Y que cumplo.

—¿Que cumples?

—¡Sí!

Yo me puse de pie.

—¿Quieres que salgamos al campo?

—¡No hace falta!

—¡Muy bravo te sientes!

Los amigos se echaron a un lado, que nunca fuera cosa de hombres meterse a evitar las puñaladas...

Yo abrí la navaja con parsimonia; en esos momentos una precipitación, un fallo, puede sernos de unas consecuencias funestas. Se hubiera podido oír el vuelo de una mosca, tal era el silencio...

Me levanté, me fuí hacia él, y antes de darle tiempo a ponerse en facha, le arreé tres navajazos que lo dejé como temblando. Cuando se lo llevaban, camino de la botica de don Raimundo, le iba manando la sangre como de un manantial...

Yo tiré para casa acompañado de tres o cuatro de los íntimos, algo fastidiado por lo que acababa de ocurrir.

—También fué mala pata... a los tres días de casado.
Ibamos callados, con la cabeza gacha, como pesarosos.
—El se lo buscó; la conciencia bien tranquila la tengo. ¡Si no hubiera hablado!...
—No le des más vueltas, Pascual.
—¡Hombre, es que lo siento, ya ves! ¡Después de que todo pasó!
Era ya la madrugada y los gallos cantores lanzaban a los aires su pregón. El campo olía a jaras y a tomillo.
—¿Dónde le di?
—En un hombro.
—¿Muchas?
—Tres.
—¿Sale?
—¡Hombre, sí! ¡Yo creo que saldrá!
—Más vale.
Nunca me pareció mi casa tan lejos como aquella noche...
—Hace frío...
—No sé, yo no tengo.
—¡Será el cuerpo!
—Puede...
Pasábamos por el cementerio.
—¡Qué mal se debe estar ahí dentro!
—¡Hombre! ¿Por qué dices eso? ¡Qué pensamientos más raros se te ocurren!
—¡Ya ves!
El ciprés parecía un fantasma, alto y seco, un centinela de los muertos...
—Feo está el ciprés...
—Feo.
En el ciprés una lechuza, un pájaro de mal agüero, dejaba oír su silbo misterioso.
—Mal pájaro ése.
—Malo...

—Y que todas las noches está ahí.
—Todas...
—Parece como si gustase de acompañar a los muertos.
—Parece...
—¿Qué tienes?
—¡Nada! ¡No tengo nada! Ya ves, manías...
Miré para Domingo; estaba pálido como un agonizante.
—¿Estás enfermo?
—No...
—¿Tienes miedo?
—¿Miedo yo? ¿De quién he de tener miedo?
—De nadie, hombre; era por decir algo.
El señorito Sebastián intervino:
—Venga, callaros; a ver si ahora la vais a emprender vosotros.
—No...
—¿Falta mucho, Pascual?
—Poco; ¿por qué?
—Por nada...
La casa parecía como si la cogieran con una mano misteriosa y se la fuesen llevando cada vez más lejos.
—¿Nos pasaremos?
—¡Hombre, no! ¡Alguna luz ya habrá encendida!
Volvimos a callarnos. Ya poco podía faltar...
—¿Es aquello?
—Sí.
—¿Y por qué no lo decías?
—¿Para qué? ¿No lo sabías?
A mí me extrañó el silencio que había en mi casa. Las mujeres estarían aún allí según la costumbre, y las mujeres ya sabe usted lo mucho que alzan la voz para hablar.
—Parece que duermen.
—¡No creo! ¡Ahí tienen una luz!

Nos acercamos a la casa; efectivamente, había una luz.

La señora Engracia estaba a la puerta; hablaba con la *s*, como la lechuza del ciprés; a lo mejor tenía hasta la misma cara...

—¿Y usted por aquí?

—Pues ya ves, hijo, esperándote estaba.

—¿Esperándome?

—Sí.

El misterio que usaba conmigo la señora Engracia no me podía agradar.

—¡Déjeme pasar!

—¡No pases!

—¿Por qué?

—¡Porque no!

—¡Esta es mi casa!

—Ya lo sé, hijo; por muchos años... Pero no puedes pasar.

—¿Pero por qué no puedo pasar?

—Porque no puede ser, hijo. ¡Tu mujer está mala!

—¿Mala?

—Sí.

—¿Qué le pasa?

—Nada; que abortó.

—¿Que abortó?

—Sí; la descabalgó la yegua...

La rabia que llevaba dentro no me dejó ver claro; tan obcecado estaba que ni me percaté de lo que oía...

—¿Dónde está la yegua?

—En la cuadra.

La puerta de la cuadra que daba al corral era baja de quicio... Me agaché para entrar; no se veía nada...

—¡Tó, yegua!

La yegua se arrimó contra el pesebre; yo abrí la

navaja con cuidado; en esos momentos, el poner un pie en falso puede sernos de unas consecuencias funestas...

—¡Tó, yegua!

Volvió a cantar el gallo en la mañana...

—¡Tó, yegua!

La yegua se movía hacia el rincón. Me arrimé; llegué hasta poder darle una palmada en las ancas... El animal estaba despierto, como impaciente...

—¡Tó, yegua!

Fué cosa de un momento. Me eché sobre ella y la clavé; la clavé lo menos veinte veces...

Tenía la piel dura; mucho más dura que la de Zacarías... Cuando de allí salí saqué el brazo dolido; la sangre me llegaba hasta el codo... El animalito no dijo ni pío; se limitaba a respirar más hondo y más de prisa, como cuando la echaban al macho.

[LA MUERTE DEL HIJO]

Por seguro se lo digo que —aunque después, al enfriarme, pensara lo contrario— en aquel momento no otra cosa me pasó por el magín que la idea de que el aborto de Lola pudiera habérsele ocurrido tenerlo de soltera. ¡Cuánta bilis y cuánto resquemor y veneno me hubiera ahorrado!

A consecuencia de aquel desgraciado accidente me quedé como anonadado y hundido en las más negras imaginaciones y hasta que reaccioné hubieron de pasar no menos de doce largos meses, en los cuales, como evadido del espíritu, andaba por el pueblo. Al año, o poco menos, de haberse malogrado lo que hubiera de venir, quedó Lola de nuevo encinta y pude ver con alegría que idénticas ansias y los mismos desasosiegos que la vez primera me acometían: el tiempo pasaba demasiado despacio para lo de prisa que quisiera yo verlo pasar, y un humor endiablado me acompañaba como una sombra donde quiera que fuese.

Me torné huraño y montaraz, aprensivo y hosco, y como ni mi mujer ni mi madre entendieran gran cosa de caracteres, estábamos todos en un constante vilo por ver dónde saltaba la bronca. Era una tensión que nos destrozaba, pero que parecía como si la cultivásemos gozosos; todo nos parecía alusivo, todo malintencionado, todo de segunda intención... ¡Fueron unos meses de un agobio como no puede usted ni figurar!

La idea de que mi mujer pudiera volver a abortar era algo que me sacaba de quicio; los amigos me notaban extraño, y la *Chispa* —que por entonces viva andaba todavía— parecía que me miraba menos cariñosa.

Yo la hablaba, como siempre...

—¿Qué tienes?

Y ella me miraba como suplicante, moviendo el rabillo muy de prisa, casi gimiendo y poniéndome unos ojos que destrozaban el corazón. A ella también se le habían ahogado las crías en el vientre... En su inocencia, ¡quién sabe si no conocería la mucha pena que su desgracia me produjera! Eran tres los perrillos que vivos no llegaron a nacer; los tres igualitos, los tres pegajosos como el almíbar, los tres grises y medio sarnosos como ratas... Abrió un hoyo entre los cantuesos y allí los metió. Cuando al salir al monte detrás de los conejos parábamos un rato por templar el aliento, ella, con ese aire doliente de las hembras sin hijos, se acercaba hasta el hoyo para olerlo.

Cuando, entrado ya el octavo mes, la cosa marchaba como sobre carriles; cuando, gracias a los consejos de la señora Engracia, el embarazo de mi mujer iba camino de convertirse en un modelo de embarazos, y cuando, por el mucho tiempo pasado y por el poco que faltaba ya por pasar, todo hacía suponer que lo prudente sería alejar el cuidado, tales ansias me entraban, y tales prisas, que por seguro tuve desde entonces el no loquear en la vida si de aquel berenjenal salía con razón.

Hacia los días señalados por la señora Engracia, y como si Lola fuese un reló, de precisa como andaba, vino al mundo, y con una sencillez y una felicidad que a mí ya me tenían extraño, mi nuevo hijo, mejor dicho, mi primer hijo, a quien en la pila del bautismo pusimos por nombre Pascual, como su padre, un servidor. Yo hubiera querido ponerle Eduardo, por haber nacido en el día del Santo y ser la costumbre de la tierra; pero mi mujer, que por entonces andaba cariñosa como nunca, insistió en ponerle el nombre que yo llevaba, cosa para la que poco tiempo gastó en convencerme, dada la mucha ilusión que me hacía. Mentira me parece, pero por bien cierto le aseguro que lo tengo, el que por entonces la misma ilusión que a un muchacho con botas nuevas me hicieran los excesos de cariño de mi mujer; se los agradecía de todo corazón, se lo juro.

Ella, como era de natural recio y vigoroso, a los dos días del parto estaba tan nueva como si nada hubiera pasado. La figura que formaba, toda desmelenada dándole de mamar a la criatura, fué una de las cosas que más me impresionaron en la vida; aquello sólo me compensaba con creces los muchos cientos de malos ratos pasados...

Yo me pasaba largas horas sentado a los pies de la cama. Lola me decía, muy bajo, como ruborizada:

—Ya te he dado uno...

—Sí.

—Y bien hermoso...

—Gracias a Dios.

—Ahora hay que tener cuidado con él...

—Sí, ahora es cuando hay que tener cuidado.

—De los cerdos.

El recuerdo de mi pobre hermano Mario me asaltaba; si yo tuviera un hijo con la desgracia de Mario, lo ahogaría para privarle de sufrir...

—Sí; de los cerdos.

—Y de las fiebres también.

—Sí.

—Y de las insolaciones...

—Sí; también de las insolaciones.

El pensar que aquel tierno pedazo de carne que era mi hijo, a tales peligros había de estar sujeto, me ponía las carnes de gallina.

—Le pondremos vacuna.

—Cuando sea mayorcito...

—Y lo llevaremos siempre calzado, porque no se corte los pies.

—Y cuando tenga siete añitos lo mandaremos a la escuela...

—Y yo le enseñaré a cazar...

Lola se reía, ¡era feliz! Yo también me sentía feliz, ¿por qué no decirlo?, viéndola a ella hermosa como pocas, con un hijo en el brazo como una Santa María.

—¡Haremos de él un hombre de provecho...!

¡Qué ajenos estábamos los dos a que Dios —que todo lo dispone para la buena marcha de los universos— nos lo había de quitar! Nuestra ilusión, todo nuestro bien, nuestra fortuna entera, que era nuestro hijo, habíamos de acabar perdiéndolo aún antes de poder probar a encarrilarlo. ¡Misterios de los afectos, que se nos van cuando más falta nos hacen!

Sin encontrar una causa que lo justificase, aquel gozar con la contemplación del niño me daba muy mala espina. Siempre tuve muy buen ojo para la desgracia —no sé si para mi bien o para mi mal— y aquel presentimiento, como todos, fué a confirmarse al rodar de los meses como para seguir redondeando mi desdicha, esa desdicha que nunca parecía acabar de redondearse.

Mi mujer seguía hablándome del hijo.

—Bien se nos cría... Parece un rollito de manteca...

Y aquel hablar y más hablar de la criatura hacía que poco a poco se me fuera volviendo odiosa; nos iba a abandonar, a dejar hundidos en la desesperanza más ruin, a deshabitarnos como esos cortijos arruinados de los que se apoderan las zarzas y las ortigas, los sapos y los lagartos, y yo lo sabía, estaba seguro de ello, sugestionado de su fatalidad, cierto de que más tarde o más temprano tenía que suceder, y esa certeza de no poder oponerme a lo que el instinto me decía, me ponía los genios en una tensión que me los forzaba.

Yo algunas veces me quedaba mirando como un inocente para Pascualillo, y los ojos a los pocos minutos se me ponían arrasados por las lágrimas; le hablaba:

—Pascual, hijo...

Y él me miraba con sus redondos ojos, y me sonreía...

Mi mujer volvía a intervenir:

—Pascual, bien se nos cría el niño.

—Bien, Lola... ¡Ojalá siga así!

—¿Por qué lo dices?

—Ya ves. ¡Las criaturas son tan delicadas...!

—¡Hombre, no seas mal pensado!

—No; mal pensado, no... ¡Hemos de tener mucho cuidado!

—¡Mucho!

—Y evitar que se nos resfríe.

—Sí... ¡Podría ser su muerte!

—Los niños mueren de resfriado...

—¡Algún mal aire...!

La conversación iba muriendo poco a poco, como los pájaros o como las flores, con la misma dulzura y lentitud con las que, poco a poco también, mueren los niños, los niños atravesados por algún mal aire traidor...

—Estoy como espantada, Pascual.

—¿De qué?

—¡Mira que si se nos va...!

—¡Mujer!

—¡Son tan tiernas las criaturas a esta edad!

—Nuestro hijo bien hermoso está, con sus carnes rosadas y su risa siempre en la boca.

—Cierto es, Pascual. ¡Soy tonta! —y se reía, toda nerviosa, abrazando al hijo contra el pecho.

—¡Oye!

—¡Qué!

—¿De qué murió el hijo de la Carmen?

—¿Y a ti qué más te da?

—¡Hombre! Por saber...

—Dicen que murió de moquillo.

—¿Por algún mal aire?

—Parece.

—¡Pobre Carmen, con lo contenta que andaba con el hijo! La misma carita de cielo del padre —decía—, ¿te acuerdas?

—Sí, me acuerdo...

—Contra más ilusión se hace una, parece como si más apuro hubiese por hacérnoslo perder...

—Sí.

—Debería saberse cuánto había de durarnos cada hijo, que lo llevasen escrito en la frente...

—¡Calla...!

—¿Por qué?

—¡No puedo oírte!

Un golpe de azada en la cabeza no me hubiera dejado en aquel momento más aplanado que las palabras de Lola.

—¿Has oído?

—¡Qué!

—La ventana.

—¿La ventana?

—Sí; chirría como si quisiera atravesarla algún aire...

El chirriar de la ventana mecida por el aire se fué a confundir con una queja.

—¿Duerme el niño?

—Sí.

—Parece como que sueña.

—No lo oigo.

—Y que se lamenta como si tuviera algún mal...

—¡Aprensiones!

—¡Dios te oiga! Me dejaría sacar los ojos.

En la alcoba, el quejido del niño semejaba el llanto de las encinas pasadas por el viento.

—¡Se queja!...

Lola fué a ver qué le pasaba; yo me quedé en la cocina fumando un pitillo, ese pitillo que siempre me cogen fumando los momentos de apuro...

* * *

Pocos días duró. Cuando lo devolvimos a la tierra, once meses tenía; once meses de vida y de cuidados a los que algún mal aire traidor echó por el suelo...

... ...

¡Quién sabe si no sería Dios que me castigaba por lo mucho que había pecado y por lo mucho que había de pecar todavía! ¡Quién sabe si no sería que estaba escrito en la divina memoria que la desgracia había de ser mi único camino, la única senda por la que mis tristes días habían de discurrir...!

A la desgracia no se acostumbra uno, créame, porque siempre nos hacemos la ilusión de que la que estamos soportando la última ha de ser, aunque después, al pasar de los tiempos, nos vayamos empezando a convencer —¡y con cuánta tristeza!— que lo peor aún está por pasar... Se me ocurren estos pensamientos porque si cuando el aborto de Lola y las cuchilladas de Zacarías creí desfallecer de la nostalgia, no por otra cosa era —¡bien es cierto!— sino porque aún no sospechaba en lo que había de parar.

Tres mujeres hubieron de rodearme cuando Pascualillo nos abandonó; tres mujeres a las que por algún vínculo estaba unido, aunque a veces me encontrase tan extraño a ellas como el primer desconocido que pasase, tan desligado de ellas como del resto del mundo, y de esas tres mujeres, ninguna, créame usted, ninguna, supo con su cariño o con sus modales hacerme más llevadera la pena de la muerte del hijo; al contrario, parecía como si se hubiesen puesto de acuerdo para amargarme la vida... Esas tres mujeres eran mi mujer, mi madre y mi hermana.

¡Quién lo hubiera de decir, con las esperanzas que en su compañía llegué a tener puestas!

Las mujeres son como los grajos, de ingratas y malignas...

Siempre estaban diciendo:

—¡El angelito que un mal aire se llevó...!

—¡Para los limbos por librarlo de nosotros...!

—¡La criatura que era mismamente un sol!

—¡Y la agonía...!

—¡Qué ahogadito en los brazos lo hube de tener!

Parecía una letanía, agobiadora y lenta como las noches de vino, despaciosa y cargante como las andaduras de los asnos.

Y así un día, y otro día, y una semana y otra... ¡Aquello era horrible, era un castigo de los cielos, a buen seguro, una maldición de Dios!

Y yo me contenía.

—Es el cariño —pensaba— que las hace crueles sin querer.

Y trataba de no oír, de no hacer caso, de verlas accionar sin tenerlas más en cuenta que si fueran fantoches, de no poner cuidado en sus palabras... Dejaba que la pena muriese con el tiempo, como las rosas cortadas, guardando mi silencio como una joya por intentar sufrir lo menos que pudiera. ¡Vanas ilusiones que no habían de servirme para otra cosa que para hacerme extrañar más cada día la dicha de los que nacen para la senda fácil, y cómo Dios permitía que tomarais cuerpo en mi imaginación!

Temía la puesta del sol como al fuego o como a la rabia; el encender el candil de la cocina, a eso de las siete de la tarde, era lo que más me dolía hacer de toda la jornada. Todas las sombras me recordaban al hijo muerto, todas las subidas y bajadas de la llama, todos los ruidos de la noche, esos ruidos de la noche que casi no se oyen, pero que suenan en nuestros oídos como los golpes del hierro contra el yunque...

Allí estaban, enlutadas como cuervos, las tres mujeres, calladas como muertos, hurañas, serias como carabineros. Algunas veces yo les hablaba por tratar de romper el hielo.

—Duro está el tiempo.

—Sí...

Y volvíamos todos al silencio.

Yo insistía.

—Parece que el señor Gregorio ya no vende la mula... ¡Para algo la necesitará!

—Sí...

—¿Habéis estado en el río?

—No...

—¿Y en el cementerio?

—Tampoco...

No había manera de sacarlas de ahí. La paciencia que con ellas usaba, ni la había usado jamás, ni jamás volviera a usarla con nadie. Hacía como si no me diese cuenta de lo raras que estaban, para no precipitar el escándalo que, sin embargo, había de venir, fatal como las enfermedades y los incendios, como los amaneceres y como la muerte, porque nadie era capaz de impedirlo.

Las más grandes tragedias de los hombres parecen llegar como sin pensarlas, con su paso de lobo cauteloso, a asestarnos su aguijonazo repentino y taimado como el de los alacranes...

Las podría pintar como si ante mis ojos todavía estuvieran, con su sonrisa amarga y ruin de hembras enfriadas, con su mirar perdido muchas leguas a través de los muros. Pasaban cruelmente los instantes; las palabras sonaban a voz de aparecido...

—Ya es noche cerrada.

—Ya lo vemos...

La lechuza estaría sobre el ciprés.

—Fué como esta noche...

—Sí.

—Era algo más tarde...

—Sí.

—El mal aire traidor andaba aún por el campo...

... ...

—Perdido en los olivos...

—Sí.

El silencio con su larga campana volvió a llenar el cuarto.

—¿Dónde andará aquel aire?

... ...

—¿Aquel mal aire traidor...?

Lola tardó algún tiempo en contestar.

—No sé.

—¡Habrá llegado al mar!

—Atravesando criaturas...

Una leona atacada no tuviera aquel gesto que puso mi mujer.

—¡Para que una se raje como una granada...! ¡Parir para que el aire se lleve lo parido, mal castigo te espere...!

—¡Si la vena de agua que mana gota a gota sobre el charco pudiera haber ahogado aquel mal aire...!

... ...

[CARTAS DEL CURA Y DEL GUARDIA CIVIL]

Magacela (Badajoz), a 9 de enero de 1942

Muy distinguido señor mío y de mi mayor consideración:

Recibo en estos momentos, y con evidente retraso, su atenta carta del 18 del anterior mes de diciembre, y las 359 cuartillas escritas a máquina conteniendo las memorias del desgraciado Duarte. Me lo remite todo ello don David Freire Angulo, actual capellán de la cárcel de Badajoz, y compañero de un servidor allá en los años moceriles del Seminario, en Salamanca. Quiero apaciguar el clamor de mi conciencia estampando estas palabras no más abierto el sobre, para dejar para mañana, Dios mediante, la continuación, después de haber leído, siguiendo sus instrucciones y mi curiosidad, el fajo que me acompaña.

(Sigo el 10.)

Acabo de leer de una tirada, aunque —según Herodoto— no sea forma noble de lectura, las confesiones de Duarte, y no tiene usted idea de la impresión profunda que han dejado en mi espíritu, de la honda huella, del marcado surco que en mi alma produjeran. Para un servidor, que recogiera sus últimas palabras de arrepentimiento con el mismo gozo con que recogiera la más dorada mies el labrador, no deja de ser fuerte impresión la lectura de lo escrito por el hombre que quizá a la mayoría se les figure una hiena (como a mí se me figuró también cuando fuí llamado a su celda), aunque al llegar al fondo de su alma se pudiese conocer que no otra cosa que un manso cordero, acorralado y asustado por la vida, pasara de ser.

Su muerte fué de ejemplar preparación y únicamente a última hora, al faltarle la presencia de ánimo, se descompuso un tanto, lo que ocasionó que el pobre sufriera con el espíritu lo que se hubiera ahorrado de tener mayor valentía.

Dispuso los negocios del alma con un aplomo y una serenidad que a mí me dejaron absorto y pronunció delante de todos, cuando llegó el momento de ser conducido al patio, un *¡Hágase la voluntad del Señor!* que mismo nos dejara maravillados con su edificante humildad. ¡Lástima que el enemigo le robase sus últimos instantes, porque si no, a buen seguro que su muerte habría de haber sido tenida como santa! Ejemplo de todos los que la presenciamos hubo de ser (hasta que perdiera el dominio, como digo), y provechosas consecuencias para mi dulce ministerio de la cura de almas, hube de sacar de todo lo que vi. ¡Que Dios lo haya acogido en su santo seno!

Reciba, señor, la prueba del más seguro afecto en el saludo que le envía su humilde

S. LURUEÑA, *Presbítero*

P. D.—Lamento no poder complacerle en lo de la fotografía, y no sé tampoco cómo decirle para que pudiera arreglarse.

Una. Y la otra

La Vecilla (León), 12-1-42.

Muy señor mío:

Acuso recibo de su atenta particular del 18 de diciembre, deseando que al presente se encuentre usted gozoso de tan buena salud como en la fecha citada. Yo, bien —a Dios gracias sean dadas—, aunque más tieso que un palo en este clima que no es ni para desearlo al más grande criminal. Y paso a informarle de lo que me pide, ya que no veo haya motivo alguno del servicio que me lo impida, ya que de haberlo usted me habría de dispensar, pero yo no podría decir ni una palabra. Del tal Pascual Duarte de que me habla ya lo creo que me recuerdo, pues fué el preso más célebre que tuvimos que guardar en mucho tiempo; de la salud de su cabeza no daría yo fe aunque me ofreciesen Eldorado, porque tales cosas hacía que a las claras atestiguaba su enfermedad. Antes de que confesase ninguna vez, todo fué bien; pero en cuanto que lo hizo la primera se conoce que le entraron escrúpulos y remordimientos y quiso purgarlos con la penitencia; el caso es que los lunes, porque si había muerto su madre, y los martes, porque si martes había sido el día que matara al señor Conde de Torremejía, y los miércoles, porque si había muerto no sé quién, el caso es que el desgraciado se pasaba las medias semanas voluntariamente sin probar bocado, que tan presto se le hubieron de ir las carnes que para mí que al verdugo no demasiado trabajo debiera costarle el hacer que los dos tornillos llegaran a encontrarse en el medio del gaznate. El muy desgraciado se pasaba los días escribiendo, como poseído de la fiebre, y como no molestaba y además el Director era de tierno corazón y nos tenía ordenado le aprovisionásemos de lo que fuese necesitando para seguir escribiendo, el hombre se confiaba y no cejaba ni un instante. En una ocasión me llamó, me enseñó una carta dentro de un sobre abierto (*para que la lea usted, si quiere,* me dijo) dirigido a don Joaquín Barrera López, en Mérida, y me dijo en un tono que nunca llegué a saber si fuera de súplica o de mandato:

—*Cuando me lleven, coge usted esta carta, arregla un poco este montón de papeles, y se lo da todo a este señor. ¿Me entiende?*

Y añadía después mirándome a los ojos y poniendo tal misterio en su mirar que me sobrecogía:

—*¡Dios se lo habrá de premiar... porque yo así se lo pediré!*

Yo le obedecí, porque no vi mal en ello, y porque he sido siempre respetuoso con las voluntades de los muertos.

En cuanto a su muerte sólo he de decirle que fué completamente corriente y desgraciada y que aunque al principio se sintiera flamenco y soltase delante de todo el mundo un *¡Hágase la voluntad del Señor!* que nos dejó como anonadados, pronto se olvidó de mantener la compostura. A la vista del patíbulo se desmayó y cuando volvió en sí tales voces daba de que no quería morir y de que lo que hacían con él no había derecho, que hubo de ser llevado a rastras hasta el banquillo. Allí besó por última vez un crucifijo que le mostró el Padre Santiago, que era el capellán de la cárcel y mismamente un santo, y terminó sus días escupiendo y pataleando, sin cuidado ninguno de los circunstantes, y de la manera más ruin y más baja que un hombre puede terminar; demostrando a todos su miedo a la muerte.

Le ruego que si le es posible me envíe dos libros, en vez de uno, cuando estén impresos. El otro es para el teniente de la línea, que me indica que le abonará el importe a reembolso, si es que a usted le parece bien.

Deseando haberle complacido, le saluda atentamente s. s. s. q. e. s. m.,

CESÁREO MARTÍN

Tardé en recibir su carta y ese es el motivo de que haya tanta diferencia entre las fechas de las dos. Me fué remitida desde Badajoz y la recibí en ésta el 10, sábado, o sea antes de ayer.—Vale.

Madrid, 1942

PABELLON DE REPOSO

En el prólogo a Mrs. Caldwell habla con su hijo, *que repito encabezando la selección de estas páginas, ya explico, aunque quizás un poco de pasada, lo que fué mi imprecisa intención al escribir* Pabellón de reposo. *A mí, particularmente, esta novela no me parece muy sintomática ni muy representativa de lo que puedan ser mis puntos de vista literarios; por lo menos los que hoy profeso. Le tengo, sin embargo, cierta simpatía, porque fué pensada sobre amargas experiencias personales, y escrita a uña de caballo y un poco con la azarosa violencia del folletín: esto es, con la obligación de entregar equis cuartillas a la semana y sin escape posible. En ella, como en* La familia de Pascual Duarte, *tampoco titulo los capítulos, aunque aquí sí los numere. La novela está dividida en dos partes separadas por un* Intermedio *y los capítulos de ambas se corresponden, uno a uno y separados por el tiempo preciso para que los personajes —a los que no nombro, sino que designo con el número de sus respectivas habitaciones, cruel hábito sanatorial— pasen de la mala salud a la muerte indefectible.*

También, como en La familia de Pascual Duarte *—y como, en general, en toda mi obra—, la acción viene lastrada por la puntual presencia del* fatum.

La numeración que empleo en esta selección es un tanto artificiosa, aunque, a mi entender, clara y conveniente; el primero de los números romanos indica la parte del libro a que corresponde, y el segundo, el capítulo. (*La numeración de los capítulos es independiente en cada parte.*)

No hay, en el desarrollo de esta novela, una verdadera, o al menos usual, acción «novelesca», y el lector debe poner de su parte lo que en ella se omite. La técnica, dicho sea de pasada, tampoco es excesivamente compleja.

I, I

Cuando el ganado se va, escapando de la sequía que ya empieza a agostar los campos y a hacer duros los pastizales, y se lleva lejos, por la montaña arriba, la leche y la carne, en el pabellón de reposo los enfermos siguen echados en sus "chaise-longues", mirando para el cielo, tapados con sus mantas, de las que en este tiempo ya empiezan a sacar los brazos, pensando en su enfermedad.

Son los primeros días de julio y ya las cigarras comienzan a cantar entre los cardos; si entornamos los ojos un poco, nos figuramos que son los mismos cardos los que cantan, frotando unas contra otras sus ásperas florecitas azules y amarillas.

Hay árboles que nacen —¡por el invierno no se da uno cuenta de nada!— de una manera inverosímil, encima de una piedra, y en sus raíces, como quedan al aire, anidan las hormigas de cabeza roja, que no son simpáticas, como las otras, las que son todas negras, bullidoras y brillantes; también allí se guarecen las arañas de largas y delgadas patas, esas arañas zancudas que uno se estremece sólo de pensar que pudieran corrernos por la espalda y que, sin embargo, según dicen, son dulces y cariñosas y bajan por las noches a la almohada, buscando el calor de nuestras orejas.

El pájaro negro del tejado levanta el vuelo, y debajo de las tejas quedan las crías armando un alboroto horrible. ¿Qué pájaro será? Yo no lo sé; el otro día estuvimos hablando de él en la galería; unos decían que era un cuervo; otros, que era un estornino; otros, que una urraca. La señorita del 37 decía que seguramente sería un mirlo y añadía, soñadora, que si estuviese allí su novio se lo cogería vivo para que ella le enseñase a silbar.

—No —le dije yo—; estoy seguro que no es un mirlo, jovencita. Los mirlos son agradables y meditativos.

—Sí; agradables y meditativos, como los mendigos que tocan el violín. ¿No es cierto?

La muchacha se quedó pensativa. En sus ojos azules, que se quedaron mirando el horizonte, había una tristeza inaudita.

—Oiga —me preguntó—, ¿y los violinistas pobres?...

No acabó su pregunta. ¿Qué querría haberme dicho?

Las golondrinas pasan raudas entre los hilos del telégrafo, sin miedo a tropezar, y cuando ya va siendo de noche, los murciélagos, que se han pasado el día en la bodega, colgados como si fueran chorizos, dibujan veloces líneas quebradas en el aire, detrás de los mosquitos y de las hormigas de alas.

Sí; es el mes de julio que llega, trayéndonos hasta aquí arriba su poquito de calor. Uno quisiera estar bueno y sano, como el cocinero, y pasear a la noche por los caminos, del brazo de las criadas. Las criadas son alegres, y en las noches de luna les gusta cantar los viejos aires cadenciosos de su país; el cocinero las oye, complacido como un gallo, y les dice frases picantes, que yo oigo, un poco a lo lejos, desde mi cama. ¡Bien sabe Dios que yo me cambiaba ahora mismo por el cocinero! Le daba todo: mi título universitario, mis treinta y dos años, la casa que me dejaron mis padres en la costa, con su emparrado que llega hasta la misma orilla, mis libros, mis amigos...

El me daría su alto gorro blanco, sus fuertes brazos, su cuchillo de trinchar, su voz, que resuena como el viento cuando llama a las criadas; su reuma... ¡Bah, el reuma no es enfermedad! Le duele a uno un codo o una pierna de vez en cuando... El dolor bien se aguanta.

* * *

Dos meses pronto pasan, bien es cierto, y después de dos meses, cuando ya se acerque de nuevo el invierno, con sus nieves y con sus ventiscas, nos volveremos a los paisajes conocidos; otra vez a las afueras de la capital, con sus latas oxidadas y sus viejos periódicos, sus misteriosas parejas de enamorados y sus desvencijados y chirriantes tranvías. ¡Qué bien!

Ahora me acuerdo de aquellas viejas latas oxidadas, de aquellas latas que tuvieron dentro sardinas en aceite, o bonito en escabeche, o quién sabe si hasta perdiz estofada, o espárragos, o cualquier otro manjar delicado. ¡Cómo me gustaban a mí los espárragos en conserva! Cuando tenía dinero compraba una lata, me encerraba en mi habitación, y zas, zas, zas, me los engullía enteros, como si fuera un avestruz.

Ahora ya no sé si me gustarán. Hoy, cuando pasen el menú, voy a decir que quiero espárragos, que me los den a la comida y a la cena. Bien me doy cuenta; espárragos es lo que yo debo pedir para que se me abra el apetito. ¿Cómo no se me habría ocurrido antes?

También me acuerdo de los viejos periódicos. ¡Qué gusto poder ir acordándonos de todo! No me quisiera morir sin ir de nuevo a todos los sitios por donde pasé alguna vez, y poderles decir:

—Adiós, viejo rincón, querido gallinero; adiós, oscura piedra del acantilado donde bate el mar; adiós, sucio papel que vas volando, macizo de las dalias, caseta del guarda; adiós, jugosa y verde yedra del cementerio; adiós, cariñosa pareja de novios, gruesas criadas de mi casa, a quienes mi pobre madre os despidió por sucias cualquier tarde, y yo ya no os volví —y ¡ay! ya no os volveré— a ver jamás. Yo os amo a todos; yo me voy a morir, pero soy feliz porque os veo y os hablo otra vez, porque os puedo tocar otra vez. Desde el Cielo os estaré siempre mirando, y cuando Dios me pregunte cualquier día:

—Hijo mío, ¿en qué quieres que te convierta?

Yo le responderé sin pararme a pensarlo:

—En aquella pareja de enamorados que camina cogida de la mano, Padre mío, o enlazada por la cintura; o si Vos queréis, en esa centenaria pared, toda cubierta de musgo, o en aquel seto de mirto, que es tan hermoso, o en aquel otro periódico que el viento lleva como una paloma de un lado para otro. En cualquiera de esas cosas, Señor, que Vos habéis creado para que siempre vivan, para que los que marchamos por la vida como caminantes sin rumbo en ellas aprendamos su serena lección.

No; nunca me olvidaré de vosotros, mis viejos y queridos amigos; siempre os tendré presentes en mi memoria. ¿Por qué no le pedís a Dios que me conceda una memoria tan amplia y tan lisa como una bahía, para poderos ver a todos al tiempo?

Los viejos diarios olvidados... ¡Qué bellos y qué nobles son los viejos diarios olvidados! Si ahora me levantase y revolviese en los bolsillos de mi chaqueta gris, encontraría aquella página a la que tanto quiero, a pesar de estar la pobre tan ajada. El viento la enredaba en mis pies, toda extendida; yo la sacudía con violencia y le daba patadas, para que se marchara; pero ella, buscándome, se me pegaba como un perro a quien se da de comer. La cogí del suelo y vi que era de fecha muy atrasada; de hacía ya cerca de cuatro años. En una esquina, pequeñita y con su recuadro negro, aparecía la esquela de aquella joven, tímida, novia mía, que se marchó una mañana dulcemente, dejándome un abismo de negrura en el corazón. Ya casi la tenía olvidada. ¡Cómo somos los hombres!

Se gastó sus ahorros para morirse. Como no era rica, murió en el Pabellón del Norte.

¿Verdad, Dios mío, que la tienes contigo en la Gloria? Ella era buena, muy buena..., y se murió. Su alma no estaba tuberculosa; su alma estaba sana, muy sana, tan sana como una manzana. ¡Pobre muchacha!

Hay recuerdos, bien es cierto, que nos acompañan toda la vida; unos son amargos, como las picaduras de la viruela o como las ciruelas agraces; pero otros son dulces, muy dulces, como aquella primera sonrisa que nos dedicó hace años nuestra vecina del patio y que después no olvidamos jamás.

Las parejas de enamorados deambulan por los desmontes enlazadas del talle, recitando pensativas poesías; como son pobres, tienen que esperar a que se haga de noche para besarse. Cuando yo llegaba a mi casa, a la hora de cenar, los veía sentados al borde de la carretera, tímidos como ladrones, abrazándose en los descuidos de los caminantes. ¡Cómo los envidiaba yo aquellas tibias noches de abril, cuando bajaba las persianas de mi balcón, cuando me disponía a quedarme hasta las dos o hasta las tres de la madrugada, sentado a la mesa de escribir, sobre los áridos textos de la carrera!

Su recuerdo me distraía la atención y yo me forjaba en la mente fantásticas y divertidas escenas con aquellas fabulosas figuras que a pocos metros de mí, tan sólo separadas por un tabique, unos pasos en el jardín y una verja de madera, se decían: "Te quiero, te quiero, vida mía", como los personajes del teatro clásico.

Yo guardaría en una cajita de cristal esas tenues esferitas de sudor que les aparece por el bozo a las criadas enamoradas cuando se ruborizan y dicen, todas coloradas como la grana, aquellos dulces "Oh, no; no, por favor; déjeme, señorito; se lo ruego", que jamás les hemos creído. Las guardaría en una cajita de cristal y las colocaría todas en fila en una blanca vitrina; cuando viniesen a visitarme los amigos les diría:

—Vean ustedes mi curiosa colección de gotitas de sudor. ¿No es cierto que parecen perlas? No es éste el sudor de la maldición divina, amigos míos; el sudor de tu frente con el que ganarás el pan, no; éste es el otro sudor, el que pudiera confundirse con la lágrima, aquel que no aparece más que por el suave bozo que va a ser besado...

Y mis amigos, admirados, contendrían la respiración y exclamarían absortos:

—Son bellas, en realidad, estas gotitas de sudor que parecen perlas... ¡Curiosa colección, amigo mío!

Pero uno vuelve, a lo mejor de repente, como sin darse cuenta, a la realidad y piensa:

¡Ah! ¿Cuándo será que yo vaya de nuevo a correr la cortina de mi cuarto de trabajo, aquella cortina de recio terciopelo azul oscuro, a cuyo amparo tan bien estaba, y fuera de la cual quedaba aquel mundo misterioso y entrañable de fábula y de poesía?

Debo sobreponerme a la nostalgia.

* * *

¡Cómo me gustaría cambiarme por el cocinero! Si él quisiera, ahorraría además algún dinero para dárselo. Le diría:

—Tome usted, se lo doy todo; lléveselo, es suyo.

Y yo me marcharía con su reuma y con su vientre a cuestas, caminando sin parar, en busca de trabajo. Diría a las amas de las granjas y de los caseríos:

—Señora, ¿quiere usted que le construya una zanja? ¿Quiere que le vacíe el pozo negro? ¿Quiere que le pode ese manzano que tiene usted tan abandonado? ¿Quiere que le guise un sabroso plato de vaca con patatas y con champignon? Para todo sirvo, señora; mi lema es hacer el bien por donde paso y dejar un grato recuerdo en mis amigos. Amo al campo y a la libertad, y si me veis dormir, cualquier anochecido, medio desnudo, en un húmedo pajar, no os compadezcáis de mí. Pensad: "Seguramente este hombre tiene la conciencia tranquila; no hay más que verlo dormir", y estaréis en lo cierto.

Pero las amas de las granjas y de los caseríos son suspicaces y desconfiadas y correrán a recoger sus gallinas y a rondar el granero, como vigilándolo. Yo no las quisiera enjuiciar mal.

Verdaderamente, Dios me castigaría si yo intentara este cambio con el pobre cocinero. El tiene su mundo, en el que se encuentra como el pez en el agua, y yo tengo el mío, en el que, por poco que las cosas se enderecen, tampoco se halla uno demasiado mal. Si todos fuésemos iguales, ¿para qué servirían las enfermedades y la salud?

Pero no, no pensemos en vanos proyectos irrealizables. Pensemos en estos cortos dos meses que nos esperan y seamos sensatos. Pronto volveremos otra vez a la vida activa, al bufete, a la Redacción, a la tertulia con los amigos, y olvidaremos en seguida todo lo pasado. Sí, dos meses se van rápidamente, día tras día, y aunque a veces parezca como que tardan no hay que desesperar; dos meses solamente, dos meses, como dos libros, dos sillas, dos naranjas, como nos decían en la clase de Aritmética.

Ayer, la señorita del 37 tuvo dos esputos rojos.

Cada cual tiene sobre las cosas sus especiales puntos de vista; pero, bien mirado, casi no merece la pena preocuparse de esos pequeños problemas. Al pabellón de reposo venimos los que en realidad no tenemos nada, los que llegamos huyendo del calor de la ciudad, los que lo único que necesitamos es reponernos un poco, es coger unos kilos que nos permitan hacer frente a cualquier eventualidad. Bien sé yo que a la gente le cuesta creer esto, y, sin embargo...

Hay personas, faltas de salud por regla general, a las que un vaso de agua que beban les sirve para hinchar. Tiene gracia: parecen viejos odres llenos de cualquier sustancia blanda y mantecosa. De un hombre gordo, ¿qué se puede esperar, Dios mío?

Los gordos no pueden correr; necesitan andar a paso de buey, como si una honda pena los consumiese. Su gordura excesiva no es en modo alguno natural; a veces da risa. No es como la nuestra, que va progresando paulatinamente, como dice el médico, apoyándose en la coyuntura favorable que nuestro restablecimiento le ofrece. Hoy pesamos 61,200 kilogramos; mañana o pasado, 61,300; dentro de una semana, 61,600.

Ya sabemos todos lo que son los amigos. Cuando regresemos nos saludarán un poco comidos por la envidia. Nos dirán:

—¡Caramba, chico, qué repuesto estás!

Y uno responderá sacando el pecho, como un deportista:

—¡Psch! El campo...

Lo del pobre muchacho del 14 no se puede prodigar; el hombre estaba completamente intoxicado. Se reía, con su triste sonrisa forzada y aburrida, cuando íbamos a verlo. No hablemos de eso.

Me gustaría ser escritor, componer un bello libro, como esos a que son tan aficionados los extranjeros, para poder decir: "¡Cuidad vuestra salud! ¡Atended a vuestra sana conservación, base de la felicidad de las venideras generaciones! ¡La Patria os exige ese pequeño esfuerzo! ¡La Humanidad os lo premiará!"; pero, desgraciadamente, no poseo ese precioso don de la palabra escrita; es bello, realmente, pero...

—¡Bah!

Cuando la doncella pasa, con sus menudos y coquetones pasitos, cerca de nosotros, todas las cabezas se vuelven como si obedecieran una orden. Ya es sabido; ella se aleja hacia el fondo de la galería, con las fundas de almohada o las toallas recién planchadas, aún casi con su poquito de calor, y nosotros, inmóviles, la seguimos con la imaginación cuando se pierde de vista. Pensamos: ahora estará colocando la ropa sobre la mesa; ahora la clasificará según el número, para hacer la distribución; ahora ordenará los pequeños montoncitos de cada galería; ahora quién sabe si se quedará un instante pensativa, si la sonrisa le aparecerá en los labios, si la luz de sus ojos adquirirá nuevos brillos...

La doncella anda bien, a toda prisa, elegantemente. Parece una gacela, una grácil gacela. Da sus carreritas para arriba y para abajo, siempre incansable, siempre con su sonrisa saltándole por la cara; pero en cuanto cualquiera expectora rojo, se para en seco. Se acuerda: la "chaise", el oro, la cal, las horas eternas, lentas, tremendas, del pabellón... Se estremece, vuelve de nuevo a sonreír, y se aleja, rauda, por las escaleras abajo. Guapa chica.

La señorita del 37 sigue teniendo sus pequeños tropiezos. ¡Pobre 37, con lo mona que es! Llora por las noches, cuando divisa a lo lejos las luces de la capital. ¡Es una romántica! Cuando se mete en la cama, después de cenar, coge entre las manos la fotografía del novio —un novio que sonríe, apoyado, indiferente al peligro, en la barandilla de un furioso rompeolas— y la aprieta contra su pecho hasta que el llanto la invade, un llanto convulsivo que acabará con ella.

Ella siempre me cuenta, casi misteriosamente, sus tristes cuitas. Me dice, por ejemplo:

—Ayer, ¿no sabe usted?, tuve tres esputos rojos

grandes y cinco pequeños. ¿No cree usted que, seguramente, serán de la garganta?

Y se queda pensativa, haciendo inauditos equilibrios para creerse, ella también, que aquella sangre salió, efectivamente, de la garganta.

Cuando me cuenta los vaivenes, las intermitencias de su salud, suele estar triste, a veces muy triste, pero no llora. El llanto, ya es sabido, es para las noches, y por el día, a pesar de su pena, sonríe siempre con su graciosa y triste sonrisa de florecilla silvestre.

Lo que más teme es la soledad. Quedarse a solas la desazona, porque le saltan a la memoria, una a una, todas las muchachas que ya murieron, solteras como ella, en el pabellón. La vida es triste, profundamente triste, y la humanidad, cruel. ¡Ah, las mujeres casadas pronto olvidan sus ilusiones de solteras, sus doradas ilusiones de solteras, cuando soñaban con los sueños mejores, con los sueños que nunca, nunca jamás, se cumplen!

Es de noche, y el ruiseñor del tilo del jardín canta su dulce melodía. ¡Oh, las tibias noches del verano, cómo le ablandan a uno el espíritu!

I, IV

La luna es más grande que en la ciudad; el aire es más puro; el silencio es mayor, y el aburrimiento... ¡Ah, el aburrimiento es espantoso!

Lo único que me preocupa, que me preocupa intensamente, abrumadoramente, es ir viendo mis pañuelos, mis combinaciones, mis blusas, mis medias, todas marcadas en rojo: "40", "40", "40", sin que hayan dejado escapar ni una sola. Es una obsesión que me persigue, que no me deja descansar, que se me aparece incluso entre sueño y sueño cuando al despertarme a medianoche, desvelada, enciendo luz para distraerme y me tropiezo con el rojo "40" bordado sobre la almohada, al lado mismo de mi cabeza. Cierro los ojos y el número danza, dentro de mis párpados, como una roja estrella en un hondo cielo nocturno. Aprieto más y más; hago tremendos esfuerzos para alejar de mí las dos breves figuritas. Es una lucha lenta, sorda y despiadada la que sostengo con mi memoria; lenta, sorda, despiadada y amarga como una agonía. Las horas pasan; el sueño vuelve, casi sin notarlo, y cuando estoy dormida, cuando mis nervios ya habían entrado en el camino de descansar, cuando mi memoria yacía tirada, muerta, al lado mío, Dios sabe qué lejano soplo, qué oculta reserva vuelve de nuevo a hacer bailar en medio de mi sueño al número de mis pañuelos, de mis blusas, de mis medias: "40", "40", "40". El número sube y baja sin cesar; se eleva a veces tan alto que casi lo perdemos de vista; se hunde otras tan bajo, tan cerca de mí, que sus trazos parecen como gruesos barrotes de hierro... Vuela, se despedaza, arde con mil llamas diferentes; se rompe en cascadas de nieve y de cristal; vuelve de nuevo a unirse, a dibujarse, a tomar cuerpo, a formar una vez más su señal agobiante, su "40", "40", "40", rojo y pequeñito, como una herida. Enciendo la luz para tomar aliento, para ahuyentar de mí los torvos fantasmas, y en la almohada, siempre en el mismo sitio, siempre a mi lado... Lloro, lloro con una pena profunda, con unas lágrimas tristes y solitarias, y el pañuelo que me llevo a los ojos, en una esquina, tímidamente, como si se avergonzase del mucho mal que me hace, tiene dos numeritos color sangre. Un cuatro y un cero.

Según me dicen, antes, hace tan sólo unos días, ese "40" iba marcado sobre ropa de hombre. Al pobre se lo llevaron una noche, camino del cementerio...

La carretilla marchaba por el sendero, entre los pinos, bordeando el barranco, arrimándose al arroyo, en el que se reflejaba la luna, impasible y fría como la imagen misma de la muerte. La empujaba el jardinero, el pelirrojo jardinero, que canta en voz baja cuando poda los geranios o los rosales.

Cuando marcha cuesta arriba dice "¡Hooop!", y la carretilla, con su rueda de hierro que salta sobre los guijarros, responde con el agudo chirrido del eje sin engrasar, que después se pierde, rebotando de piedra en piedra, monte arriba. Cuando va por el liso camino del regato, donde los helechos y el culantrillo asoman su verdor por las orillas y donde el dulce musgo y el blanco pan de lobo buscan la húmeda corteza de los robles para vivir, el jardinero, como embriagado por aquella paz, entona con su media voz de siempre su amoroso y pensativo cantar.

La carretilla es de hierro, de una sola rueda. Estuvo en tiempos pintada de verde, de un verde del color brillante de la esmeralda, pero ahora está ya vieja, ya apagada, ya mustia y sin color. ¡Para lo que la usan!

Cruzado sobre la carretilla, saliendo por los lados, el ataúd parece, entre las sombras de la noche, un viejo tronco de encina derribado por el rayo.

Dentro, un hombre muerto, con su camisa marcada cuidadosamente, como su camiseta, como sus calcetines, con el breve y rojo "40", que me desazona...

El muchacho del 14 es un imaginativo. Cuando me contaba el entierro del 40 parecía un iluminado. Los ojos encendidos, la sonrisa amarga, la tez pálida, la nariz afilada... Semejaba una estampa romántica, una bella y desusada estampa de daguerrotipo romántico. Es encantador, realmente hermoso y encantador; pero no es el hombre a quien puedo mirar, el hombre ya enmascarado, ya herido y curtido por la vida, por los azares de la vida. El muchachito del 14, el dulce y tierno poeta del 14, es el hombre que Dios destina a las muchachas angelicales, a las tímidas jóvenes que son todo sencillez y castidad, como la pobre y resignada 37, que es una bella Virgen María sin niño a quien acunar.

Las muchachas que no se pintan son cortas de carácter y sufren en silencio. Yo bien sé que de no ser esto así la señorita del 37 ya se habría insinuado, ya se hubiera dejado caer sobre el ánimo enamoradizo de nuestro amigo del 14. Bien segura estoy.

En cambio, el 52 lo detesta, estoy convencida; sería capaz de dejarse matar antes de permitir que pudiera darle un solo beso. Yo no me explico la complicación que en nuestros sentimientos y en nuestro corazón se obstinan los hombres en ver, cuando, en la mayoría de los casos, somos nítidas y transparentes como el agua.

Los hombres y las mujeres no nos entendemos; nos queremos, a veces hasta con apasionamiento, con furia, y somos capaces de dejarnos matar por un amor, de quitarnos la vida por una desilusión; pero jamás llegamos a comprender a la persona por la que nos sacrificamos. Ni ella llega tampoco a entendernos a nosotros. Somos muy diferentes. A un hombre y a una mujer los une un beso, una mirada tan sólo; pero la conversación... No puede hablarse con un hombre a quien desearíamos besar, con un hombre a quien quisiéramos fundir en un abrazo y decirle:

—¡No, no te separes jamás de mí; apriétame contra tu pecho; prefiero la muerte a tener que levantar la cabeza de tu hombro un solo instante!

Al muchacho del 14 más vale no hablarle. Me siento romántica y maternal cuando le veo. ¡Qué paradoja!

... ...

Las lejanas luces de la ciudad se ven allá lejos, por la noche, en el mismo sitio en el que de día está siempre parado un leve velo de niebla, una nubecita gris clara que forma como un copo de algodón sobre el horizonte.

Las luces de la ciudad se encienden al mismo tiempo que las estrellas; parecen como tiernas estrellitas sin fuerza aún para lanzarse a volar ellas solas por el alto firmamento. Se encienden al tiempo de las estrellas, pero cuando todavía éstas, muy señoras, muy separadas las unas de las otras, siguen clavadas en el cielo, pestañeando su blancor incesantemente, ya aquéllas han muerto poco a poco, con muerte vulgar, lenta y cotidiana, todas las noches igualmente exacta, idénticamente repetida.

La ciudad se recoge en sí misma, vive para sí misma, se devora a sí misma. El sol hace ya varias horas que ha traspuesto los últimos tejados y los habitantes de la ciudad corren presurosos a abrir sus puertas, a esconderse dentro de las casas, a acicalarse como novios para lucir a la deslumbradora luz de las arañas de los "dancings", de las "boites" o de las Embajadas. De noche podemos mostrar nuestra espalda enteramente desnuda a quien la quiera mirar, nuestros brazos y nuestros hombros redondos y sonrosados, nuestros pechos casi saliendo del escote, en las carcajadas del bar o en los largos compases de los valses. La luz eléctrica permite lo que el sol no tolera; por eso amo la luz de las bombillas, la luz que relumbra como el diamante cuando la miramos con los ojos semientornados, suavemente semientornados por el bello cansancio de las tres de la mañana, cuando ya hemos bebido y bailado hasta hartarnos y cuando ya la risa y la conversación van muriendo poco a poco, imperceptiblemente, casi con dulzura, como dicen los libros románticos que morimos los tuberculosos cuando nuestra vida llega ya a esa alta madrugada tan difícil de remontar...

En esa hora deshonesta de la mañana, a la luz de

esas lámparas que tanto mal me hicieron y que, sin embargo, recuerdo con tanta nostalgia, después de un vals vienés donde los violonchelos lloraban su inaudito amor al compás de tres por cuatro y en el que el pianista se arrebataba de emoción como un novio apasionado, fué cuando sucedió lo que Dios no quiso hacer que no sucediera.

Tosí un poco, muy poco. Noté un calor que me abrasaba el pecho, un extraño regusto en la boca; noté que las fuerzas me faltaban, que los espejos del salón giraban a mi alrededor...

Pasó un instante, un instante brevísimo. La boca se me llenó de sangre... Mi traje de organdí azul celeste, con el que tan mona estaba, según mi pobre caballero de aquella noche, según el pobre buen muchacho que mudó de color cuando me oyó toser, se quedó salpicado de borbotones de sangre... En el parquet encerado del salón, un charco de sangre quedó como señal del mundo que dejaba, del mundo que en momentos de pesimismo me parece que jamás volveré a habitar.

Mi juventud quedó en aquel salón. Aquella noche entré en la tierra ignorada. ¡Desde entonces me agarro a los minutos que escapan con una furia que Dios me quiera perdonar, con el mismo frenesí con que los deshabitados corazones se aferran a la primera sonrisa del primer hombre que pasa!

... ...

¡Qué desesperada estaba la otra tarde! ¿Qué dirían mis amigos si leyeran las líneas que tracé? ¡Ah! La soledad es mala consejera, se divierte en barajar nuestros más negros pensamientos para presentárnoslos bien a la vista.

No quiero estar sola ni un momento más.

... ...

¡Qué vanas ilusiones! La señorita del 37 me decepciona con su pesimismo, con sus oscuros puntos de vista. Así no hay curación posible.

El médico me indica la conveniencia de ensayar el neumo; puede ser mi total restablecimiento. Habré de pensarlo detenidamente, bien en frío. Habré de pesar y sopesar los pros y los contras, que de todo tiene. No me dejaré influir por estas extrañas ideas que por aquí oigo. Es curioso, pero cada enfermo se cree un consumado tisiólogo, un especialista de primer orden. La señorita del 37 es en esto terrible; emplea unos términos enrevesados y crueles, que me espantan y cuyo recuerdo no me deja dormir. No sé; quizá sea una histérica, quizá mi pobre cerebro esté ya tan débil como mis pulmones.

Pero yo pienso: la dulce florecita que nace entre las zarzas, que crece tímida tan sólo hasta tres dedos del suelo, que esparce su fragancia por el aire que pasa, es un buen día comida por el tosco caballo del vaquero. El vaquero dejó sobre su cabalgadura las plateadas cántaras de leche recién ordeñada y se quedó unos pasos atrás hablando con una moza. A la moza le vienen los colores a la cara, el pecho le sube y le baja al precipitado compás de su respiración. El vaquero la tiene cogida de la mano, a lo mejor hasta abrazada del talle. Su aliento huele a tabaco y a vino, y sus ojos brillan, como brillan también los de la moza. Se miran en silencio. El caballo, con la brida en el suelo, camina lentamente, ramoneando por aquí y por allá. El vaquero y la moza se han unido en un beso que dura toda una eternidad. Al mismo tiempo, como el mundo es muy grande, las gentes nacen y mueren como sin darse cuenta; es curioso. El caballo se acerca a la florecita que vivía entre las zarzas y se la come. La mariposa levanta su torpe y breve vuelo y la lagartija que tomaba el sol al borde del camino escapa presurosa a esconderse entre las piedras.

Yo me quiero infundir a mí misma fuerza y conformidad. Realmente, creo que lo más sensato será seguir el consejo del médico; quizá se pase mal los primeros días, pero después... Yo veo muchos enfermos con neumo que hacen una vida envidiable, que van a la ciudad, que están optimistas y joviales...

Sí; que a mí también me pongan neumo. Volveré de nuevo a la ciudad, volveré de nuevo a la alegría y al jolgorio...

... ...

Quiero apuntar la fecha de hoy. Estoy muy molesta y voy tan sólo a hacer constar la noticia escuetamente, como en un acta.

Viernes, 11 de julio. Primera punción de neumotórax. Presión inicial: - 8 - 12. Presión final: - 3 - 7. Cantidad de gas: 200 c. c.

Según me dicen, un neumo afortunado. Demos gracias a Dios.

... ...

II, IV

Cuando miro para el cielo, de noche, y no encuentro la luna hermosa de hace algunos meses, una angustia sin límites se apodera de todo mi ser.

Las nubes, pesadas, bajas, grises, como moribundos caballos de batalla, han ocultado tras de su espesor a la alta luna nueva, que parece un suspiro, a la lejana luna llena que sonríe, a la meditativa y ensimismada luna en cuarto menguante, que se agarra con desesperación a los tenues quejidos que pasan a su alrededor, para no caer al otro lado del horizonte.

La luna, helada, arropada por ese aire sucio de las nubes... El silencio es el mismo y el aburrimiento... ¡Ah, el aburrimiento es espantoso!

El 40 de mis pañuelos, de mis combinaciones, de mis blusas, de mis medias, es ahora de un rojo desvaído, casi rosa; parece como si hubiera pasado por una grave enfermedad, como si la estuviera pasando todavía, como si hubiera perdido sangre, mucha sangre y no consiguiera recuperarla.

Me preocupa ver su palidez. Preferiría que los marcasen de nuevo —tengo que advertírselo a la doncella—, que de nuevo volvieran a presentar su carita colorada y optimista. Preferiría volvérmelos de nuevo a encontrar —un cuatro y un cero— uno al lado del otro, haciéndose eterna compañía, perennemente posados como dos enamoradas mariposas, sobre el embozo de la sábana, sobre la funda de la almohada, al lado mismo de la cabeza.

Cuando ahora cierro los ojos, ya el número danza más pausadamente dentro de mis párpados, como una tenue aurora boreal, vagamente informe, armoniosa y espectacular. Por más que aprieto y aprieto con ahinco, por más que hago inauditos esfuerzos para alejar de mi pensamiento esa obsesión, ella sigue perennemente, desesperadamente, agarrada a mi sueño.

Dios mío, ¿qué significa este cambio?

El muchacho del 14 ya no me quiere. La timidez es tan mala consejera como la enfermedad y como la solitaria contemplación de la próxima muerte, y el pobre 14 es tímido, está enfermo y asiste, solitario, al tremendo espectáculo de verse morir, día a día, sin remisión posible.

Si tuviera todavía menos pudor del poco que la Naturaleza me ha querido dar, hubiera intentado besarle.

Aunque tuviera que forcejear cruelmente con él, aunque tuviera que abusar de la fuerza, aunque acabaran de destrozárseme los pulmones y el más cauteloso sentido del alma.

Me duele la cabeza sólo de pensar en mi infamia.

El muchacho del 14 es un imaginativo. Sus ojos son ahora más encendidos que nunca, su sonrisa más amarga, su nariz más afilada y su tez más pálida. Parece un joven poeta del romanticismo, enamorado, triunfador y suicida, al borde mismo de los veinticinco años.

Rompamos el hielo moral que nos encubre.

Es espantoso lo que voy a decir: la cuestión es ir tirando.

¿Por qué no voy a poder mirar al hombre aún sin curtir, aún sin enmascarar, aún no herido y baqueteado por la vida? No; no renunciemos a nada; aprovechemos el instante ahora que, probablemente, ya por instantes tendremos que contar.

... ...

El muchacho del 14 es un Apolo tuberculoso y pudibundo.

Los hombres y las mujeres no nos entendemos ni nos entenderemos jamás.

... ...

Me he mirado al espejo esta mañana al levantarme. Tengo la tez ajada. La pintura tapa el reflejo de la pálida muerte en mis mejillas. ¡Ah, si la señorita del 37 se pintara, si fuera más cobarde, más ruin, si olvidara su agobiadora idea de sacrificio ante la sola posibilidad de caer en los brazos del 52!

Quisiera tener una fuerza hercúlea, desusada, sobrenatural, para poder romper a solas con mi desesperación esta angustia que me consume y que me hace padecer. No soy vieja; soy simplemente enferma, lo que es mucho peor. Pero tengo una voluntad de bronce —¿se me estará quebrando, Dios mío?— que me ayuda a sacudir el lastre que me impide caminar aunq...

* * *

La palabra que la señorita del 40 dejó sin terminar debió haber sido, probablemente, la palabra "aunque". Es sintomático que el desvanecimiento la llegara a coger tan de sorpresa, tan desprevenida, tan enfrascada en sus divagaciones sobre la fuerza y sobre la voluntad. Dios esconde tremendas paradojas a la vuelta de cualquier minuto tan manso, por afuera, como el más beatífico de los que haya habido.

La señorita del 40 olvidó la razón durante su vahido y ya no la volvió a encontrar jamás.

Desde entonces no pudo la enfermera apartarse de su lado ni un solo momento.

Los cuadernos que tan minuciosamente había llenado con su picuda caligrafía de colegio de monjas fueron escondidos por orden del médico, y todos los objetos que pudieran traerle el recuerdo de aquellos papeles fueron colocados lejos de sus alcances.

La señorita del 40, sin raíces, navegó a la deriva. El desenlace no se hizo esperar demasiado —Dios es misericordioso—; pero hasta que llegó fueron sus días un sucederse de suplicios sin fin.

La enfermera estuvo cariñosa con ella. Los tuberculosos habían llegado a aburrirle; pero los locos... ¡Ah, los locos son a veces una acompañadora realidad!

* * *

—¿Usted tiene marido?

—No, señorita, soy soltera.

—¡Ah ya! Soltera.

El panorama de la alcoba cualquier imaginación puede forjarlo.

—¿Y no tiene usted ninguna hermana casada?

—Sí, señorita, una.

—¿Cómo se llama?

—Hortensia.

—¡Ah, qué pena, qué pena de flor casada! ¿Cómo se llama su marido?

—Pedro.

—¡Qué duro, qué duro, qué duro!

La señorita del 40 se echó a llorar sin desconsuelo.

—¡Pobre flor, pobre flor, pobre flor!

* * *

Pasaron algunos días. El sol siguió saliendo cada mañana, tímido a veces, asustado del invierno, siguió poniéndose cada tarde, vencido por la prisa; las horas pasaron lentas, unas detrás de las otras, por riguroso turno...

La enfermera seguía sentada en la butaca de mimbre, al lado mismo de la impaciente señorita del 40, al borde de sus últimos instantes...

—¿Quiere que le cuente una graciosa historia?

—¿De amor?

—Sí, de un amor sin sentido, como de loca, que tuvo hace tres años una amiga mía por... ¿por quién tuvo ese amor?... ¡Ah, sí! Por Isidoro, un gendarme francés que conoció en Hendaya. ¿Quiere que se lo cuente? Es muy graciosa: hay personajes de bellos nombres, senadores cornudos y mariposas que se ahogan en los ríos. La heroína se llamaba como yo, nació en el mismo pueblo, tenía la misma edad. Cualquiera podría confundirnos: la estatura, el color del pelo, sus maneras, hasta el tibio olor de su aliento o de sus vestidos... ¡Ah! Pero la pobre murió hace ya algún tiempo, un día que, de repente, se le llenó la boca de sangre. Era muy amiga mía. Llevaba en aquel momento un traje de organdí azul celeste...

La señorita del 40 se desmayó sobre la almohada. Al lado mismo de su cabeza, el numerito, pálido como ella, parecía el precio de una muerta puesta a vender sobre la anaquelería de un siniestro bazar.

Estaba bella como nunca.

Las mujeres, cuanto más alejadas, cuanto más imposibles, más hermosas nos parecen.

Una mujer con los pulmones y la cabeza destrozados...

* * *

—¿De qué estaba hablando?

—De aquella amiga suya que se enamoró de Isidoro, ¿no recuerda?

—¡Ah, sí! ¿Sabe cómo acabaron aquellos amores? En la playa, una noche en la que el mar rugía tanto que no me dejó gritar. ¡Pero era tan hermoso! Llegué a quererlo tanto... ¿De qué se ríe?

* * *

—Verá. Un poeta amigo de mi abuela, Francis Jammes, escribió una vez una oración para que los niños no murieran jamás. Si Francis Jammes hubiera encontrado eco, a mí me gustaría haber tenido un niño...

Ese niño pequeño, Dios mío,
guardadlo como guardáis una hoja en el viento.

¿No es realmente hermoso?

Dios mío, que sois todo bondad,
Vos no ponéis la muerte azul en las mejillas rosa.

Vos no rompéis la risa por la mueca ni cambiáis la ceguera por la luz. ¿Es esto cierto?

* * *

—¡Ah! Pero yo os aseguro, mi fiel Elisa, mi fiel amiga que tenéis un nombre dulce como los lagos en otoño o como la tibia sangre recién derramada, que querer a un hombre, que quererlo con frenesí, sin ritmo alguno, alocadamente, desacompasadamente, es un placer como no podéis ni figuraros. Imaginaros un hombre: es fuerte como un toro, grácil como un joven gamo, vistoso como un leopardo. ¿Hay nada más hermoso?

La señorita del 40 jugaba, entre sonriente y semiazorada, con la pera de la luz colgada de las blancas barras de la cabecera de su cama. La acariciaba dulce y soñadora, un si es no es añorante de una dicha pretérita y confusa, como la felicidad que se tuvo un solo instante, hace ya tiempo, cogida tan sólo por los cabellos.

—¿Hay nada más hermoso? ¿No lo sabéis? ¡Qué ingenua sois, amiga, con vuestra sonrisa triste de enfermera! Vais a pensar que estoy loca, pero ¡bah!, no me importa. Más hermoso que el hombre fuerte, grácil y vistoso; más hermoso que verlo caminar y que oírle hablar es poseerlo... Dulce, cautelosamente, con miedo de que entre nuestros brazos se rompa su bravura, ese silencio que recubre su espíritu como un ungüento...

* * *

Extracto débil de saúco blanco	50 gr.
Tintura de Crataegus oxyacantha...	100 gr.
Extr. flúido Passiflora incar.	100 gr.
Agua	50 c. c.
Glicerina	250 c. c.

Jarabe simple Q. S. para un l.
Dos cucharadas antes de cada comida.

* * *

La receta quedó olvidada sobre la mesa de noche de la señorita del 40.

—No es eso, no es eso lo que yo necesito. Algo más de estética, mucha más estética...

La enfermera entró de puntillas, cautelosamente.

—Creí que dormía usted.

—No; estoy despierta, despierta del todo. ¿Para quién es esa medicina?

—Para usted. Es un calmante. La ayudará a dormir.

—No; de eso saben ustedes poco. Usted y el médico... El médico ¿es casado?

—No.

—Y ¿duerme bien?

—Sí; muy bien.

—Claro. ¡Estos hombres! Y usted, ¿también duerme bien?

—También.

—De modo que usted...

—¿Yo?

—¡Huy, huy! Su habitación, ¿está muy lejos de la del médico?

* * *

—Usted, señorita, tiene la lejana idea de que en algún tiempo llevaba unas notas, o un diario, o algo parecido. Yo le aseguro que eso debió haber sido hace ya mucho tiempo; antes de que usted ingresara en este Centro. De todos modos, no veo inconveniente en que siga redactando sus páginas. Probablemente lo hará usted con gracia, con soltura.

—Usted cree, doctor...

—Sí; es usted una mujer muy culta, de una fértil imaginación.

—¿Quiere usted acercarme ese frasco y esa cuchara?

—¿Ahora?

—Sí; ahora.

* * *

Sí, efectivamente; ahora recuerdo que hace ya tiempo, mucho tiempo, antes probablemente de ingresar en este Centro, llevaba yo una especie de "cuaderno de bitácora" de este difícil navegar mío.

Yo tengo una voluntad de bronce —¿se me estará quebrantando, Dios mío?—, que me ayuda a sacudir el lastre que me impide caminar, aunque la fatiga me invada y el desaliento me desazone. Es difícil andar y andar, como sin rumbo, girando eternamente en redondo, como una peonza maldita, condenada al mareo para toda la eternidad.

Mi juventud quedó en aquel salón (alguna vez lo escribí, estoy segura), y aquella noche entré en la tierra ignorada. ¿Por qué escribo esto? ¿Será que la voy a abandonar?

... ...

—¡Qué mala estás, pobre 40, pálida 40!

Tu vida ya no es vida, ni tu mirar, mirada. Me lo dice el espejo bien claro, bien tristemente...

El neumo, fracasado.

Bien; ¿pero qué es la dicha? ¡Bah! Puede decirlo quien lo sepa; los que lo ignoramos...

Me quisiera infundir a mí misma fuerza y conformidad. Yo tengo una voluntad de bronce. Yo tengo una voluntad de bronce. Yo tengo una voluntad de bronce. Yo tengo una voluntad...

* * *

Cuando va por el liso camino del regato, donde los helechos y el culantrillo asoman su verdor por las orillas, y en donde el dulce musgo y el blanco pan de lobo buscan la húmeda corteza de los robles para vivir, el jardinero, como embriagado por aquella paz, entona con su media voz de siempre su amoroso y pensativo cantar.

Las Navas del Marqués (Avila), 1943.

NUEVAS ANDANZAS Y DESVENTURAS DE LAZARILLO DE TORMES

Algo a lo que más tarde cobraría gran afición —los libros de viajes por España— tiene su huevo en estas Nuevas andanzas y desventuras de Lazarillo de Tormes. *Novela dividida en* Tratados, *según la norma de su ilustre homónimo, en ella me divertí, quizás demasiado, sintiéndome pícaro del XVI por los paisajes, casi idénticos, del siglo XX español.*

He seleccionado el Tratado Cuarto, *quizás porque mi pobre amigo el penitente Felipe me resulta singularmente simpático.*

TRATADO CUARTO

QUE TRATA DE LA PAZ QUE ENCONTRO MI ALMA PASEANDO A ORILLAS DE LOS RIOS, Y HABLA TAMBIEN DE LAS FILOSOFIAS DEL PENITENTE FELIPE

Ya se veía la raya de chopos que marcaba el Yeltes con toda claridad, cuando descubrieron mis ojos un hombre despiojándose sobre una piedra, desnudo de medio cuerpo y tan flaco que mismo semejaba ser espejo de la muerte o anuncio del hambre. Parecía absorto en su ocupación, y como no daba muestras de querer acabar en todo el día, preferí interrumpirle y presentarme yo solo sin esperar a que él pudiera verme.

—Buenos días —le dije— nos dé Dios a su merced y a mí. No quiero hacerle molestia, y sí sólo que me admita a mirar cómo mata los piojos, si ésa es su voluntad.

—Sí, hijo —me respondió—, quédate a lo que quieras, que si no me molestas tan bien me he de llevar contigo como con todos mis semejantes. No me llames su merced, que no me gusta, y alcánzame aquel pañuelo que el viento se quiere llevar. ¿Amas la Naturaleza y sus encantos?

—Sí, señor; las dos cosas.

—¿Y los ríos rumorosos llenos de sabrosas truchas?

—También; sí, señor.

—Veo que eres joven de fino espíritu y que conmigo has de congeniar. ¿Tienes familia?

—No, señor.

—Mejor para ti, que así no la pierdes. Yo tuve mujer que acabó loca y tiró para el monte.

—¡Vaya por Dios!

—No, hijo, mejor hemos de decir "¡Vaya con Dios!", y no apartarnos de las orillas de los ríos. ¿Amas la paz del alma?

—Sobre todas las cosas, señor.

—Pues no te internes en tu vida por las montañas; sigue el curso de las aguas y procura siempre no caminar por sus bordes cuando tan anchos sean ya que vadearlas resulte difícil.

—Sí, señor; he de seguir sus consejos, y ello lo verá usted si, como dice, me permite andar a su vera.

Con estas o parecidas palabras nos conocimos y trabamos amistad, y mi nuevo amo —el penitente Felipe, como él modestamente se hacía llamar— me pareció desde el principio un alma cándida, con lo que se me alegraron las carnes, ya que para pillos había tenido bastantes con los músicos que tan mal resultado me dieron.

—Mira, hijo —siguió diciéndome otra vez—, que ya eres mayor para lavarte y me parece que no lo haces. Piensa que la roña, aunque cicatriza la sangre, cría moléculas y otros virus de las enfermedades, y que si los piojos se matan uña con uña, los microbios se escapan, porque se meten en los pelos y entre las arrugas de la piel. Sé aseado, que poco cuesta, y lávate el cuerpo en las cristalinas aguas, ya que más vale prevenir que curar —como dijo el sabio rey Salomón— y en nada beneficia andar tapado por la mugre como losa de cuadra. Piensa que más hermosa es la luna cuanto más clara aparece, y piensa también que un hombre limpio es bello como una voladora mariposa, al paso que otro sucio es feo como una rastrera alimaña.

A mí tales amores a la limpieza me llamaron un tanto la atención, porque nunca me había parado a pensar que el agua sirviera para mayor cosa de utilidad que para criar ranas; pero he de confesar que, aunque al principio la encontraba algo fría, y después de limpio me notaba como desabrigado, cuando le cogí afición y el penitente me enseñó a nadar, llegué a cobrarle cariño y grande admiración; tanta por lo menos como a mi amo, a quien siempre quise y veneré como gran hombre y respeté como se merecía.

El penitente Felipe cuidó siempre con esmero de mi formación, y a su lado tales cosas llegué a oír, que de habérmelas aprendido hubiera acabado en astrónomo o en naturalista, los dos oficios —a mi modesta manera de sentir— si no de más lucimiento, sí de mayor sabiduría.

—Astros he descubierto —llegó a decirme un día— que, de no habérselos tragado de nuevo la misteriosa sombra del más allá, solos hubieran bastado para llenar un mapa bien nutrido. Miro para el cielo, por las noches, y en cuanto que veo uno nuevo, como a los viejos ya los conozco a todos, saco el papel en que les llevo la cuenta y apunto su nombre y su distancia de la estrella Polar, que es así como la madre de todas.

—Sí, señor.

—Y cuando el nombre no lo leo en mi cerebro, cosa

que rara vez ocurre, rezo cinco gloria patris seguidos sin respirar, como si tuviera hipo, y una luz aparece ante mis ojos con el nombre de la nueva estrella bien dibujado.

—Sí, señor.

—Uno hubo, Suptonga se llamaba porque era hembra, que estuvo dando vueltas con todo el firmamento durante muchas noches, hasta que desapareció. Estaba a cuatro dedos a la derecha de la estrella Polar, y su sitio jamás lo vi pintado en ningún plano ni su nombre escrito en ninguna geografía.

—Sí, señor.

—En León se lo dije a un maestro de escuela que me presentaron, quien, lejos de ayudarme a difundir mi hallazgo, hizo mofa de mí y de mi ciencia y me preguntó si quería aprender la regla de tres simple. ¡Ese es el escarnio de las gentes a quienes vuelan en alas del saber y caminan, incansablemente, en pos de la verdad!

—Sí, señor.

—¡Ya lo creo que sí, hijo mío! ¿Te gustó eso que dije de las "alas del saber"?

—Sí, señor; es muy bonito.

—Pues no es mío, hijo; debo decirte la verdad y no adornarme con galas ajenas. Se lo oí a un veterinario de Cuenca —lejano país por el que también caminé—, y desde entonces siempre fiel me ha acompañado y jamás se borró de mi memoria. Lo que sí es mío es eso de "incansablemente", que ahí metido parece que hace bien. ¿No es así?

—Sí, señor; así es.

—Pues bien, mocito, como diciéndote iba: el maestro de León no me lo creyó y se rió en mis propias barbas. Yo, aunque otra cosa puedas pensar, nada hice contra él; ni lo denuncié al señor gobernador por ir a favor de la ignorancia, ni tampoco al señor obispo por negar la obra de Dios Nuestro Señor. Pensé que ya bastante castigo tenía con su ruindad y lo dejé marchar. ¡Sólo perdonando se tendrá clemencia con nosotros algún día! ¿Verdad?

—Verdad; sí, señor.

—¡Y acostumbrando al bien a nuestros semejantes día llegará, no lo dudes, en que no se tirarán pedradas en el mundo!

Al principio de escuchar sus filosofías me pareció el penitente Felipe no sólo hombre de raro saber —que por tal siempre lo tuve—, sino también espíritu serio y contemplativo, como a un hombre de ciencia corresponde y poco amigo de hacer mofa de las imperfecciones ajenas y aun quién sabe si menos todavía de las suyas propias; pero cuando un día me preguntó: "Mozo, ¿crees en la transmigración de las almas?", tal susto llegó a pegarme y en tan mala ocasión, que no faltó ni un pelo para que me hiciera perder el habla y hasta casi el movimiento.

—Mi amo —le dije—, ¿no ha pensado usted que todavía soy tierno para conocer de esas cosas, y que mi saber es aún escaso y ruin y ninguna idea ni palabra alguna se me ocurre para responderle?

—No, hijo, nada de eso; que bastante ya sabes sólo con existir, porque en ti a lo mejor está metido el espíritu de algún santo, o de algún sabio, o de algún famoso guerrero de la antigüedad y tú lo ignoras; que más ajeno todavía está un gallo que hay en mi pueblo, que antes fué procurador de los Tribunales y hasta diputado provincial, y hoy tan bajo ha caído, que sólo la Providencia sabe qué fin le está deparado después que haya pasado por la cazuela, como es de ley que en su encarnación de hoy día le acabe sucediendo.

Tales cosas, oídas en soledad y saliendo de tan rara persona, llegaron a forzar mi risa poco a poco y por las esquinas de la boca, sitio por donde no hay disimulador que capaz sea de disimularla, y aunque para mantenerme serio y prudente imaginaba —entre otras figuraciones de aún más grande pavor— que rondaba la muerte nuestras cabezas, llegó el momento en que la risa tan impaciente y escandalosa llegó a ser, que, no pudiendo sujetarla, la dejé marchar como mejor quiso, que realmente fué de la peor manera que pudo y mezclada con saliva, cosa que tanto le molestó que llegó a reñirme —lo que no volvió a hacer en sus días— con palabras tan bien medidas que juntas mismo parecieran un sermón.

—Hijo —exclamó—, sé sensato y no te mofes, que filósofo soy y hombre de bien, pero si te arreo una castaña te voy a sacar los dientes por los oídos. Recapacita y arrepiéntete, que si no lo haces por ti lo vas a hacer por mí, lo que es peor. No hagas befa en tu vida de las personas mayores, y si lo haces, hazlo por dentro y sin escupir, que la saliva sirve para adobar los alimentos y mi cara algún día lo será de los ciegos gusanos, pero aún hoy no lo es de tus fauces. ¿Estamos?

—Estamos; sí, señor. Y perdón le pido...

—¿Con el corazón en la mano?

—Sí, señor; con el corazón en la mano y de rodillas en tierra perdón le pido por haberme reído y haberle rociado de saliva.

—Así me gustan a mí los mozos: sencillos y respetuosos con sus mayores. Que tú para mí eres como un hijo y yo como un padre para ti.

Nunca fuera en mis días la terneza lo que más me distinguiera; pero en aquellas fechas, cuando tales cosas llegué a escuchar, a punto estuve de tornarme sentimental.

Pasaron los días y las noches sobre nosotros; amaneció el Señor mañana a mañana encima de nuestras cabezas, ora risueño y soleado, ora un tanto lluvioso y como llorador; envejecieron nuestras carnes por la vista de las aguas, que jamás paran de quejarse y de marchar, y una tarde —después de algún tiempo que gastamos en vivir—, estando parados en la confluencia de los famosos ríos Yeltes y Huebra, ni muy lejos ya ni demasiado cerca todavía de Vitigudino, y después de haber dejado a nuestras espaldas el conocido monte que llaman de Diego Gómez, y que aún se recortaba, un poco soleado, hacia el Poniente, se presentó ante nosotros una flaca y desgreñada mujer, no demasiado cubiertas sus carnes a pesar de la multitud de harapos que mostraba, y con un gallito en el brazo, quien con una sonrisa de demonio en la boca y unos escandalosos ademanes, se dirigió a mi amo, que pálido y demudado se paró a escucharla, para decirle:

—¡Ah, bribón y mal nacido hijo de Barrabás! ¡Mira lo que me has dejado, míralo bien! ¡Un pollo que de lagarto se llamaba Enrique y ahora ni su misma madre, que soy yo, lo puede saber! ¡A la Guardia Civil, que ampara a las viudas, se lo he de decir! ¡Mastuerzo y fementido, que así abandonas a la mujer que Dios te dió! ¡El rabo, el rabo ya te veo y los cuernos del diablo que te salen de los carrillos! ¡Dame un real! ¡Dame un real! ¡Dame un real!

Tales aspavientos hacía y tal era el estupor de mi pobre amo el penitente Felipe, que yo intenté rescatarlo con sabias palabras que calmaran a la hembra, cosa que si no hice fué porque nada se me ocurrió.

—¡Ah, ladino —siguió gritando—, que así engañas a las mozas y de ellas te aprovechas! ¡Ya te darán el día del Juicio, ya! ¡Ya verás cómo te mandarán a la caldera! ¿Me das un real?

Mi amo estaba mudo de estupor, tan mudo como cuando ella apareció, y no daba ni el real ni muestras de querer volver a la vida.

—Mi amo —le dije por lo bajo, mientras ella acariciaba un momento las plumas del gallito—, ¿y si escapáramos?

—Calla, mozo —me respondió casi sin mover los labios—, que todavía hacen bien a mi alma los improperios. Todo se andará.

—¡Y empanada quisieron hacer en Ledesma con mi hijo! ¿Te parece bien? ¡Y cuando era lagarto le decían: "Enrique, Enrique, toma una colilla, toma un pedazo de pan"! ¡Y a ti, mal hombre, ya te llegará el fin que te mereces, ya verás! ¡Que no me quieres reconocer como esposa y eso Dios lo castiga! ¡Del monte bajé para curarme el estreñimiento con estas aguas beneficiosas, y mira tú por dónde fuí a toparme contigo!

Mi amo seguía sin dar mayores muestras de impaciencia, y a mí me desazonaba pensar en qué iba a parar aquello, cuando de improviso, y sin dar tiempo ni a respirar, salió galopando para el agua, al tiempo que decía:

—¡Echate al agua, muchacho, y ven detrás de mí! ¡Escapa de sus garras, que te ha de sacar los ojos!

No había acabado todavía de reaccionar y gritar sus voces cuando ya me le vi, la cabeza sobre la línea de la corriente, braceando a la otra orilla. En pos de él me eché porque hice cuenta que de loco a loco, más vale irse con el varón que quedarse con la hembra, y a duras penas, porque aún de nadar no sabía mucho y la ropa me pesaba tanto como el frío me hacía molestia, llegué hasta la otra orilla, donde ya el penitente me esperaba y desde donde se veía, enfrente, a la desgraciada, que asida al gallo seguía voceando sin descanso:

—¡Ah, mal hombre, mal hombre! ¡Dame un real!

Mi amo estaba como entristecido, y una amarga sonrisa se le dibujaba en los labios.

—¿No recuerdas, hijo, que un día te advertí que no abandonaras el curso de las aguas?

—Sí, señor; ya recuerdo.

—¿Y que te dije que no caminaras las orillas distantes, no fuera el diablo a hacer que no pudieras cruzarlas?

—Sí, señor; también recuerdo.

—Pues ahí ves tú por qué te lo decía, que yo no hablo por hablar, ni aconsejo para que se me respete, como hacen los señores. Que yo soy llano de natural, y si algún día ahueco la voz jamás es sin motivo.

Dicho esto, echó a caminar delante de mí, la vista clavada en el terreno y las manos a la espalda, y ni una sola palabra dijo lo menos en dos horas, lo que me forzó a pensar si la mojadura no le habría quitado el habla, ya que la voz se veía que no, pues cada paso suyo retumbaba en los montes, de salpicado como iba de toses y estornudos.

—Mira, Lázaro —me hubo de decir cuando ya era casi completa la oscuridad—, de buscar unas retamas y algún palito, que para mí tengo que el fuego ha de sernos sano, porque esas aguas beneficiosas de que hablaba la pobre Dolores, pienso que si saludables para el estreñimiento, porque rompen lo que está duro, no lo son tanto para la tos que parece haberme invadido.

Busqué sin gran trabajo con qué encender el fuego, y aunque lo más difícil resultó animarlo a que ardiera —de humedecido y chorreante como nuestro bagaje estaba—, una vez que lo hube conseguido, se armó tan noble fogata y tan hermoso resplandor que mismo pareciera —si no miráramos para detrás— que estábamos a pleno día.

Al amor de la lumbre fuimos cobrando de nuevo confianza con la vida, y ya casi secos y reconfortados estábamos cuando se plantó ante nosotros, y de sopetón, un guarda jurado de semblante bigotudo y ademán retador, quien con palabras tan claras como escasas nos dijo que allí estábamos de más y que nos marchásemos.

—Mire su autoridad —hubo de decirle mi amo—

que nos deje calentar las carnes en este fuego, que con ello a nadie mal hacemos ni el coto sufre, y que sin él nos vamos a morir, que estamos ateridos y más húmedos que sopas. Y que si hay en el mundo tres cosas frías, que según es fama son mano de barbero, hocico de perro y trasero de mujer, esta noche mejor pareciera a quien los fríos se dedicase a estudiar aumentar su número hasta cinco; que los otros dos son los cueros de este muchacho y los de un servidor. Mire lo que le digo y vea de cumplir su obra de caridad.

—Usted ya me entenderá, maestro —le replicó el guarda jurado—, que a mí me tienen por este monte bajo con una escopeta en bandolera para hacer cumplir las ordenanzas, y que no vale que yo los quisiera dejar —que hasta el corazón se me ablanda de ver la ducha que a sus años le han dado— porque el fuego a todos nos delata, y si yo puedo hacer la vista gorda y no enterarme de un conejo que asome sus mostachos fuera del morral, no así en este caso, en el que por cierto tengo que, si usted y este mozo se calientan, a mí me echan de la finca.

—Cierto es lo que decís —contestó mi amo— y la verdad adorna la boca de quien la dice, pero yo quisiera que tan secos acabáramos nosotros como vuestra autoridad libre de todo daño. Y para mí pienso que un arreglo no habría de ser difícil, que hablando se entienden las gentes y preguntando se llega a Roma; yo ordeno al muchacho —que es dócil y bien mandado, como por sus mismos ojos podrá ver— que pise el fuego y lo desbarate, que con ello las llamas cederán, y el rescoldo nadie ha de verlo, y a vos, en cambio, os ofrecemos compañía y conversación, un sitio a nuestro lado en este terreno, que sin ser de ninguno es más vuestro que nuestro, y si esperáis con paciencia a que amanezca Dios, hasta con un buen guiso de conejo o de pollo de perdiz os podremos festejar.

—¿Y el conejo?

—No es eso obstáculo, señor; que para pasar todo el coto a nuestros estómagos no necesitamos apetito, que harto tenemos ya, sino aquella vista gorda de que vuestra autoridad hablaba. Muchacho —dijo, dirigiéndose a mí—, usa de la bondad de este señor y ve a colocar dos pares de lazos donde encuentres una senda y agárrate un palo y espera el día para traerte unos perdigones con que saludarlo. Anda diligente, que a quien madruga Dios le ayuda, y piensa que los sesos son para usarlos y sacarles beneficio.

—Allá voy, sí, señor —le respondí—; que para bien mandado ya sabéis que sirvo.

Busqué en el macuto un trozo de cable con que fabricar los lazos, desgajé con la navajilla una vara de un roble que por allí había, y eché a través de la ladera en busca del sitio donde apostarme para vigilar las trampas o para sacudir el palo.

Por cierto tuve siempre que el cielo ampara a los desvalidos y protege a los hombres de buena voluntad; la prueba la tuve aquel día una vez más, y bien verdadera, ya que si me volví para los restos de la hoguera donde mi amo y el guarda jurado me esperaban tan pobre y de vacío como me había ido, ello fué —o por lo menos a ello lo achaco— porque ni desvalido me sentí de poderoso como ya me figuraba comiéndome yo solo dos pares de pollos de perdiz que pensé atrapar sin llegarlo a conseguir, ni buena fe demostré con mi engañoso propósito. Quizá de haber sido más humilde, otro gallo me hubiera cantado.

—¿Dónde traes la caza? —me preguntó mi amo cuando hube regresado, ya a las dos horas o tres de luz—, ¿en dónde la has echado?

—Señor Felipe —le repliqué—, vea que todo el tiempo anduve azorado y con precaución, que el señor guarda a nada me autorizó, y eso me cortaba las alas; que los lazos ni los puse y aquí están, y el palo sólo me valió para apoyarme y tentar el terreno.

—Me parece —dijo el guarda jurado interrumpiendo y dirigiéndose a mi amo— que este muchacho es tonto, porque yo no dije ni esta boca es mía, y ya es sabido que el que calla otorga. ¿Por qué no te has traído con qué comer?

—Mire el señor guarda que fué porque no pude, que la conciencia me ataba los movimientos y el temor a hacer mal me ponía paralítico. Yo bien lo siento, y a fe que si tales cosas antes supiera, habría estado más listo. ¿Eso de tonto lo dice de broma el señor guarda?

—No, hijo; que lo digo en serio y bien en serio. Que si la cara la tienes de avispa tus hechos son mismamente torpes y cobardones como los de una oveja. Como los años no te hagan más avisado, muchas hambres has de pasar en tu vida.

A mí me impresionaron aquellas palabras, y de ellas me acordé varias veces al pasar del tiempo, no por lo sabias, sino por lo necias que vinieron a resultar después: que para comer todos los días y mantenerse derecho no hay como caminar y no estarse quieto, que en los pueblos dan al que va de camino —quizá para que no se pare— y niegan al que vieron nacer. Y tan crueles son, que si tiene hambre le llaman vago, y si le falta el sentido, le tiran piedras; con lo que siempre resulta que en cada pueblo de España hay un hombre en los huesos al que apedrean los mozos, llaman tonto las mujeres y dicen los demás hombres que lo que quiere es vivir sin trabajar. A uno conocí, al cabo de los años, en un pueblo al que llaman Bocigas, sobre el río Perales, allá por las provincias de Soria o de Burgos, que hacía en las fiestas de su pueblo el papel de cagalaolla para que todos se divirtieran haciendo burla de él y de su falta de seso, y a quien, cuando —todos los años confiado y todos los años sin escarmentar —se le ocurría pedir un alivio para su desgracia, untaban la cara con una boñiga entre grandes juergas y risotadas, hasta hacérsela tragar. El inocente se volvía a su cueva después de la fiesta y se pasaba llorando las semanas, y cuando ya el sabor se le había quitado del paladar, decía con su media lengua que la fiesta aquel año había resultado muy bien. Comía lagartos y hierbas que arrancaba de los caminos, y algún mozo del pueblo, por broma, se las quitaba y se las pisaba, y si al pobre se le ocurría levantar la voz, le restregaban los hocicos contra la tierra. El nunca se incomodaba y para todos tenía una sonrisa que quería ser de amor y que mismo parecía la de una calavera.

Volviendo a lo que íbamos y pidiendo perdón por el desorden: el guarda jurado siguió hablando con razones tan cumplidas como, a mi parecer, falsas sobre mi tontería, y cuando se hubo hartado de ponerme por los pies de los caballos nos ofreció unas tajadas de una perdiz guisada que llevaba a la espalda.

—De mi morral tendremos que usar —dijo— y bien me duele, que una cazuela con guiso de perdiz que me hizo mi señora llevo en una tartera dentro de él; pero veo que no es de ley que lo descubra para comérmelo yo solo, que ustedes son así como mis convidados, y en esta tierra sabemos hacer las cosas y no engañar a los vientres de nuestros huéspedes sólo con el olor.

Echó mano del saco, buscó y no encontró, y a la cara un color se le venía y otro se le iba.

—Por Dios, que juraría que aquí estaba. Con tanta cosa como uno lleva encima resulta a veces difícil toparse con lo que se busca.

Dejó la escopeta sobre una piedra; se descargó el fardelejo, lo vació en el suelo, y como la cazuela no apareciese, tal cólera le entró y tan mal la supo reprimir, que mismo se puso abotagado y como rabioso.

—Que la dé usted —le dijo a mi amo— si se la ha llevado, que yo no soy hombre de bromas y tengo tan malas pulgas como el que peor las tenga. Mire de hacer lo que le digo y de no engañarme, que este encuentro va a terminar como el rosario de la aurora.

—Señor mío —le contestó el penitente—, guarde las palabras para cuando las precise, que ni yo le robé la perdiz ni está usted diciendo verdad.

—¿Que no digo verdad?

—No, señor; que si la perdiz la guardó, como dice, en el morral, en él deberá de estar, que nosotros no la llevamos encima, y de ello podrá usted percatarse si nos registra, cosa que no nos ha de parecer mal, porque somos inocentes.

—Sí, señor —intervine yo—; que no se puede dejar en entredicho la fama de nadie. Regístrenos en buena hora y deje ya de sospechar.

—¡Muy farruco está el mozo!

—No, señor —exclamó mi amo—, que lo que pasa es que es hombre de bien y le quema la sangre verse acusado sin motivo.

—A nadie acusé yo.

—Cierto, sí, señor; pero de los dos sospecha, que bien se lo veo en la cara, y yo conozco a los cojos en la manera de andar. A veces es peor una mirada que diez palabras, y el ojo que usted no nos saca de encima para mí que tiene más inquina y más mala intención que todas las palabras encerradas en un libro donde se nos acuse. Regístrenos en buena hora, como dice el mozo, y ya que no podemos decirle que se vaya, porque está como en su casa, déjenos al menos marchar.

—Pues bien, señor mío —replicó el guarda jurado—, ya que ustedes lo quieren, yo los voy a registrar; piensen que me hace violencia y que sólo lo hago para alejar la duda de mi cabeza.

—Muy bien hablado —respondió mi amo—, eso es lo que nosotros queremos. Escucha, Lázaro —me dijo a mí—, lo que este señor dice y limpia un poco el suelo para descargar el equipaje, que si el señor guarda piensa bien, pronto se va a convencer que no lo hace sin motivo, y si piensa mal va a salir chasqueado.

Obedecí a mi amo lo que me mandara, descargamos lo que encima llevábamos sobre el santo suelo, y como el guarda, que por más que vigilaba no acababa de ver lo que hubiera querido, empezaba a dar señales de impaciencia, en cueros nos hubimos de quedar por dar gusto a su curiosidad y por calmar la cólera que le mantenía enhiesto el bigote, como a los gatos, y que, de haber estallado entonces, de cierto que hubiera sido contra nuestras pobres carnes.

—Vea su autoridad —dijo mi amo, dando diente con diente y sin cesar en los estornudos— de no ser cruel, que de ello tendrá que dar cuenta a Dios en el valle de Josafat, y de no permitir a sus instintos el deseo de vernos al aire ni un minuto más, que si el muchacho es joven y fuerte y parece que la ropa no le sirve más que de adorno, yo ya no ando tan bien de juventud ni de fortalezas, y pienso que a estas horas deberé tener encima, si no el guiso y su tartera, sí una pulmonía y quizá doble, tal es la forma por pareados en que se me puede ver estornudar.

—Me parece, buen hombre —replicó el guarda con cara de enterrador—, que no sois vos quien en tal berenjenal os habéis metido, sino este granuja de mozo que os acompaña, que más parece hijo del pecado que amigo de la virtud, y que más me da que pensar que sea aprendiz de ruindades que discípulo de buen oficio. Vestíos en buena hora, que la perdiz se la llevó el diablo, no sé si solo o con cómplices, y vos estáis al borde del constipado por su culpa. Y tú, galán —dijo mirándome—, cubre también tus carnes, que con las nalgas al aire me están entrando tentaciones de marcártelas a palo limpio, cosa que no quiero hacer.

—Gracias, señor guarda —contesté—, que ya me estaba entrando el frío y no sabía cómo decirlo.

Nos vestimos, nos arrimamos otro poco a las brasas, tratamos de animarlas para que ellas nos animasen a nosotros, y cuando lo conseguimos, ya con el sol casi en mitad del cielo, nos echamos a dormir para reponer un poco las fuerzas.

Nos abrazamos, como de costumbre, mi amo y yo, para cambiarnos el calor, y de aquella vez guardo el recuerdo de haber perdido en el cambio, tales eran los fríos que del penitente se escapaban.

—Señor Felipe —le dije yo a más del mediodía, cuando nos despertamos—, ahora nos haría buena falta comer un poco, que yo noto el vientre como vacío.

—Y yo, hijo, que tengo las tripas más huérfanas y desheredadas que las de cómico en Cuaresma, y que me encuentro tan decaído y tan pachucho que no sé si voy a levantar cabeza.

—Hágase fuerte, mi amo, que todo se andará. ¿Recuerda usted de cuando el guarda me llamó tonto?

—Sí, hijo.

—¿Y se acuerda usted también que me anunció muchas hambres para el mañana?

—También recuerdo, hijo, y a fe que no le creí, que te me antojas muchacho listo y avisado, y no parecen tus carnes las más a propósito para dejar que el hambre se les arrime.

—No lo sé, mi amo, pero le agradezco sus frases. Lo que sí sé es que si mañana hemos de pasar hambre es cosa que sólo Dios sabe, como también sabe —y esto usted lo ha de ver— que hoy no la pasaremos, que el guiso de perdiz está agachado de mi mano.

—¿Qué dices?

—Digo que el guiso lo tengo yo, mi amo; que cuando me mandaron por caza pensé que mejor sería hallarla ya aderezada, y husmeando me llevó mi nariz al morral del guarda, y arramplaron mis manos con lo que suyo era, y de él alejaron mis pies lo que perdió por necio.

—¿Y dónde lo tienes?

—¡Calma, señor penitente, un poco de calma! Por él voy ahora y pronto dentro de nosotros estará; no se impaciente, que quien aguarda un siglo puede bien aguardar una hora, y...

—Anda, mozo —me interrumpió—, no perores, que es feo vicio en ayunas. Tráete eso y que Dios te proteja en la excursión. ¿Está muy lejos?

—Algo, mi amo.

—Pues anda allá, que yo te aguardo mientras recojo estas brasitas que quedan.

Las toses no quitaron diligencia al señor Felipe, y cuando salí en busca del guiso, ya él quedaba apañando las brasas aún vivas, para calentar nuestro almuerzo.

Marché, busqué, atopé y volví en menos que canta un pollo —que siempre es más ligero y más desafinado en su canción que un gallo como Dios manda—, y cuando ya estaba de nuevo a la vista del hondón donde nos guareciéramos, poco me faltó para derramar el guiso y perder la calma, tal fué el susto que me pegué al ver a mi amo caído de bruces contra el santo y duro suelo y presa de unas convulsiones que mismo parecían, y así vinieron a resultar después, las de la agonía.

Dejé con cuidado la tartera en el suelo y corrí a ver qué le pasaba.

—Mi amo —le dije—, anímese, que ya llega la perdiz. Tenga valor y busque fuerzas, que en esto ya es sabido que lo peor es empezar.

—Hijo...

Yo estaba asustado porque adiviné que poco le quedaba ya de sufrir en este valle de lágrimas y de tiranías. Lo puse boca arriba —que me pareció mejor postura para un enfermo—, le levanté la cabeza con el morral y le arrimé las brasas a los pies.

—Señor Felipe, yo creo que si quisiera tomar un poco del guiso el ánimo se le levantaría, que usted no tiene más que frío por dentro y por fuera, y un hambre, que si la vence, no le dejará huella alguna, pero que si ella lo derrota va a espantar el alma de su cuerpo.

—Es verdad, hijo mío; pero tales arcadas siento y tal dolor en todas las entrañas, que para mí que estoy ya en los últimos minutos de mi vida.

Tanto sentimiento daba a sus palabras, que a mí se me caían las lágrimas de los ojos, y un nudo que me subía del corazón se me cerraba en la garganta. Nunca tuve padre a quien querer, ni amigo —fuera del penitente señor Felipe— por quien llorar en su desgracia, y entonces —Dios sabe si como presintiendo la soledad que para siempre ya mi espíritu no había de dejar— se volcó mi sentimiento como una torrentera, y mi pena tan doliente llegó a ser, que a poco me mata lo que tan malherida dejó mi voluntad: la muerte de mi amo, una de las dos únicas personas de bien con las que en mis días me tropecé.

—Hijo, escucha —me dijo con un hilo de voz— cuáles son mis últimas palabras. Quiero decir que de todo me arrepiento y que temo la justicia de los Cielos; que de mi cuerpo puedes hacer lo que quieras menos quemarlo —que tengo por fin de herejes— o arrojarlo a un río, que entiendo manera de terminar impropia de un cristiano; que el guiso de perdiz que te sobre me lo restriegues por los labios cuando haya expirado, que mejor me parece un cadáver con aire de haber muerto de indigestión, que otro con aspecto de haberlo hecho de hambre y de frío; que para ti te doy todo lo que llevo encima, que para presentarse ante el Señor todo sobra, y, por último, que cuando ya me veas frío del todo digas tres veces seguidas: "Señor, perdónalo y acógele en tu seno, que fué pecador, pero no malo." ¿Te acordarás?

—Sí, señor —le dije guardándome las lágrimas por no apurarlo.

—Bueno, hijo mío, Lázaro: que Dios te proteja siempre. Dame la mano y no me sueltes hasta que ya no te necesite. Poco tendrás que esperar...

Le di la mano y esperé; no sé cuánto tiempo. Cuando el frío de su cuerpo dió a ver bien a las claras que ya no había nada que hacer, se la solté. El brazo se le cayó a lo largo, y sus ojos, entreabiertos, tenían un dulzor amargo y triste que me sobrecogió; se los cerré con cuidado.

Fuí a buscar el guiso para embadurnarle un poco los labios y me encontré la cazuela negra de hormigas; pensaba haberle untado todo el guiso al señor Felipe, pero con aquello de las hormigas ya no tenía mérito alguno el sacrificio que hacía de mi hambre.

Volví al cadáver y le toqué el sitio del corazón; nada se oía, pero yo no me atreví a enterrarlo. Aquella noche la pasé en vela, agarrado a su cuerpo y llorando como una Magdalena.

Cuando, al amanecer del día siguiente, le volví a tocar el corazón y vi que nada tampoco se escuchaba, decidí darle tierra.

Lo miré un instante, por última vez. Por la boca le corría una araña de largas patas que se paraba, de cuando en cuando, para ver mejor el terreno que pisaba; por los oídos andaban un par de hormigas, buscando quizá el camino que llevaba a los sesos del señor Felipe, a aquellos sesos que tantas amarguras y tantas desdichas inventaron siempre para su amo.

No me atreví a desnudarlo; me daba apuro.

Lo primero que tapé fué la cabeza, lo que más miedo me daba. En cubrirlo bien tardé bastante porque no tenía más que una navajilla.

Cuando terminé, ya muy entrado el día, estaba rendido y muerto de hambre.

Eché a caminar, y desde unas peñas me volví para ver el sitio donde Dios quiso dejar a mi malaventurado amo. La tierra estaba removida, pero allí debajo nadie diría que quedaba un hombre...

Madrid, 1944.

LA COLMENA

DE LA NOTA A LA PRIMERA EDICION

Mi novela La colmena, *primer libro de la serie* Caminos inciertos, *no es otra cosa que un pálido reflejo, que una humilde sombra de la cotidiana, áspera, entrañable y dolorosa realidad.*

Mienten quienes quieren disfrazar la vida con la máscara loca de la literatura. Ese mal que corroe las almas; ese mal que tiene tantos nombres como queramos darle, no puede ser combatido con los paños calientes del conformismo, con la cataplasma de la retórica y de la poética.

Esta novela mía no aspira a ser más —ni menos, ciertamente— que un trozo de vida narrado paso a paso, sin reticencias, sin extrañas tragedias, sin caridad, como la vida discurre, exactamente como la vida discurre. Queramos o no queramos. La vida es lo que vive —en nosotros o fuera de nosotros—; nosotros no somos más que su vehículo, su excipiente, como dicen los boticarios.

Pienso que hoy no se puede novelar más —mejor o peor— que como yo lo hago. Si pensase lo contrario, cambiaría de oficio.

... ...

Su arquitectura es compleja, a mí me costó mucho trabajo hacerla. Es claro que esta dificultad mía tanto pudo estribar en su complejidad como en mi torpeza. Su acción discurre en Madrid —en 1942— y entre un torrente, o una colmena, de gentes que a veces son felices y a veces, no. Los ciento sesenta personajes * *que bullen —no corren— por sus páginas, me han*

* N. del E. [incluída en la segunda edición].—Se trata de un cálculo muy modesto por parte del autor; en el censo que figura en el pre-

traído durante cinco largos años por el camino de la amargura. Si acerté con ellos o con ellos me equivoqué, es cosa que deberá decir el que leyere.

La novela no sé si es realista, o idealista, o naturalista, o costumbrista, o lo que sea. Tampoco me preocupa demasiado. Que cada cual le ponga la etiqueta que quiera: uno ya está hecho a todo.

NOTA A LA *SEGUNDA EDICION*

Pienso lo mismo que hace cuatro años. También siento y preconizo lo mismo. En el mundo han sucedido extrañas cosas —tampoco demasiado extrañas—, pero el hombre acorralado, el niño viviendo como un conejo, la mujer a quien se le presenta su pobre y amargo pan de cada día colgado del sexo —siniestra cucaña— del tendero ordenancista y cauto, la muchachita en desamor, el viejo sin esperanza, el enfermo crónico, el suplicante y ridículo enfermo crónico, ahí están. Nadie los ha movido. Nadie los ha barrido. Casi nadie ha mirado para ellos.

Sé bien que La colmena *es un grito en el desierto; es posible que incluso un grito no demasiado estridente o desgarrador. En este punto jamás me hice vanas ilusiones. Pero, en todo caso, mi conciencia bien tranquila está.*

Sobre La colmena, *en estos cuatro años transcurridos, se ha dicho de todo, bueno y malo, y poco, ciertamente, con sentido común. Escuece darse cuenta que las gentes siguen pensando que la literatura, como el violín, por ejemplo, es un entretenimiento que, bien mirado, no hace daño a nadie. Y ésta es una de las quiebras de la literatura.*

Pero no merece la pena que nos dejemos invadir por la tristeza. Nada tiene arreglo: evidencia que hay que llevar con asco y con resignación. Y, como los más elegantes gladiadores del circo romano, con una vaga sonrisa en los labios.

* * *

---

sente volumen, José Manuel Caballero Bonald recuenta doscientos noventa y seis personajes imaginarios y cincuenta personajes reales: en total, trescientos cuarenta y seis.

Damos aquí el Capítulo I, único del que existen tres ediciones: las dos de la novela («Emecé Editores», Buenos Aires, 1951, y «Editorial Noguer», Barcelona-México, 1955) y la anterior de Cuadernos Hispanoamericanos, *n.º 15, Madrid, 1950.*

No perdamos la perspectiva, yo ya estoy harta de decirlo, es lo único importante.

Doña Rosa va y viene por entre las mesas del Café, tropezando a los clientes con su tremendo trasero. Doña Rosa dice con frecuencia "leñe" y "nos ha merengao". Para doña Rosa, el mundo es su Café, y alrededor de su Café, todo lo demás. Hay quien dice que a doña Rosa le brillan los ojillos cuando viene la primavera y las muchachas empiezan a andar de manga corta. Yo creo que todo eso son habladurías: doña Rosa no hubiera soltado jamás un buen amadeo de plata por nada de este mundo. Ni con primavera ni sin ella. A doña Rosa lo que le gusta es arrastrar sus arrobas, sin más ni más, por entre las mesas. Fuma tabaco de noventa, cuando está a solas, y bebe ojén, buenas copas de ojén, desde que se levanta hasta que se acuesta. Después tose y sonríe. Cuando está de buenas, se sienta en la cocina, en una banqueta baja, y lee novelas y folletines, cuanto más sangrientos, mejor: todo alimenta. Entonces le gasta bromas a la gente y les cuenta el crimen de la calle de Bordadores o el del expreso de Andalucía.

—El padre de Navarrete, que era amigo del general don Miguel Primo de Rivera, lo fué a ver, se plantó de rodillas y le dijo: "Mi general, indulte usted a mi hijo, por amor de Dios"; y don Miguel, aunque tenía un corazón de oro, le respondió: "Me es imposible, amigo Navarrete; su hijo tiene que expiar sus culpas en el garrote".

¡Qué tíos! —piensa—, ¡hay que tener riñones! Doña Rosa tiene la cara llena de manchas, parece que está siempre mudando la piel como un lagarto. Cuando está pensativa, se distrae y se saca virutas de la cara, largas a veces como tiras de serpentinas. Después vuelve a la realidad y se pasea otra vez, para arriba y para abajo, sonriendo a los clientes, a los que odia en el fondo, con sus dientecillos renegridos, llenos de basura.

Don Leonardo Meléndez debe seis mil duros al limpia. El limpia, que es un grullo, que es igual que un grullo raquítico y entumecido, estuvo ahorrando durante un montón de años para después prestárselo todo a don Leonardo. Le está bien empleado lo que le pasa. Don Leonardo es un punto que vive del sable y de planear negocios que después nunca salen. No es que salgan mal, no; es que, simplemente, no salen, ni bien ni mal. Don Leonardo lleva unas corbatas muy lucidas y se da fijador en el pelo, un fijador muy perfumado que huele desde lejos. Tiene aires de gran señor y un aplomo inmenso, un aplomo de hombre muy corrido. A mí no me parece que la haya corrido demasiado, pero la verdad es que sus ademanes son los de un hombre a quien nunca faltaron cinco duros en la cartera. A los acreedores los trata a patadas y los acreedores le sonríen y le miran con aprecio, por lo menos por fuera. No faltó quien pensara en meterlo en el juzgado y empapelarlo, pero el caso es que hasta ahora nadie había roto el fuego. A don Leonardo, lo que más le gusta decir son dos cosas: palabritas del francés, como por ejemplo, "madame" y "rue" y "cravate", y también "nosotros los Meléndez". Don Leonardo es un hombre culto, un hombre que denota saber muchas cosas. Juega siempre un par de partiditas de damas y no bebe nunca más que café con leche. A los de las mesas próximas que ve fumando tabaco rubio les dice, muy fino: "¿Me da usted un papel de fumar?

Quisiera liar un pitillo de picadura, pero me encuentro sin papel". Entonces el otro se confía: "No, no gasto. Si quiere usted un pitillo hecho..." Don Leonardo pone un gesto ambiguo y tarda unos segundos en responder. "Bueno, fumaremos rubio por variar. A mí la hebra no me gusta mucho, créame usted". A veces el de al lado le dice no más que "no, papel no tengo, siento no poder complacerle", y entonces don Leonardo se queda sin fumar.

Acodados sobre el viejo, sobre el costroso mármol de los veladores, los clientes ven pasar a la dueña, casi sin mirarla ya, mientras piensan, vagamente, en ese mundo que, ¡ay!, no fué lo que pudo haber sido, en ese mundo en el que todo ha ido fallando poco a poco, sin que nadie se lo explicase, a lo mejor por una minucia insignificante. Muchos de los mármoles de los veladores han sido antes lápidas en las Sacramentales; en algunos, que todavía guardan las letras, un ciego podría leer, pasando las yemas de los dedos por debajo de la mesa: "Aquí yacen los restos mortales de la señorita Esperanza Redondo, muerta en la flor de la juventud", o bien "R. I. P. El Excmo. Sr. D. Ramiro López Puente. Subsecretario de Fomento".

Los clientes de los Cafés son gentes que creen que las cosas pasan porque sí, que no merece la pena poner remedio a nada. En el de doña Rosa, todos fuman y los más meditan, a solas, sobre las pobres, amables, entrañables cosas que les llenan o les vacían la vida entera. Hay quien pone al silencio un ademán soñador, de imprecisa recordación, y hay también quien hace memoria con la cara absorta y en la cara pintado el gesto de la bestia ruin, de la amorosa, suplicante bestia cansada: la mano sujetando la frente y el mirar lleno de amargura como un mar encalmado.

Hay tardes en que la conversación muere de mesa en mesa, una conversación sobre gatas paridas, o sobre el suministro, o sobre aquel niño muerto que alguien no recuerda, sobre aquel niño muerto que, ¿no se acuerda usted?, tenía el pelito rubio, era muy mono y más bien delgadito, llevaba siempre un jersey de punto color beige y debía andar por los cinco años. En estas tardes, el corazón del Café late como el de un enfermo, sin compás, y el aire se hace como más espeso, más gris, aunque de cuando en cuando lo cruce, como un relámpago, un aliento más tibio que no se sabe de dónde viene, un aliento lleno de esperanza que abre, por unos segundos, un agujerito en cada espíritu.

A don Jaime Arce, que tiene un gran aire a pesar de todo, no hacen más que protestarle letras. En el Café, parece que no, todo se sabe. Don Jaime pidió un crédito a un Banco, se lo dieron y firmó unas letras. Después vino lo que vino. Se metió en un negocio donde lo engañaron, se quedó sin un real, le presentaron las letras al cobro y dijo que no podía pagarlas. Don Jaime Arce es, lo más seguro, un hombre honrado y de mala suerte, de mala pata en esto del dinero. Muy trabajador no es, ésa es la verdad, pero tampoco tuvo nada de suerte. Otros tan vagos o más que él, con un par de golpes afortunados, se hicieron con unos miles de duros, pagaron las letras y andan ahora por ahí fumando buen tabaco y todo el día en taxi. A don Jaime Arce no le pasó esto, le pasó todo lo contrario. Ahora anda buscando un destino, pero no lo encuentra. El se hubiera puesto a trabajar en cualquier cosa, en lo primero que saliese, pero no salía nada que mereciese la pena y se pasaba el día en el Café, con la cabeza apoyada en el respaldo de peluche, mirando para los dorados del techo. A veces

84244

cantaba por lo bajo algún que otro trozo de zarzuela mientras llevaba el compás con el pie. Don Jaime no solía pensar en su desdicha; en realidad no solía pensar nunca en nada. Miraba para los espejos y se decía: "¿Quién habrá inventado los espejos?". Después miraba para una persona cualquiera, fijamente, casi con impertinencia: "¿Tendrá hijos esa mujer? A lo mejor, es una vieja pudibunda." "¿Cuántos tuberculosos habrá ahora en este Café?". Don Jaime se hacía un cigarrillo finito, una pajita, y lo encendía. "Hay quien es un artista afilando lápices, les saca una punta que clavaría como una aguja y no la estropean jamás." Don Jaime cambia de postura, se le estaba durmiendo una pierna. "¡Qué misterioso es esto! Tas, tas; tas, tas; y así toda la vida, día y noche, invierno y verano: el corazón."

A una señora silenciosa que suele sentarse al fondo, conforme se sube a los billares, se le murió un hijo, aún no hace un mes. El joven se llamaba Paco y estaba preparándose para Correos. Al principio dijeron que le había dado un paralís, pero después se vió que no, que lo que le dió fué la meningitis. Duró poco y además perdió el sentido en seguida. Se sabía ya todos los pueblos de León, Castilla la Vieja, Castilla la Nueva y parte de Valencia (Castellón y la mitad, sobre poco más o menos, de Alicante); fué una pena grande que se muriese. Paco había andado siempre medio malo desde una mojadura que se dió un invierno, siendo niño. Su madre se había quedado sola, porque su otro hijo, el mayor, andaba por el mundo, no se sabía bien dónde. Por las tardes se iba al Café de doña Rosa, se sentaba al pie de la escalera y allí se estaba las horas muertas, cogiendo calor. Desde la muerte del hijo, doña Rosa estaba muy cariñosa con ella.

Hay personas a quienes les gusta estar atentas con los que van de luto. Aprovechan para dar consejos o pedir resignación o presencia de ánimo y lo pasan muy bien. Doña Rosa, para consolar a la madre de Paco, le suele decir que, para haberse quedado tonto, más valió que Dios se lo llevara. La madre la miraba con una sonrisa de conformidad y le decía que claro que, bien mirado, tenía razón. La madre de Paco se llama Isabel, doña Isabel Montes, viuda de Sanz. Es una señora aún de cierto buen ver, que lleva una capita algo raída. Tiene aire de ser de buena familia. En el Café suelen respetar su silencio y sólo muy de tarde en tarde alguna persona conocida, generalmente una mujer, de vuelta de los lavabos, se apoya en su mesa para preguntarle "¿Qué? ¿Ya se va levantando ese espíritu?". Doña Isabel sonríe y no contesta casi nunca; cuando está algo más animada, levanta la cabeza, mira para la amiga y dice: "¡Qué guapetona está usted, Fulanita!". Lo más frecuente, sin embargo, es que no diga nunca nada: un gesto con la mano, al despedirse, y en paz. Doña Isabel sabe que ella es de otra clase, de otra manera de ser distinta, por lo menos.

Una señorita casi vieja llama al cerillero.

—¡Padilla!

—¡Voy, señorita Elvira!

—Un tritón.

La mujer rebusca en su bolso, lleno de tiernas, deshonestas cartas antiguas, y pone treinta y cinco céntimos sobre la mesa.

—Gracias.

—A usted.

Enciende el cigarro y echa una larga bocanada de humo, con el mirar perdido. Al poco rato, la señorita vuelve a llamar.

—¡Padilla!

—¡Voy, señorita Elvira!

—¿Le has dado la carta a ése?

—Sí, señorita.

—¿Qué te dijo?

—Nada, no estaba en casa. Me dijo la criada que descuidase, que se la daría sin falta a la hora de la cena.

La señorita Elvira se calla y sigue fumando. Hoy está como algo destemplada, siente escalofríos y nota que le baila un poco todo lo que ve. La señorita Elvira lleva una vida perra, una vida que, bien mirado, ni merecería la pena vivirla. No hace nada, eso es cierto, pero por no hacer nada, ni come siquiera. Lee novelas, va al Café, se fuma algún que otro tritón y está a lo que caiga. Lo malo es que lo que cae suele ser de Pascuas a Ramos y para eso, casi siempre de desecho de tienta y defectuoso.

A don José Rodríguez de Madrid le tocó un premio de la pedrea, en el último sorteo. Los amigos le dicen:

—Ha habido suertecilla, ¿eh?

Don José responde siempre lo mismo, parece que se lo tiene aprendido:

—¡Bah! Ocho cochinos durejos.

—No, hombre, no explique, que no le vamos a pedir a usted nada.

Don José es escribiente de un juzgado y parece ser que tiene algunos ahorrillos. También dicen que se casó con una mujer rica, una moza manchega que se murió pronto dejándole todo a don José, y que él se dió buena prisa en vender los cuatro viñedos y los dos olivares que había, porque aseguraba que los aires del campo le hacían mal a las vías respiratorias, y que lo primero de todo era cuidarse.

Don José, en el Café de doña Rosa, pide siempre

copita; él no es un cursi ni un pobretón de esos de café con leche. La dueña lo mira casi con simpatía por eso de la común afición al ojén. "El ojén es lo mejor del mundo: es estomacal, diurético y reconstituyente; cría sangre y aleja el espectro de la impotencia." Don José habla siempre con mucha propiedad. Una vez, hace ya un par de años, poco después de terminarse la guerra, tuvo un altercado con el violinista. La gente, casi toda, aseguraba que la razón la tenía el violinista, pero don José llamó a la dueña y le dijo: "O echa usted a puntapiés a ese rojo irrespetuoso y sinvergüenza, o yo no vuelvo a pisar el local". Doña Rosa, entonces, puso al violinista en la calle y ya no se volvió a saber más de él. Los clientes, que antes daban la razón al violinista, empezaron a cambiar de opinión y al final ya decían que doña Rosa había hecho muy bien, que era necesario sentar mano dura y hacer un escarmiento. "Con estos desplantes, ¡cualquiera sabe a dónde iríamos a parar!" Los clientes, para decir esto, adoptaban un aire serio, ecuánime, un poco vergonzante. "Si no hay disciplina, no hay manera de hacer nada bueno, nada que merezca la pena", se oía decir por las mesas.

Algún hombre ya metido en años cuenta a gritos la broma que le gastó, va ya para el medio siglo, a Madame Pimentón.

—La muy imbécil se creía que me la iba a dar. Sí, sí... ¡Estaba lista! La invité a unos blancos y al salir se rompió la cara contra la puerta. ¡Ja, ja! Echaba sangre como un becerro. Decía: "Oh, la la; Oh, la la", y se marchó escupiendo las tripas. ¡Pobre desgraciada, andaba siempre bebida! ¡Bien mirado, hasta daba risa!

Algunas caras, desde las próximas mesas, lo miran casi con envidia. Son las caras de las gentes que sonríen en paz, con beatitud, en esos instantes en que, casi sin darse cuenta, llegan a no pensar en nada. La gente es cobista por estupidez y, a veces, sonríen aunque en el fondo de su alma sientan una repugnancia inmensa, una repugnancia que casi no pueden contener. Por coba se puede llegar hasta el asesinato; seguramente que ha habido más de un crimen que se haya hecho por quedar bien, por dar coba a alguien.

—A todos estos mangantes hay que tratarlos así; las personas decentes no podemos dejar que se nos suban a las barbas. ¡Ya lo decía mi padre! ¿Quieres uvas? Pues entra por uvas. ¡Ja, ja! ¡La muy zorrupia no volvió a arrimar por allí!

Corre por entre las mesas un gato gordo, reluciente; un gato lleno de salud y de bienestar; un gato orondo y presuntuoso. Se mete entre las piernas de una señora y la señora se sobresalta.

—¡Gato del diablo! ¡Largo de aquí!

El hombre de la historia le sonríe con dulzura.

—Pero, señora, ¡pobre gato! ¿Qué mal le hacía a usted?

Un jovencito melenudo hace versos entre la baraúnda. Está evadido, no se da cuenta de nada; es la única manera de poder hacer versos hermosos. Si mirase para los lados se le escaparía la inspiración. Eso de la inspiración debe ser como una mariposita ciega y sorda, pero muy luminosa; si no, no se explicarían muchas cosas.

El joven poeta está componiendo un poema largo, que se llama "Destino". Tuvo sus dudas sobre si debía poner "El destino", pero al final, y después de consultar con algunos poetas ya más hechos, pensó que no, que sería mejor titularlo "Destino", simplemente. Era más sencillo, más evocador, más misterioso. Además, así, llamándole "Destino", quedaba más sugeridor, más... ¿cómo diríamos?, más impreciso, más poético. Así no se sabía si se quería aludir a "el destino", o a "un destino", a "destino incierto", a "destino fatal" o "destino feliz" o "destino azul" o "destino violado". "El destino" ataba más, dejaba menos campo para que la imaginación volase en libertad, desligada de toda traba.

El joven poeta llevaba ya varios meses trabajando en su poema. Tenía ya trescientos y pico de versos, una maqueta cuidadosamente dibujada de la futura edición y una lista de posibles suscriptores, a quienes, en su hora, se les enviaría un boletín, por si querían cubrirlo. Había ya elegido también el tipo de imprenta (un tipo sencillo, claro, clásico; un tipo que se leyese con sosiego; vamos, queremos decir un *bodoni*), y tenía ya redactada la justificación de la tirada. Dos dudas, sin embargo, atormentaban aún al joven poeta: el poner o no poner el "Laus Deo" rematando el colofón, y el redactar por sí mismo, o no redactar por sí mismo, la nota biográfica para la solapa de la sobrecubierta.

Doña Rosa no era, ciertamente, lo que se suele decir una sensitiva.

—Y lo que le digo, ya lo sabe. Para golfos ya tengo bastante con mi cuñado. ¡Menudo pendón! Usted está todavía muy verdecito, ¿me entiende?, muy verdecito. ¡Pues estaría bueno! ¿Dónde ha visto usted que un hombre sin cultura y sin principios ande por ahí, tosiendo y pisando fuerte como un señorito? ¡No seré yo quien lo vea, se lo juro!

Doña Rosa sudaba por el bigote y por la frente.

—Y tú, pasmado, ya estás yendo por el periódico. ¡Aquí no hay respeto ni hay decencia, eso es lo que pasa! ¡Ya os daría yo para el pelo, ya, si algún día me cabreara! ¡Habráse visto!

Doña Rosa clava sus ojitos de ratón sobre Pepe, el

viejo camarero llegado cuarenta o cuarenta y cinco años atrás, de Mondoñedo. Detrás de los gruesos cristales, los ojitos de doña Rosa parecen los atónitos ojos de un pájaro disecado.

—¡Qué miras! ¡Qué miras! ¡Bobo! ¡Estás igual que el día que llegaste! ¡A vosotros no hay Dios que os quite el pelo de la dehesa! ¡Anda, espabila y tengamos la fiesta en paz, que si fueras más hombre ya te había puesto de patas en la calle! ¿Me entiendes? ¡Pues nos ha merengao!

Doña Rosa se palpa el vientre y vuelve de nuevo a tratarlo de usted.

—Ande, ande... Cada cual a lo suyo. Ya sabe, no perdamos ninguno la perspectiva, ¡qué leñe!, ni el respeto, ¿me entiende?, ni el respeto.

Doña Rosa levantó la cabeza y respiró con profundidad. Los pelitos de su bigote se estremecieron con un gesto retador, con un gesto airoso, solemne, como el de los negros cuernecitos de un grillo enamorado y orgulloso.

Flota en el aire como un pesar que se va clavando en los corazones. Los corazones no duelen y pueden sufrir, hora tras hora, hasta toda una vida, sin que nadie sepamos nunca, demasiado a ciencia cierta, qué es lo que pasa.

Un señor de barbita blanca le da trocitos de bollo suizo, mojados en café con leche, a un niño morenucho que tiene sentado sobre las rodillas. El señor se llama don Trinidad García Sobrino y es prestamista. Don Trinidad tuvo una primera juventud turbulenta, llena de complicaciones y de veleidades, pero en cuanto murió su padre se dijo: "De ahora en adelante hay que tener cautela; si no, la pringas, Trinidad", se dedicó a los negocios y al buen orden y acabó rico. La ilusión de toda su vida hubiera sido llegar a diputado; él pensaba que ser uno de quinientos entre veinticinco millones no estaba nada mal. Don Trinidad anduvo coqueteando varios años con algunos personajes de tercera fila del partido de Gil Robles, a ver si conseguía que lo sacasen diputado; a él el sitio le era igual; no tenía ninguna demarcación preferida. Se gastó algunos cuartos en convites, dió su dinero para propaganda, oyó buenas palabras, pero al final no presentaron su candidatura por lado alguno y ni siquiera lo llevaron a la tertulia del jefe. Don Trinidad pasó por momentos duros, de graves crisis de ánimo, y al final acabó haciéndose lerrouxista. En el partido radical parece que le iba bastante bien, pero en esto vino la guerra y con ella el fin de su poco brillante, y no muy dilatada, carrera política. Ahora don Trinidad vivía apartado de la "cosa pública", como aquel día memorable dijera don Alejandro, y se conformaba con que lo dejaran vivir tranquilo, sin recordarle tiempos pasados, mientras seguía dedicándose al lucrativo menester del préstamo a interés.

Por las tardes se iba con el nieto al Café de doña Rosa, le daba de merendar y se estaba callado, oyendo la música o leyendo el periódico, sin meterse con nadie.

Doña Rosa se apoya en una mesa y sonríe.

—¿Qué me dice, Elvirita?

—Pues ya ve usted, señora, poca cosa.

La señorita Elvira chupa del cigarro y ladea un poco la cabeza. Tiene las mejillas ajadas y los párpados rojos, como de tenerlos delicados.

—¿Se le arregló aquello?

—¿Cuál?

—Lo de...

—No, salió mal. Anduvo conmigo tres días y después me regaló un frasco de fijador.

La señorita Elvira sonríe. Doña Rosa entorna la mirada, llena de pesar.

—¡Es que hay gente sin conciencia, hija!

—¡Psché! ¿Qué más da?

Doña Rosa se le acerca, le habla casi al oído.

—¿Por qué no se arregla con don Pablo?

—Porque no quiero. Una también tiene su orgullo, doña Rosa.

—¡Nos ha merengao! ¡Todas tenemos nuestras cosas! Pero lo que yo le digo a usted, Elvirita, y ya sabe que yo siempre quiero para usted lo mejor, es que con don Pablo bien le iba.

—No tanto. Es un tío muy exigente. Y además un baboso. Al final ya lo aborrecía, ¡qué quiere usted!, ya me daba hasta repugnancia.

Doña Rosa pone la dulce voz, la persuasiva voz de los consejos.

—¡Hay que tener más paciencia, Elvirita! ¡Usted es aún muy niña!

—¿Usted cree?

La señorita Elvira escupe debajo de la mesa y se seca la boca con la vuelta de un guante.

Un impresor enriquecido que se llama Vega, don Mario de la Vega, se fuma un puro descomunal, un puro que parece de anuncio. El de la mesa de al lado le trata de resultar simpático.

—¡Buen puro se está usted fumando, amigo!

Vega le contesta sin mirarle, con solemnidad:

—Sí, no es malo, mi duro me costó.

Al de la mesa de al lado, que es un hombre raquítico y sonriente, le hubiera gustado decir algo así como "¡Quién como usted!", pero no se atrevió, por fortuna le dió la vergüenza a tiempo. Miró para el impresor, volvió a sonreír con humildad, y le dijo:

—¿Un duro nada más? Parece lo menos de siete pesetas.

—Pues no: un duro y treinta de propina. Yo con esto ya me conformo.

—¡Ya puede!

—¡Hombre! No creo yo que haga falta ser un Romanones para fumar estos puros.

—Un Romanones, no, pero ya ve usted, yo no me lo podría fumar, y como yo muchos de los que estamos aquí.

—¿Quiere usted fumarse uno?

—¡Hombre...!

Vega sonrió, casi arrepintiéndose de lo que iba a decir.

—Pues trabaje usted como trabajo yo.

El impresor soltó una carcajada violenta, descomunal. El hombre raquítico y sonriente de la mesa de al lado, dejó de sonreír. Se puso colorado, notó un calor quemándole las orejas y los ojos empezaron a escocerle. Agachó la vista para no enterarse de que todo el Café le estaba mirando; él, por lo menos, se imaginaba que todo el Café le estaba mirando.

Mientras don Pablo, que es un miserable que ve las cosas al revés, sonríe contando lo de Madame Pimentón, la señorita Elvira deja caer la colilla y la pisa. La señorita Elvira, de cuando en cuando, tiene gestos de verdadera princesa.

—¿Qué daño le hacía a usted el gatito? ¡Michino, michino, toma, toma...!

Don Pablo mira a la señora.

—¡Hay que ver qué inteligentes son los gatos! Discurren mejor que algunas personas. Son unos animalitos que lo entienden todo. ¡Michino, michino, toma, toma...!

El gato se aleja sin volver la cabeza y se mete en la cocina.

—Yo tengo un amigo, hombre adinerado y de gran influencia, no se vaya usted a creer que es ningún pelado, que tiene un gato persa que atiende por Sultán, que es un prodigio.

—¿Sí?

—¡Ya lo creo! Le dice "Sultán, ven" y el gato viene moviendo su rabo hermoso, que parece un plumero. Le dice "Sultán, vete" y allá se va Sultán como un caballero muy digno. Tiene unos andares muy vistosos y un pelo que parece seda. No creo yo que haya muchos gatos como ése; ése, entre los gatos, es algo así como el duque de Alba entre las personas. Mi amigo lo quiere como a un hijo. Claro que también es verdad que es un gato que se hace querer.

Don Pablo pasea su mirada por el Café. Hay un momento que tropieza con la de la señorita Elvira. Don Pablo pestañea y vuelve la cabeza.

—Y lo cariñosos que son los gatos. ¿Usted se ha fijado en lo cariñosos que son? Cuando cogen cariño a una persona ya no se lo pierden en toda la vida.

Don Pablo carraspea un poco y pone la voz grave, importante.

—¡Ejemplo deberían tomar muchos seres humanos!

—Verdaderamente.

Don Pablo respira con profundidad. Está satisfecho. La verdad es que eso de "ejemplo deberían tomar, etc.", es algo que le ha salido bordado.

Pepe, el camarero, se vuelve a su rincón sin decir ni palabra. Al llegar a sus dominios, apoya una mano sobre el respaldo de una silla y se mira, como si mirase algo muy raro, muy extraño, en los espejos. Se ve de frente, en el de más cerca; de espalda, en el del fondo; de perfil, en los de las esquinas.

—A esta tía bruja lo que le vendría de primera es que la abrieran en canal, un buen día. ¡Cerda! ¡Tía zorra!

Pepe es un hombre a quien las cosas se le pasan pronto; le basta con decir por lo bajo una frasecita que no se hubiera atrevido jamás a decir en voz alta.

—¡Usurera! ¡Guarra! ¡Que te comes el pan de los pobres!

A Pepe le gusta mucho decir frases lapidarias en los momentos de mal humor. Después se va distrayendo poco a poco y acaba por olvidarse de todo.

Dos niños de cuatro o cinco años juegan aburridamente, sin ningún entusiasmo, al tren por entre las mesas. Cuando van hacia el fondo, va uno haciendo de máquina y otro de vagón. Cuando vuelven hacia la puerta, cambian. Nadie les hace caso, pero ellos siguen impasibles, desganados, andando para arriba y para abajo con una seriedad tremenda. Son dos niños ordenancistas, consecuentes, dos niños que juegan al tren, aunque se aburren como ostras, porque se han propuesto divertirse y, para divertirse, se han propuesto, pase lo que pase, jugar al tren durante toda la tarde. Si ellos no lo consiguen, ¿qué culpa tienen? Ellos hacen todo lo posible.

Pepe los mira y les dice:

—Que os vais a ir a caer...

Pepe habla el castellano, aunque lleva ya casi medio siglo en Castilla, traduciendo directamente del gallego. Los niños le contestan "no, señor", y siguen jugando al tren sin fe, sin esperanza, incluso sin caridad, como cumpliendo un penoso deber.

Doña Rosa se mete en la cocina.

—¿Cuántas onzas echaste, Gabriel?

—Dos, señorita.

—¿Lo ves? ¿Lo ves? ¡Así no hay quien pueda! ¡Y después, que si bases de trabajo, y que si la Virgen! ¿No te dije bien claro que no echases más que onza y media? Con vosotros no vale hablar en español, no os da la gana de entender.

Doña Rosa respira y vuelve a la carga. Respira como una máquina, jadeante, precipitada: todo el cuerpo en sobresalto y un silbido roncándole por el pecho.

—Y si a don Pablo le parece que está muy claro, que se vaya con su señora a donde se lo den mejor. ¡Pues estaría bueno! ¡Habráse visto! Lo que no sabe ese piernas desgraciado es que lo que aquí sobran, gracias a Dios, son clientes. ¿Te enteras? Si no le gusta, que se vaya; eso saldremos ganando. ¡Pues ni que fueran reyes! Su señora es una víbora, que me tiene muy harta. ¡Muy harta es lo que estoy yo de la doña Pura!

Gabriel la previene, como todos los días.

—¡Que la van a oír, señorita!

—¡Que me oigan si quieren, para eso lo digo! ¡Yo no tengo pelos en la lengua! ¡Lo que yo no sé es cómo ese mastuerzo se atrevió a despedir a la Elvirita, que es igual que un ángel y que no vivía pensando más que en darle gusto, y aguanta como un cordero a la liosa de la doña Pura, que es un culebrón siempre riéndose por lo bajo! En fin, como decía mi madre, que en paz descanse: ¡vivir para ver!

Gabriel trata de arreglar el desaguisado.

—¿Quiere que quite un poco?

—Tú sabrás lo que tiene que hacer un hombre honrado, un hombre que esté en sus cabales y no sea un ladrón. ¡Tú, cuando quieres, muy bien sabes lo que te conviene!

Padilla, el cerillero, habla con un cliente nuevo que le compró un paquete entero de tabaco.

—¿Y está siempre así?

—Siempre, pero no es mala. Tiene el genio algo fuerte, pero después no es mala.

—¡Pero a aquel camarero le llamó bobo!

—¡Anda, eso no importa! A veces también nos llama maricas y rojos.

El cliente nuevo no puede creer lo que está viendo.

—Y ustedes, ¿tan tranquilos?

—Sí, señor, nosotros tan tranquilos.

El cliente nuevo se encoge de hombros.

—Bueno, bueno...

El cerillero se va a dar otro recorrido al salón.

El cliente se queda pensativo.

—Yo no sé quién será más miserable, si esa foca sucia y enlutada o esta partida de gaznápiros. Si la agarrasen un día y le dieran una somanta entre todos, a lo mejor entraba en razón. Pero, ¡ca!, no se atreven. Por dentro estarán todo el día mentándole al padre, pero por fuera, ¡ya lo vemos! "¡Bobo, lárgate! ¡Ladrón, desgraciado!" Ellos, encantados. "Sí, señor, nosotros tan tranquilos." ¡Ya lo veo! Caray con esta gente, ¡así da gusto!

El cliente sigue fumando. Se llama Mauricio Segovia y está empleado en la Telefónica. Digo todo esto porque, a lo mejor, después vuelve a salir. Tiene unos treinta y ocho o cuarenta años y el pelo rojo y la cara llena de pecas. Vive lejos, por Atocha; vino a este barrio por casualidad, vino detrás de una chica que, de repente, antes de que Mauricio se decidiese a decirle nada, dobló una esquina y se metió por el primer portal.

... ...

El limpiabotas va voceando.

—¡Señor Suárez! ¡Señor Suárez! ... ...

El señor Suárez, que tampoco es un habitual, se levanta de donde está y va al teléfono. Anda cojeando, cojeando de arriba, no del pie. Lleva un traje a la moda, de un color clarito, y usa lentes de pinza. Representa tener unos cincuenta años y parece dentista o peluquero. También parece, fijándose bien, un viajante de productos químicos. El señor Suárez tiene todo el aire de ser un hombre muy atareado, de esos que dicen al mismo tiempo: "Un exprés solo; el limpia; chico, búscame un taxi." Estos señores tan ocupados, cuando van a la peluquería, se afeitan, se cortan el pelo, se hacen las manos, se limpian los zapatos y leen el periódico. A veces, cuando se despiden de algún amigo, le advierten: "De tal a tal hora, estaré en el Café; después me daré una vuelta por el despacho, y a la caída de la tarde me pasaré por casa de mi cuñado; los teléfonos vienen en la guía; ahora me voy porque tengo todavía multitud de pequeños asuntos que resolver". De estos hombres se ve en seguida que son los triunfadores, los señalados, los acostumbrados a mandar.

Por el teléfono, el señor Suárez habla en voz baja, atiplada, una voz de lila, un poco redicha. La chaqueta le está algo corta y el pantalón le queda ceñido, como el de un torero.

—¿Eres tú?

—... ... ...

—¡Descarado, más que descarado! ¡Eres un carota!

—... ... ...

—Sí... Sí... Bueno, como tú quieras.

—... ... ...

—Entendido. Bien; descuida, que no faltaré.

—... ... ...

—Adiós, chato.

—... ... ...

—¡Je, je! ¡Tú siempre con tus cosas! Adiós, pichón; ahora te recojo.

El señor Suárez vuelve a su mesa. Va sonriendo y ahora lleva la cojera algo temblona, como estremecida; ahora lleva una cojera casi cachonda, una cojera coqueta, casquivana. Paga su café, pide un taxi y, cuando se lo traen, se levanta y se va. Mira con la frente alta, como un gladiador romano; va rebosante de satisfacción, radiante de gozo.

Alguien lo sigue con la mirada hasta que se lo traga la puerta giratoria. Sin duda alguna, hay personas que llaman más la atención que otras. Se les conoce porque tienen como una estrellita en la frente.

La dueña da media vuelta y va hacia el mostrador. La cafetera niquelada borbotea pariendo sin cesar tazas de café exprés, mientras la registradora de cobriza antigüedad suena constantemente.

Algunos camareros de caras fláccidas, tristonas, amarillas, esperan, embutidos en sus trasnochados smokings, con el borde de la bandeja apoyado sobre el mármol, a que el encargado les dé las consumiciones y las doradas y plateadas chapitas de las vueltas.

El encargado cuelga el teléfono y reparte lo que le piden.

—¿Conque otra vez hablando por ahí, como si no hubiera nada que hacer?

—Es que estaba pidiendo más leche, señorita.

—¡Sí, más leche! ¿Cuánta han traído esta mañana?

—Como siempre, señorita: sesenta.

—¿Y no ha habido bastante?

—No, parece que no va a llegar.

—Pues, hijo, ¡ni que estuviésemos en la Maternidad! ¿Cuánta has pedido?

—Veinte más.

—¿Y no sobrará?

—No creo.

—¿Cómo "no creo"? ¡Nos ha merengao! ¿Y si sobra, di?

—No, no sobrará. Vamos, ¡digo yo!

—Sí, "digo yo", como siempre, "digo yo", eso es muy cómodo. ¿Y si sobra?

—No, ya verá cómo no ha de sobrar. Mire usted cómo está el salón.

—Sí, claro, cómo está el salón, cómo está el salón. Eso se dice muy pronto. ¡Porque soy honrada y doy bien, que si no ya verías adónde se iban todos! ¡Pues menudos son!

Los camareros, mirando para el suelo, procuran pasar inadvertidos.

—Y vosotros, a ver si os alegráis. ¡Hay muchos cafés solos en esas bandejas! ¿Es que no sabe la gente que hay suizos, y mojicones, y torteles? No, ¡si ya lo sé! ¡Si sois capaces de no decir nada! Lo que quisierais es que me viera en la miseria, vendiendo los cuarenta iguales. ¡Pero os reventáis! Ya sé yo con quiénes me juego la tela. ¡Estáis buenos! Anda, vamos, mover las piernas y pedir a cualquier santo que no se me suba la sangre a la cabeza.

Los camareros, como quien oye llover, se van marchando del mostrador con los servicios. Ni uno solo mira para doña Rosa. Ninguno piensa, tampoco, en doña Rosa.

Uno de los hombres que, de codos sobre el velador, ya sabéis, se sujeta la pálida frente con la mano —triste y amarga la mirada, preocupada y como sobrecogida la expresión—, habla con el camarero. Trata de sonreír con dulzura, parece un niño abandonado que pide agua en una casa del camino.

El camarero hace gestos con la cabeza y llama al echador.

Luis, el echador, se acerca hasta la dueña.

—Señorita, dice Pepe que aquel señor no quiere pagar.

—Pues que se las arregle como pueda para sacarle los cuartos; eso es cosa suya; si no se los saca, dile que se le pegan al bolsillo y en paz. ¡Hasta ahí podíamos llegar!

La dueña se ajusta los lentes y mira.

—¿Cuál es?

—Aquél de allí, aquel que lleva gafitas de hierro.

—¡Anda, qué tío, pues esto sí que tiene gracia! ¡Con esa cara! Oye, ¿y por qué regla de tres no quiere pagar?

—Ya ve... Dice que se ha venido sin dinero.

—¡Pues sí, lo que faltaba para el duro! ¡Lo que sobran en este país son pícaros!

El echador, sin mirar para los ojos de doña Rosa, habla con un hilo de voz:

—Dice que cuando tenga ya vendrá a pagar.

Las palabras, al salir de la garganta de doña Rosa, suenan como el latón.

—Eso dicen todos y después, para uno que vuelve, cien se largan y si te he visto no me acuerdo. ¡Ni hablar! ¡Cría cuervos y te sacarán los ojos! Dile a Pepe que ya sabe: a la calle con suavidad, y en la acera, dos patadas bien dadas donde se tercie. ¡Pues nos ha merengao!

El echador se marchaba cuando doña Rosa volvió a hablarle.

—¡Oye! ¡Dile a Pepe que se fije en la cara!

—Sí, señorita.

Doña Rosa se quedó mirando para la escena. Luis llega, siempre con sus lecheras, hasta Pepe y le habla al oído.

—Eso es todo lo que dice. Por mí, ¡bien lo sabe Dios!

Pepe se acerca al cliente y éste se levanta con lentitud. Es un hombrecillo desmedrado, paliducho, enclenque, con lentes de pobre alambre sobre la mirada. Lleva la americana raída y el pantalón desflecado. Se cubre con un flexible gris oscuro, con la cinta llena de grasa, y lleva un libro forrado de papel de periódico debajo del brazo.

—Si quiere le dejo el libro.

—No. Ande, a la calle, no me alborote.

El hombre va hacia la puerta con Pepe detrás. Los dos salen afuera. Hace frío y las gentes pasan presurosas. Los vendedores vocean los diarios de la tarde. Un tranvía tristemente, trágicamente, casi lúgubremente bullanguero, baja por la calle de Fuencarral.

El hombre no es un cualquiera, no es uno de tantos, no es un hombre vulgar, un hombre del montón, un ser corriente y moliente; tiene un tatuaje en el brazo izquierdo y una cicatriz en la ingle. Ha hecho sus estudios y traduce algo el francés. Ha seguido con atención el ir y venir del movimiento intelectual y literario, y hay algunos folletones de *El Sol* que todavía podría repetirlos casi de memoria. De mozo tuvo un novia suiza y compuso poesías ultraístas.

El limpia habla con don Leonardo. Don Leonardo le está diciendo:

—Nosotros los Meléndez, añoso tronco emparentado con las más rancias familias castellanas, hemos sido otrora dueños de vidas y haciendas. Hoy, ya lo ve usted, ¡casi en medio de la rue!

El limpia siente admiración por don Leonardo. El que don Leonardo le haya robado sus ahorros es, por lo visto, algo que le llena de pasmo y de lealtad. Hoy don Leonardo está locuaz con él y él se aprovecha y retoza a su alrededor como un perrillo faldero. Hay días, sin embargo, en que tiene peor suerte y don Leonardo lo trata a patadas. En esos días desdichados, el limpia se le acerca sumiso y le habla humildemente, quedamente.

—¡Qué dice usted!

Don Leonardo ni le contesta. El limpia no se preocupa y vuelve a insistir.

—¡Buen día de frío!

—Sí.

El limpia entonces sonríe. Es feliz y, por ser correspondido, hubiera dado gustoso otros seis mil duros.

—¿Le saco un poco de brillo?

El limpia se arrodilla, y don Leonardo, que casi nunca suele ni mirarle, pone el pie con displicencia en la plantilla de hierro de la caja.

Pero hoy, no. Hoy don Leonardo está contento. Seguramente está redondeando el anteproyecto para la creación de una importante Sociedad Anónima.

—En tiempos, ¡oh, mon Dieu!, cualquiera de nosotros se asomaba a la Bolsa y allí nadie compraba ni vendía hasta ver lo que hacíamos.

—¡Hay que ver! ¿Eh?

Don Leonardo hace un gesto ambiguo con la boca, mientras con la mano dibuja jeribeques en el aire.

—¿Tiene usted un papel de fumar? —dice al de la mesa de al lado—; quisiera fumar un poco de picadura y me encuentro sin papel en este momento.

El limpia calla y disimula; sabe que es su deber.

Doña Rosa se acerca a la mesa de Elvirita, que había estado mirando para la escena del camarero y el hombre que no pagó el café.

—¿Ha visto usted, Elvirita?

La señorita Elvira tarda unos instantes en responder.

—Pobre chico. A lo mejor no ha comido en todo el día, doña Rosa.

—¿Usted también me sale romántica? ¡Pues vamos servidos! Le juro a usted que a corazón tierno no hay quien me gane, pero, ¡con estos abusos!

Elvirita no sabe qué contestar. La pobre es una sentimental que se echó a la vida para no morirse de hambre, por lo menos, demasiado de prisa. Nunca supo hacer nada y, además, tampoco es guapa ni de modales finos. En su casa, de niña, no vió más que desprecio y calamidades. Elvirita era de Burgos, hija de un punto de mucho cuidado, que se llamó, en vida, Fidel Hernández. A Fidel Hernández, que mató a la Eudosia, su mujer, con una lezna de zapatero, lo condenaron a muerte y lo agarrotó Gregorio Mayoral en el año 1909. Lo que él decía: "Si la mato a sopas con sulfato, no se entera ni Dios." Elvirita, cuando se quedó huérfana, tenía once o doce años y se fué a Villalón, a vivir con una abuela que era la que pasaba el cepillo del pan de San Antonio en la parroquia. La pobre vieja vivía mal y cuando le agarrotaron al hijo empezó a desinflarse y al poco tiempo se murió. A Elvirita le embromaban las otras mozas del pueblo enseñándole la picota y diciéndole: "¡En otra igual colgaron a tu padre, tía asquerosa!" Elvirita, un día que ya no pudo aguantar más, se largó del pueblo con un asturiano que vino a vender peladillas por la función. Anduvo con él dos años largos, pero, como le daba unas tundas tremendas que la deslomaba, un día, en Orense, lo mandó al cuerno y se metió de pupila en casa de la Pelona, en la calle del Villar, donde conoció a una hija de la Marraca, la leñadora de la pradera de Francelos, en Ribadavia, que tuvo doce hijas, todas busconas. Desde entonces, para Elvirita todo fué rodar y coser y cantar, digámoslo así.

La pobre estaba algo amargada, pero no mucho. Además, era de buenas inclinaciones y, aunque tímida, todavía un poco orgullosa.

Don Jaime Arce, aburrido de estar sin hacer nada, mirando para el techo y pensando en vaciedades, levanta la cabeza del respaldo y explica a la señora silenciosa del hijo muerto, a la señora que ve pasar la vida desde debajo de la escalera de caracol que sube a los billares:

—Infundios... Mala organización... También errores, no lo niego. Créame que no hay más. Los bancos funcionan defectuosamente, y los notarios, con sus oficiosidades, con sus precipitaciones, echan los pies por alto antes de tiempo y organizan semejante desbarajuste que después no hay quien se entienda.

Don Jaime pone un mundano gesto de resignación.

—Luego viene lo que viene: los protestos, los líos y la monda.

Don Jaime Arce habla despacio, con parsimonia, incluso con cierta solemnidad. Cuida el ademán y se preocupa por dejar caer las palabras lentamente, como para ir viendo, y midiendo y pesando, el efecto que hacen. En el fondo, no carece también de cierta sinceridad. La señora del hijo muerto, en cambio, es como una tonta que no dice nada; escucha y abre los ojos de una manera rara, de una manera que parece más para no dormirse que para atender.

—Eso es todo, señora, y lo demás, ¿sabe lo que le digo?, lo demás son macanas.

Don Jaime Arce es hombre que habla muy bien, aunque dice, en medio de una frase bien cortada, palabras poco finas, como la monda, o el despiporrio, y otras por el estilo.

La señora lo mira y no dice nada. Se limita a mover la cabeza, para adelante y para atrás, con un gesto que tampoco significa nada.

—Y ahora, ¡ya ve usted!, en labios de la gente. ¡Si mi pobre madre levantara la cabeza!

La señora, la viuda de Sanz, doña Isabel Montes, cuando don Jaime andaba por lo de "¿Sabe lo que le digo?", empezó a pensar en su difunto, en cuando lo conoció, de veintitrés años, apuesto, elegante, muy derecho, con el bigote engomado. Un vaho de dicha recorrió, un poco confusamente, su cabeza y doña Isabel sonrió, de una manera muy discreta, durante medio segundo. Después se acordó del pobre Paquito, de la cara de bobo que se le puso con la meningitis, y se entristeció de repente, incluso con violencia.

Don Jaime Arce, cuando abrió bien los ojos que había entornado para dar mayor fuerza a lo de "¡Si mi pobre madre levantara la cabeza!", se fijó en doña Isabel y le dijo, obsequioso:

—¿Se siente usted mal, señora? Está usted un poco pálida.

—No, nada, muchas gracias. ¡Ideas que se le ocurren a una!

Don Pablo, como sin querer, mira siempre un poco de reojo para la señorita Elvira. Aunque ya todo terminó, él no puede olvidar el tiempo que pasaron juntos. Ella, bien mirado, era buena, dócil, complaciente. Por fuera, don Pablo fingía como despreciarla y la llamaba tía guarra y meretriz, pero por dentro la cosa variaba. Don Pablo, cuando, en voz baja, se ponía tierno, pensaba: "No son cosas del sexo, no; son cosas del corazón". Después se le olvidaba y la hubiera dejado morir de hambre y de lepra con toda tranquilidad; don Pablo era así.

—Oye, Luis, ¿qué pasa con ese joven?

—Nada, don Pablo, que no le daba la gana de pagar el café que se había tomado.

—Habérmelo dicho, hombre, parecía buen muchacho.

—No se fíe; hay mucho mangante, mucho desaprensivo.

Doña Pura, la mujer de don Pablo, dice:

—Claro que hay mucho mangante y mucho desaprensivo, ésa es la verdad. ¡Si se pudiera distinguir! Lo que tendría que hacer todo el mundo es trabajar como Dios manda, ¿verdad, Luis?

—Puede; sí, señora.

—Pues eso. Así no habría dudas. El que trabaje que se tome su café y hasta un bollo suizo si le da la gana; pero el que no trabaje..., ¡pues mira! El que no trabaja no es digno de compasión; los demás no vivimos del aire.

Doña Pura está muy satisfecha de su discurso; realmente le ha salido muy bien.

Don Pablo vuelve otra vez la cabeza hacia la señora que se asustó del gato.

—Con estos tipos que no pagan el café hay que andarse con ojo, con mucho ojo. No sabe uno nunca con quién tropieza. Ese que acaban de echar a la calle, lo mismo es un ser genial, lo que se dice un verdadero genio como Cervantes o como Isaac Peral, que un fresco redomado. Yo le hubiera pagado el café. ¿A mí qué más me da un café de más que de menos?

—Claro.

Don Pablo sonrió como quien, de repente, encuentra que tiene toda la razón.

—Pero eso no lo encuentra usted entre los seres irracionales. Los seres irracionales son más gallardos y no engañan nunca. Un gatito noble como ése, ¡je, je!, que tanto miedo le daba, es una criaturita de Dios, que lo que quiere es jugar, nada más que jugar.

A don Pablo le sube a la cara una sonrisa de beatitud. Si se le pudiese abrir el pecho, se le encontraría un corazón negro y pegajoso como la pez.

Pepe vuelve a entrar a los pocos momentos. La dueña, que tiene las manos en los bolsillos del mandil, los hombros echados para atrás y las piernas separadas, lo llama con una voz seca, cascada; con una voz que parece el chasquido de un timbre con la campanilla partida.

—Ven acá.

Pepe casi no se atreve a mirarla.

—¿Qué quiere?

—¿Le has arreado?

—Sí, señorita.

—¿Cuántas?

—Dos.

La dueña entorna los ojitos tras los cristales, saca las manos de los bolsillos y se los pasa por la cara, donde apuntan los cañones de la barba, mal tapados por los polvos de arroz.

—¿Dónde se las has dado?

—Donde pude; en las piernas.

—Bien hecho. ¡Para que aprenda! ¡Así otra vez no querrá robarle el dinero a las gentes honradas!

Doña Rosa, con sus manos gordezuelas apoyadas sobre el vientre, hinchado como un pellejo de aceite, es la imagen misma de la venganza del bien nutrido contra el hambriento. ¡Sinvergüenzas! ¡Perros! De sus dedos como morcillas se reflejan hermosos, casi lujuriosos, los destellos de las lámparas.

Pepe, con la mirada humilde, se aparta de la dueña. En el fondo, aunque no lo sepa demasiado, tiene la conciencia tranquila.

Don José Rodríguez de Madrid está hablando con dos amigos que juegan a las damas.

—Ya ven ustedes, ocho duros, ocho cochinos duros. Después la gente, habla que te habla.

Uno de los jugadores le sonríe.

—¡Menos da una piedra, don José!

—¡Psché! Poco menos. ¿Adónde va uno con ocho duros?

—Hombre, verdaderamente, con ocho duros poco se puede hacer; ésa es la verdad; pero, ¡en fin!, lo que yo digo, para casa todo, menos una bofetada.

—Sí, eso también es verdad; después de todo, los he ganado bastante cómodamente...

Al violinista a quien echaron a la calle por contestar a don José, ocho duros le duraban ocho días. Comía poco y mal, cierto es, y no fumaba más que de prestado, pero conseguía alargar los ocho duros durante una semana entera; seguramente, habría otros que aun se defendían con menos.

La señorita Elvira llama al cerillero:

—¡Padilla!

—¡Voy, señorita Elvira!

—Dame dos tritones; mañana te los pago.

—Bueno.

Padilla sacó los dos tritones y se los puso a la señorita Elvira sobre la mesa.

—Uno es para luego, ¿sabes?, para después de la cena.

—Bueno, ya sabe usted, aquí hay crédito.

El cerillero sonrió con un gesto de galantería. La señorita Elvira sonrió también.

—Oye, ¿quieres darle un recado a Macario?

—Sí.

—Dile que toque "Luisa Fernanda", que haga el favor.

El cerillero se marchó arrastrando los pies, camino de la tarima de los músicos. Un señor que llevaba ya un rato timándose con Elvirita, se decidió por fin a romper el hielo.

—Son bonitas las zarzuelas, ¿verdad, señorita?

La señorita Elvira asintió con un mohín. El señor no se desanimó; aquel visaje lo interpretó como un gesto de simpatía.

—Y muy sentimentales, ¿verdad?

La señorita Elvira entornó los ojos. El señor tomó nuevas fuerzas.

—¿A usted le gusta el teatro?

—Si es bueno...

El señor se rió como festejando una ocurrencia muy chistosa. Carraspeó un poco, ofreció fuego a la señorita Elvira, y continuó:

—Claro, claro. ¿Y el cine? ¿También le agrada el cine?

—A veces...

El señor hizo un esfuerzo tremendo, un esfuerzo que le puso colorado hasta las orejas.

—Esos cines oscuritos, ¿eh?, ¿qué tal?

La señorita Elvira se mostró digna y suspicaz.

—Yo al cine voy siempre a ver la película.

El señor reaccionó.

—Claro, naturalmente, yo también... Yo lo decía por los jóvenes, claro, por las parejitas, ¡todos hemos sido jóvenes!... Oiga, señorita, he observado que es usted fumadora; a mí esto de que las mujeres fumen me parece muy bien, claro que muy bien; después de todo, ¿qué tiene de malo? Lo mejor es que cada cual viva su vida, ¿no le parece a usted? Lo digo porque, si usted me lo permite (yo ahora me tengo que marchar, tengo mucha prisa, ya nos encontraremos otro día para seguir charlando), si usted me lo permite, yo tendría mucho gusto en... vamos, en proporcionarle una cajetilla de tritones.

El señor habla precipitadamente, azoradamente. La señorita Elvira le respondió con cierto desprecio, con el gesto de quien tiene la sartén por el mango.

—Bueno, ¿por qué no? ¡Si es capricho!

El señor llamó al cerillero, le compró la cajetilla, se la entregó con su mejor sonrisa a la señorita Elvira, se puso el abrigo, cogió el sombrero y se marchó. Antes le dijo a la señorita Elvira:

—Bueno, señorita, tanto gusto. Leoncio Maestre, para servirle. Como le digo, ya nos veremos otro día. A lo mejor somos buenos amiguitos.

La dueña llama al encargado. El encargado se llama López, Consorcio López, y es natural de Tomelloso, en la provincia de Ciudad Real, un pueblo grande y hermoso y de mucha riqueza. López es un hombre joven, guapo, incluso atildado, que tiene las manos grandes y la frente estrecha. Es un poco haragán y los malos humores de doña Rosa se los pasa por la entrepierna. "A esta tía —suele decir— lo mejor es dejarla hablar; ella sola se para." Consorcio López es un filósofo práctico; la verdad es que su filosofía le da buen resultado. Una vez, en Tomelloso, poco antes de venirse para Madrid, diez o doce años atrás, el hermano de una novia que tuvo, con la que no se quiso casar después de hacerla dos gemelos, le dijo: "O te casas con la Marujita o te los corto donde te encuentre." Consorcio, como no quería casarse ni tampoco quedar capón, cogió el tren y se metió en Madrid; la cosa debió irse poco a poco olvidando porque la verdad es que no volvieron a meterse con él. Consorcio llevaba siempre en la cartera dos fotos de los gemelitos: una, de meses aún, desnuditos encima de un cojín, y otra de cuando hicieron la primera comunión, que le había mandado su antigua novia, Marujita Ranero, entonces ya señora de Gutiérrez.

Doña Rosa, como decimos, llamó al encargado.

—¡López!

—Voy, señorita.

—¿Cómo andamos de vermú?

—Bien, por ahora bien.

—¿Y de anís?

—Así, así. Hay algunos que ya van faltando.

—¡Pues que beban de otro! Ahora no estoy para meterme en gastos, no me da la gana. ¡Pues anda con las exigencias! Oye, ¿has comprado eso?

—¿El azúcar?

—Sí; mañana lo van a traer.

—¿A 14,50, por fin?

—Sí; querían a quince, pero quedamos en que, por junto, bajarían esos dos reales.

—Bueno, ya sabes: bolsita y no repite ni Dios. ¿Estamos?

—Sí, señorita.

El jovencito de los versos está con el lápiz entre los labios, mirando para el techo. Es un poeta que hace versos "con idea". Esta tarde la idea ya la tiene. Ahora le faltan consonantes. En el papel tiene apuntados ya algunos. Ahora busca algo que rime bien con río y que no sea tío, ni tronío; albedrío, le anda ya rondando. Estío, también.

—Me guarda una caparazón estúpida, una concha de

hombre vulgar. La niña de ojos azules... Quisiera, sin embargo, ser fuerte, fortísimo. De ojos azules y bellos... O la obra mata al hombre o el hombre mata a la obra. La de los rubios cabellos... ¡Morir! ¡Morir, siempre! Y dejar un breve libro de poemas. ¡Qué bella, qué bella está...!

El joven poeta está blanco, muy blanco, y tiene dos rosetones en los pómulos, dos rosetones pequeños.

—La niña de ojos azules... Río, río, río. De ojos azules y bellos... Tronío, tío, tronío, tío. La de los rubios cabellos... Albedrío. Recuperar de pronto su albedrío. La niña de ojos azules... Estremecer de gozo su albedrío. De ojos azules y bellos... Derramando de golpe su albedrío. La niña de ojos azules... Y ahora ya tengo, intacto, mi albedrío. La niña de ojos azules... O volviendo la cara al manso estío. La niña de ojos azules... La niña de ojos... ¿Cómo tiene la niña los ojos...? Cosechando las mieses del estío. La niña... ¿Tiene ojos la niña...? Larán, larán, larán, larán, la, estío...

El jovencito, de pronto, nota que se le borra el Café.

—Besando el universo en el estío. Es gracioso...

Se tambalea un poco, como un niño mareado, y siente que un calor intenso le sube hasta las sienes.

—Me encuentro algo... Quizás mi madre... Sí; estío, estío... Un hombre vuela sobre una mujer desnuda... ¡Qué tío!... No, tío, no... Y entonces yo le diré: ¡jamás!... El mundo, el mundo... Sí, gracioso, muy gracioso...

En una mesa del fondo, dos pensionistas, pintadas como monas, hablan de los músicos.

—Es un verdadero artista; para mí es un placer escucharle. Ya me lo decía mi difunto Ramón, que en paz descanse: "Fíjate, Matilde, sólo en la manera que tiene de echarse el violín a la cara." Hay que ver lo que es la vida: si ese chico tuviera padrinos llegaría muy lejos.

Doña Matilde pone los ojos en blanco. Es gorda, sucia y pretensiosa. Huele mal y tiene una barriga tremenda, toda llena de agua.

—Es un verdadero artista, un artistazo.

—Sí, verdaderamente; yo estoy todo el día pensando en esta hora. Yo también creo que es un verdadero artista. Cuando toca, como él sabe hacerlo, el vals de "La viuda alegre", me siento otra mujer.

Doña Asunción tiene un condescendiente aire de oveja.

—¿Verdad que aquélla era otra música? Era más fina, ¿verdad?, más sentimental.

Doña Matilde tiene un hijo imitador de estrellas, que vive en Valencia.

Doña Asunción tiene dos hijas: una casada con un subalterno del Ministerio de Obras Públicas, que se llama Miguel Contreras y es algo borracho, y otra, soltera, que salió de armas tomar y vive en Bilbao, con un catedrático.

El prestamista limpia la boca del niño con un pañuelo. Tiene los ojos brillantes y simpáticos y, aunque no va muy aseado, aparenta cierta prestancia. El niño se ha tomado un doble de café con leche y dos bollos suizos, y se ha quedado tan fresco.

Don Trinidad García Sobrino no piensa ni se mueve. Es un hombre pacífico, un hombre de orden, un hombre que quiere vivir en paz. Su nieto parece un gitanillo flaco y barrigón. Lleva un gorro de punto y unas polainas, también de punto; es un niño que va muy abrigado.

—¿Le pasa a usted algo, joven? ¿Se siente usted mal?

El joven poeta no contesta. Tiene los ojos abiertos

y pasmados y parece que se ha quedado mudo. Sobre la frente le cae una crencha de pelo.

Don Trinidad sentó al niño en el diván y cogió por los hombros al poeta.

—¿Está usted enfermo?

Algunas cabezas se volvieron. El poeta sonreía con un gesto estúpido, pesado.

—Oiga, ayúdeme a incorporarlo. Se conoce que se ha puesto malo.

Los pies del poeta se escurrieron y su cuerpo fué a dar debajo de la mesa.

—Echeme una mano; yo no puedo con él.

La gente se levantó. Doña Rosa miraba desde el mostrador.

—También es ganas de alborotar...

El muchacho se dió un golpe en la frente al rodar debajo de la mesa.

—Vamos a llevarlo al water, debe de ser un mareo.

Mientras don Trinidad y tres o cuatro clientes dejaron al poeta en el retrete, a que se repusiese un poco, su nieto se entretuvo en comer las migas del bollo suizo que habían quedado sobre la mesa.

—El olor del desinfectante lo espabilará; debe de ser un mareo.

El poeta, sentado en la taza del retrete y con la cabeza apoyada en la pared, sonreía con un aire beatífico. Aun sin darse cuenta, en el fondo era feliz.

Don Trinidad se volvió a su mesa.

—¿Le ha pasado ya?

—Sí, no era nada, un mareo.

La señorita Elvira devolvió los dos tritones al cerillero.

—Y este otro para ti.

—Gracias. ¿Ha habido suerte, eh?

—¡Psché! Menos da una piedra...

Padilla, un día, llamó cabrito a un galanteador de la señorita Elvira y la señorita Elvira se incomodó. Desde entonces, el limpia es más respetuoso.

A don Leoncio Maestre por poco lo mata un tranvía.

—¡Burro!

—¡Burro lo será usted, desgraciado! ¿En qué va usted pensando?

Don Leoncio Maestre iba pensando en Elvirita.

—Es mona, sí, muy mona. ¡Ya lo creo! Y parece chica fina... No, una golfa no es. ¡Cualquiera sabe! Cada vida es una novela. Parece así como una chica de buena familia que haya reñido en su casa. Ahora estará trabajando en alguna oficina, seguramente en un sindicato. Tiene las facciones tristes y delicadas; probablemente lo que necesita es cariño y que la mimen mucho, que estén todo el día contemplándola.

A don Leoncio Maestre le saltaba el corazón debajo de la camisa.

—Mañana vuelvo. Sí, sin duda. Si está, buena señal. Y si no... Si no está... ¡A buscarla!

Don Leoncio Maestre se subió el cuello del abrigo y dió dos saltitos.

—Elvira, señorita Elvira. Es un bonito nombre. Yo creo que la cajetilla de tritones le habrá agradado. Cada vez que fume uno se acordará de mí... Mañana le repetiré el nombre. Leoncio. Leoncio. Leoncio. Ella, a lo mejor, me pone un nombre más cariñoso, algo que salga de Leoncio. Leo. Oncio. Oncete... Me tomo una caña porque me da la gana.

Don Leoncio Maestre se metió en un bar y se tomó una caña en el mostrador. A su lado, sentada en una banqueta, una muchacha le sonreía. Don Leoncio se volvió de espaldas. Aguantar aquella sonrisa le hubiera parecido una traición; la primera traición que hacía a Elvirita.

—No; Elvirita no. Elvira. Es un nombre sencillo, un nombre muy bonito.

La muchacha del taburete le habló por encima del hombro.

—¿Me da usted fuego, tío serio?

Don Leoncio le dió fuego, casi temblando. Pagó la caña y salió a la calle apresuradamente.

—Elvira... Elvira...

Doña Rosa, antes de separarse del encargado, le pregunta:

—¿Has dado el café a los músicos?

—No.

—Pues anda, dáselo ya; parece que están desmayados. ¡Menudos bribones!

Los músicos, sobre su tarima, arrastran los últimos compases de un trozo de "Luisa Fernanda", aquel tan hermoso que empieza diciendo:

Por los encinares
de mi Extremadura,
tengo una casita
tranquila y segura.

Antes habían tocado "Momento musical" y, antes aún, "La del manojo de rosas", por la parte de "madrileña bonita, flor de verbena".

Doña Rosa se les acercó.

—He mandado que le traigan el café, Macario.

—Gracias, doña Rosa.

—No hay de qué. Ya sabe, lo dicho vale para siempre; yo no tengo más que una palabra.

—Ya lo sé, doña Rosa.

—Pues por eso.

El violinista, que tiene los ojos grandes y saltones como un buey aburrido, la mira mientras lía un pitillo. Frunce la boca, casi con desprecio, y tiene el pulso tembloroso.

—Y a usted también se lo traerán, Seoane.

—Bien.

—¡Pues anda, hijo, que no es usted poco seco!

Macario interviene para templar gaitas.

—Es que anda a vueltas con el estómago, doña Rosa.

—Pero no es para estar tan soso, digo yo. ¡Caray con la educación de esta gente! Cuando una les tiene que decir algo, sueltan una patada, y cuando tienen que estar satisfechos porque una les hace un favor, van y dicen "¡bien!", como si fueran marqueses. ¡Pues sí!

Seoane calla mientras su compañero pone buena cara a doña Rosa. Después pregunta al señor de una mesa contigua:

—¿Y el mozo?

—Reponiéndose en el water, no era nada.

Vega, el impresor, le alarga la petaca al cobista de la mesa de al lado.

—Ande, líe un pitillo y no las píe. Yo anduve peor que está usted y, ¿sabe lo que hice?, pues me puse a trabajar.

El de al lado sonríe como un alumno ante el profesor: con la conciencia turbia y, lo que es peor, sin saberlo.

—¡Pues ya es mérito!

—Claro, hombre, claro, trabajar y no pensar en nada

más. Ahora, ya lo ve, nunca me falta mi cigarro ni mi copa de todas las tardes.

El otro hace un gesto con la cabeza, un gesto que no significa nada.

—¿Y si le dijera que yo quiero trabajar y no tengo en qué?

—¡Vamos, ande! Para trabajar lo único que hacen falta son ganas. ¿Usted está seguro que tiene ganas de trabajar?

—¡Hombre, sí!

—¿Y por qué no sube maletas de la estación?

—No podría; a los tres días habría reventado. Yo soy bachiller...

—¿Y de qué le sirve?

—Pues, la verdad, de poco.

—A usted lo que le pasa, amigo mío, es lo que le pasa a muchos, que están muy bien en el Café, mano sobre mano, sin dar golpe. Al final se caen un día desmayados, como ese niño litri que se han llevado para adentro.

El bachiller le devuelve la petaca y no le lleva la contraria.

—Gracias.

—No hay que darlas. ¿Usted es bachiller de verdad?

—Sí, señor, del plan del 3.

—Bueno, pues le voy a dar una ocasión para que no acabe en un asilo o en la cola de los cuarteles. ¿Quiere trabajar?

—Sí, señor. Ya se lo dije.

—Vaya mañana a verme. Tome una tarjeta. Vaya por la mañana, antes de las doce, a eso de las once y media. Si quiere y sabe, se queda conmigo de corrector; esta mañana tuve que echar a la calle al que tenía, por golfo. Era un desaprensivo.

La señorita Elvira mira de reojo a don Pablo. Don Pablo le explica a un pollito que hay en la mesa de al lado.

—El bicarbonato es bueno, no hace daño alguno. Lo que pasa es que los médicos no lo pueden recetar porque para que le den bicarbonato nadie va al médico.

El joven asiente, sin hacer mucho caso, y mira para las rodillas de la señorita Elvira, que se ven un poco por debajo de la mesa.

—No mire por ahí, no haga el canelo; ya le contaré, no la vaya a pringar.

Doña Pura, la señora de don Pablo, habla con una amiga gruesa, cargada de bisutería, que se rasca los dientes de oro con un palillo.

—Yo ya estoy cansada de repetirlo. Mientras haya hombres y haya mujeres, habrá siempre líos; el hombre es fuego y la mujer estopa y luego, ¡pues pasan las cosas! Eso que le digo a usted de la plataforma del 49, es la pura verdad. ¡Yo no sé adónde vamos a parar!

La señora gruesa rompe, distraídamente, el palillo entre los dedos.

—Sí, a mí también me parece que hay poca decencia. Eso viene de las piscinas; no lo dude, antes no éramos así... Ahora le presentan a usted cualquier chica joven, le da la mano y ya se queda una con aprensión todo el santo día. ¡A lo mejor coge una lo que no tiene!

—Verdaderamente.

—Y los cines yo creo que también tienen mucha culpa. Eso de estar todo el mundo tan mezclado y a oscuras por completo no puede traer nada bueno.

—Eso pienso yo, doña María. Tiene que haber más moral; si no, estamos perdiditas.

Doña Rosa vuelve a pegar la hebra.

—Y además, si le duele el estómago, ¿por qué no me

pide un poco de bicarbonato? ¿Cuándo le he negado a usted un poco de bicarbonato? ¡Cualquiera diría que no sabe usted hablar!

Doña Rosa se vuelve y domina con su voz chillona y desagradable todas las conversaciones del Café.

—¡López! ¡López! ¡Manda bicarbonato para el violín!

El echador deja las cacharras sobre una mesa y trae un plato con un vaso mediado de agua, una cucharilla y el azucarero de alpaca que guarda el bicarbonato.

—¿Ya habéis acabado con las bandejas?

—Así me lo dió el señor López, señorita.

—Anda, anda; ponlo ahí y lárgate.

El echador coloca todo sobre el piano y se marcha. Seoane llena la cuchara de polvitos, echa la cabeza atrás, abre la boca... y adentro. Los mastica como si fueran nueces y después bebe un sorbito de agua.

—Gracias, doña Rosa.

—¿Lo ve usted, hombre, lo ve usted qué poco trabajo cuesta tener educación? A usted le duele el estómago, yo le mando traer bicarbonato y todos tan amigos. Aquí estamos para ayudarnos unos a otros; lo que pasa es que no se puede porque no queremos. Esa es la vida.

Los niños que juegan al tren se han parado de repente. Un señor les está diciendo que hay que tener más educación y más compostura, y ellos, sin saber qué hacer con las manos, lo miran con curiosidad. Uno, el mayor, que se llama Bernabé, está pensando en un vecino suyo, de su edad poco más o menos, que se llama Chús. El otro, el pequeño, que se llama Paquito, está pensando en que al señor le huele mal la boca.

—Le huele como a goma podrida.

A Bernabé le da risa al pensar aquello tan gracioso que le pasó a Chús con su tía.

—Chús, eres un cochino, que no te cambias el calzoncillo hasta que tiene palomino; ¿no te da vergüenza?

Bernabé contiene la risa; el señor se hubiera puesto furioso.

—No, tía, no me da vergüenza; papá también deja palomino.

¡Era para morirse de risa!

Paquito estuvo cavilando un rato.

—No, a este señor no le huele la boca a goma podrida. Le huele a lombarda y a pies. Si yo fuese de ese señor me pondría una vela derretida en la nariz. Entonces hablaría como la prima Emilita —guá, guá— que la tienen que operar de la garganta. Mamá dice que cuando la operen de la garganta se le quitará esa cara de boba que tiene y ya no dormirá con la boca abierta. A lo mejor, cuando la operen se muere.

Las dos pensionistas, recostadas sobre el diván, miran para doña Pura.

Aún flotan en el aire, como globitos vagabundos, las ideas de los dos loros sobre el violinista.

—Yo no sé cómo hay mujeres así; ésa es igual que un sapo. Se pasa el día sacándole el pellejo a tiras a todo el mundo y no se da cuenta de que si su marido la aguanta es porque todavía le quedan algunos duros. El tal don Pablo es un punto filipino, un tío de mucho cuidado. Cuando mira para una, parece como si la desnudara.

—Ya, ya.

—Y aquella otra, la Elvira de marras, también tiene sus conchas. Porque lo que yo digo: no es lo mismo lo de su niña, la Paquita, que después de todo vive decentemente, aunque sin los papeles en orden, que lo de ésta, que anda por ahí rodando como una peonza y sacándole los cuartos a cualquiera para malcomer.

—Y además, no compare usted, doña Matilde, a ese pelao de don Pablo con el novio de mi hija, que es catedrático de Psicología, Lógica y Etica, y todo un caballero.

—Naturalmente que no. El novio de la Paquita la respeta y la hace feliz y ella, que tiene un buen parecer y es simpática, pues se deja querer, que para eso está. Pero estas pelanduscas ni tienen conciencia ni saben otra cosa que abrir la boca para pedir algo. ¡Vergüenza les había de dar!

Doña Rosa sigue su conversación con los músicos. Gorda, abundante, su cuerpecillo hinchado se estremece de gozo al discursear; parece un gobernador civil.

—¿Que tiene usted un apuro? Pues me lo dice y yo, si puedo, se lo arreglo. ¿Que usted trabaja bien y está ahí subido, rascando como Dios manda? Pues yo voy y, cuando toca cerrar, le doy su durito y en paz. ¡Si lo mejor es llevarse bien! ¿Por qué cree usted que yo estoy a matar con mi cuñado? Pues porque es un golfante, que anda por ahí de flete las veinticuatro horas del día y luego se viene hasta casa para comerse la sopa boba. Mi hermana, que es tonta y se lo aguanta, la pobre fué siempre así. ¡Anda que si da conmigo! Por su cara bonita le iba a pasar yo que anduviese todo el día por ahí calentándose con las marmotas. ¡Sería bueno! Si mi cuñado trabajara, como trabajo yo, y arrimara el hombro y trajera algo para casa, otra cosa sería; pero el hombre prefiere camelar a la simple de la Visi y pegarse la gran vida sin dar golpe.

—Claro, claro.

—Pues eso. El andova es un zángano mal criado que nació para chulo. Y no crea usted que esto lo digo a sus espaldas, que lo mismo se lo casqué el otro día en sus propias narices.

—Ha hecho usted bien.

—Y tan bien. ¿Por quién nos ha tomado ese muerto de hambre?

—¿Va bien ese reló, Padilla?

—Sí, señorita Elvira.

—¿Me da usted fuego? Todavía es temprano.

El limpia le dió fuego a la señorita Elvira.

—Está usted contenta, señorita.

—¿Usted cree?

—Vamos, me parece a mí. La encuentro a usted más animada que otras tardes.

—¡Psché! A veces la mala uva pone buena cara.

La señorita Elvira tiene un aire débil, enfermizo, casi vicioso. La pobre no come lo bastante para ser ni viciosa ni virtuosa.

La del hijo muerto que se estaba preparando para Correos dice:

—Bueno, me voy.

Don Jaime de Arce, reverenciosamente, se levanta al tiempo de hablar, sonriendo:

—A sus pies, señora; hasta mañana si Dios quiere.

La señora aparta una silla.

—Adiós, siga usted bien.

—Lo mismo digo, señora; usted me manda.

Doña Isabel Montes, viuda de Sanz, anda como una reina. Con su raída capita de quiero y no puedo, doña Isabel parece una gastada hetaira de lujo que vivió como las cigarras y no guardó para la vejez. Cruza el salón en silencio y se cuela por la puerta. La gente la sigue con una mirada donde puede haber de todo menos indiferencia; donde puede haber admiración, o envidia, o simpatía, o desconfianza, o cariño, vaya usted a saber.

Don Jaime Arce ya no piensa ni en los espejos, ni

en las viejas pudibundas, ni en los tuberculosos que albergará el Café (un 10 % aproximadamente), ni en los afiladores de lápices, ni en la circulación de la sangre. A don Jaime Arce, a última hora de la tarde, le invade un sopor que le atonta.

—¿Cuántas son siete por cuatro? Veintiocho. ¿Y seis por nueve? Cincuenta y cuatro. ¿Y el cuadrado de nueve? Ochenta y uno. ¿Dónde nace el Ebro? En Reinosa, provincia de Santander. Bien.

Don Jaime Arce sonríe; está satisfecho de su repaso, y, mientras deslía unas colillas, repite por lo bajo:

—Ataúlfo, Sigerico, Walia, Teodoredo, Turismundo... ¿A que esto no lo sabe ese imbécil?

Ese imbécil es el joven poeta que sale, blanco como la cal, de su cura de reposo en el retrete.

—Deshilvanando, en aguas, el estío...

Enlutada, nadie sabe por qué, desde que casi era una niña, hace ya muchos años, y sucia y llena de brillantes que valen un dineral, doña Rosa engorda y engorda todos los años un poco, casi tan de prisa como amontona los cuartos.

La mujer es riquísima; la casa donde está el Café es suya, y en las calles de Apodaca, de Churruca, de Campoamor, de Fuencarral, docenas de vecinos tiemblan como muchachos de la escuela todos los primeros de mes.

—En cuanto una se confía —suele decir—, ya están abusando. Son unos golfos, unos verdaderos golfos. ¡Si no hubiera jueces honrados, no sé lo que sería de una!

Doña Rosa tiene sus ideas propias sobre la honradez.

—Las cuentas claras, hijito, las cuentas claras, que son una cosa muy seria.

Jamás perdonó un real a nadie y jamás permitió que le pagaran a plazos.

—¿Para qué están los desahucios —decía—, para que no se cumpla la ley? Lo que a mí se me ocurre es que si hay una ley es para que la respete todo el mundo; yo la primera. Lo otro es la revolución.

Doña Rosa es accionista de un Banco donde trae de cabeza a todo el Consejo y, según dicen por el barrio, guarda baúles enteros de oro tan bien escondidos que no se lo encontraron ni durante la guerra.

El limpia acabó de limpiarle los zapatos a don Leonardo.

—Servidor.

Don Leonardo mira para los zapatos y le da un pitillo de noventa.

—Muchas gracias.

Don Leonardo no paga el servicio, no lo paga nunca. Se deja limpiar los zapatos a cambio de un gesto. Don Leonardo es lo bastante ruin para levantar oleadas de admiración entre los imbéciles.

El limpia, cada vez que da brillo a los zapatos de don Leonardo, se acuerda de sus seis mil duros. En el fondo está encantado de haber podido sacar de un apuro a don Leonardo; por fuera le escuece un poco, casi nada.

—Los señores son los señores, está más claro que el agua. Ahora anda todo un poco revuelto, pero al que es señor desde la cuna se le nota en seguida.

Si el limpia fuese culto sería, sin duda, lector de Vázquez Mella.

Alfonsito, el niño de los recados, vuelve de la calle con el periódico.

—Oye, rico, ¿dónde has ido por el papel?

Alfonsito es un niño canijo, de doce o trece años, que tiene el pelo rubio y tose constantemente. Su padre, que era periodista, murió dos años atrás en el Hospital del Rey. Su madre, que de soltera fué una señorita llena de remilgos, fregaba unos despachos de la Gran Vía y comía en Auxilio Social.

—Es que había cola, señorita.

—Sí, cola; lo que pasa es que ahora la gente se pone a hacer cola para las noticias, como si no hubiera otra cosa más importante que hacer. Anda, ¡trae acá!

—*Informaciones* se acabó, señorita, le traigo *Madrid*.

—Es igual. ¡Para lo que se saca en limpio! ¿Usted entiende algo de eso de tanto Gobierno como anda suelto por el mundo, Seoane?

—¡Psché!

—No, hombre, no; no hace falta que disimule; no hable si no quiere. ¡Caray con tanto misterio!

Seoane sonríe, con su cara amarga de enfermo del estómago, y calla. ¿Para qué hablar?

—Lo que pasa aquí, con tanto silencio y tanto sonreír, ya lo sé yo, pero que muy bien. ¿No se quieren convencer? ¡Allá ustedes! Lo que les digo es que los hechos cantan, ¡vaya si cantan!

Alfonsito reparte *Madrid* por algunas mesas.

Don Pablo saca las perras.

—¿Hay algo?

—No sé, ahí verá.

Don Pablo extiende el periódico sobre la mesa y lee los titulares. Por encima de su hombro, Pepe procura enterarse.

La señorita Elvira hace una seña al chico.

—Déjame el de la casa, cuando acabe doña Rosa.

Doña Matilde, que charla con el cerillero mientras su amiga doña Asunción está en el lavabo, comenta despreciativa:

—Yo no sé para qué querrán enterarse de todo lo que pasa. ¡Mientras aquí estemos tranquilos! ¿No le parece?

—Eso digo yo.

Doña Rosa lee las noticias de la guerra.

—Mucho recular me parece ése... Pero, en fin, ¡si al final lo arreglan! ¿Usted cree que al final lo arreglarán, Macario?

El pianista pone cara de duda.

—No sé, puede ser que sí. ¡Si inventan algo que resulte bien!

Doña Rosa mira fijamente para el teclado del piano. Tiene el aire triste y distraído y habla como consigo misma, igual que si pensara en alto.

—Lo que hay es que los alemanes, que son unos caballeros como Dios manda, se fiaron demasiado de los italianos, que tienen más miedo que ovejas. ¡No es más!

Suena la voz opaca, y los ojos, detrás de los lentes, parecen velados y casi soñadores.

—Si yo hubiera visto a Hitler, le hubiera dicho: "¡No se fíe, no sea usted bobo, que éstos tienen un miedo que ni ven!"

Doña Rosa suspiró ligeramente.

—¡Qué tonta soy! Delante de Hitler, no me hubiera atrevido ni a levantar la voz...

A doña Rosa le preocupa la suerte de las armas alemanas. Lee con toda atención, día a día, el parte del Cuartel General del Führer, y relaciona, con una serie de vagos presentimientos que no se atreve a intentar ver claros, el destino de la Wehrmacht con el destino de su Café.

Vega compra el periódico. Su vecino le pregunta:

—¿Buenas noticias?

Vega es un ecléctico.

—Según para quién.

El echador sigue diciendo "¡Voy!" y arrastrando los pies por el suelo del Café.

—Delante de Hitler me quedaría más azorada que una mona; debe ser un hombre que azore mucho; tiene una mirada como un tigre.

Doña Rosa vuelve a suspirar. El pecho tremendo le tapa el cuello durante unos instantes.

—Ese y el Papa, yo creo que son los dos que azoran más.

Doña Rosa dió un golpecito con los dedos sobre la tapa del piano.

—Y después de todo, él sabrá lo que se hace; para eso tiene a los generales.

Doña Rosa está un momento en silencio y cambia la voz:

—¡Bueno!

Levanta la cabeza y mira para Seoane:

—¿Cómo sigue su señora de sus cosas?

—Va tirando; hoy parece que está un poco mejor.

—Pobre Sonsoles; ¡con lo buena que es!

—Sí, la verdad es que está pasando una mala temporada.

—¿Le dió usted las gotas que le dijo don Francisco?

—Sí, ya las ha tomado. Lo malo es que nada le queda dentro del cuerpo; todo lo devuelve.

—¡Vaya por Dios!

Macario teclea suave y Seoane coge el violín.

—¿Qué va?

—"La verbena", ¿le parece?

—Venga.

Doña Rosa se separa de la tarima de los músicos mientras el violinista y el pianista, con resignado gesto de colegiales, rompen el tumulto del Café con los viejos compases, tantas veces —¡ay, Dios!— repetidos y repetidos.

¿Dónde vas con mantón de Manila,
dónde vas con vestido chiné?

Tocan sin papel. No hace falta.

Macario, como un autómata, piensa:

"Y entonces le diré: —Mira, hija, no hay nada que hacer; con un durito por las tardes y otro por las noches, y dos cafés, tú dirás—. Ella, seguramente, me contestará: —No seas tonto, ya verás; con tus dos duros y alguna clase que me salga... Matilde, bien mirado, es un ángel; es igual que un ángel."

Macario, por dentro sonríe; por fuera, casi, casi. Macario es un sentimental mal alimentado que acaba, por aquellos días, de cumplir los cuarenta y tres años.

Seoane mira vagamente para los clientes del Café, y no piensa en nada. Seoane es un hombre que prefiere no pensar; lo que quiere es que el día pase corriendo, lo más de prisa posible, y a otra cosa.

Suenan las nueve y media en el viejo reló de breves numeritos que brillan como si fueran de oro. El reló es un mueble casi suntuoso que se había traído de la Exposición de París un marquesito tarambana y sin blanca que anduvo cortejando a doña Rosa, allá por el 905. El marquesito, que se llamaba Santiago y era Grande de España, murió tísico en El Escorial, muy joven todavía, y el reló quedó posado sobre el mostrador del Café, como para servir de recuerdo de unas horas que pasaron sin traer el hombre para doña Rosa y el comer caliente todos los días, para el muerto. ¡La vida!

Al otro extremo del local, doña Rosa riñe con grandes aspavientos a un camarero. Por los espejos, como a traición, los otros camareros miran la escena, casi despreocupados.

El Café, antes de media hora, quedará vacío. Igual que un hombre al que se le hubiera borrado de repente la memoria.

Madrid, 1945-1950.

MRS. CALDWELL HABLA CON SU HIJO

Siento una especial y proclamada admiración por Mrs. Caldwell habla con su hijo. *Si hubiese nacido mujer, probablemente hubiera tenido la cabeza organizada —o desorganizada— como mi sensible y buena amiga Mrs. Caldwell, dama adorable, aunque quizás algo fuera de lo común.*

Novela —o lo que fuere— escrita en trance y atomizada en doscientos catorce capitulillos (el 14 y el 60 tienen dos versiones cada uno, ambas publicadas en la edición), en ella me dejé llevar de mi más auténtica y peligrosa vena poética.

Si bien los aludidos capitulillos tienen una relativa independencia, numero, para el mejor orden de todos, los aquí publicados. Y los titulo, claro es, de idéntica forma a como los titulara al enviarlos por vez primera a la imprenta.

Algunos psiquiatras amigos me han hablado del complejo de Electra; no deja de ser natural.

En los trozos que ofrezco al lector, puede observarse la evolución de la dolorosa y nada cuerda Mrs. Caldwell desde sus primeros aunque concretos síntomas, hasta su oficial consagración de orate en el Real Hospital de Lunáticos de Londres; a su internamiento corresponden los cuatro últimos capítulos.

Cap. 31. Ropa interior de seda negra

Recuerdo bien, Eliacim, hijo querido, mi tierno capullito de rosa silvestre, sabrosa y ácida fresa campesina, mi hijo, que cuando yo me vestía y me desnudaba ante la fotografía de fin de carrera en la que ya estabas hecho un hombre, tú siempre torcías un poco el gesto al ver, sobre mi blanca piel, mi ropa interior de seda negra.

(Para haber muerto tan joven, hijo, podías haberte permitido ciertas faltas de respeto que yo jamás te hubiera echado en cara.)

Te juro, hijo mío, que nunca pude pensar que tenía todo aquello malicia alguna. Te juro, asimismo, que te estoy mintiendo. Habría sido suficiente una sola indicación tuya para que yo desterrase para siempre mi ropa interior de seda negra, que hubiera sido cambiada, prenda a prenda, por ropa interior de seda de colores suaves adornada con un sencillo encajito blanco.

¿Te agradaría más? ¡Qué necia he sido!

Yo respeto todos los puntos de vista, hijo, absolutamente todos. La experiencia me dice que los hombres tenéis, sobre determinadas cuestiones, vuestros particulares y diferentes puntos de vista.

Cap. 32. Tus papeles secretos

Cuando mi desgracia quiso, amor, que tu cuerpo se oscureciese en el delicado llanto de la mar, yo revolví tus papeles secretos con el corazón en la garganta. ¡Qué días!

Yo he sido, hijo, la única culpable de tu timidez. Amaste mucho todo lo que yo te enseñé a amar, y te sobrecogió la idea de seguir amando. Yo pude haberlo sospechado.

Tú, hijo, ya es hora de decírtelo, te hiciste tímido en la adolescencia, cuando te cambió la voz. (Te ruego que no insistas sobre las causas de tu timidez con esa ya inútil crueldad.) ¡Qué gran tristeza, hijo mío! Haz un verdadero esfuerzo para no culparme.

En otra ocasión (tampoco te lo aseguro) seguiré con tus papeles secretos, ahora no puedo hacerlo.

Cap. 40. El mar, un mar, ese mar

El mar es una palabra que me causa náuseas, algo de lo que no puedo hablar con serenidad. El mar es una joven bella e insoportable a quien las cosas le han ido demasiado bien en esta vida.

Un mar, un mar cualquiera, aunque sea un mar concreto y determinado, no es nunca nada. Un mar, un amor, un asno, una aterciopelada flor, un niño perdido en una gran ciudad, un funcionario perseguido sañudamente por el jefe de personal, una bala que va volando bajo el cielo de una batalla. Es muy vago todo esto, muy impreciso. Quizás lo que suceda sea que todas las cosas necesitan su nombre.

¡Ah, pero también tienen sus inconvenientes las cosas con su nombre concreto! Aquel fatídico amor que se llamó *Pirámide;* aquel asno siniestro y desapacible que volvía la cabeza cuando escuchaba pronunciar la palabra *Catulo;* aquella flor bautizada de *Extraña Esperanza;* aquel niño que se perdió porque nadie le dijo dame la mano, *Ricardo Henriques;* aquel funcionario que en su hogar se llamaba *Oprobio* y en la oficina *Conmiseración;* o aquella descocada bala *Margarita* que buscaba afanosamente el páncreas del más tierno recluta del batallón. El nombre del Mar Egeo (Mediterráneo Oriental) es un nombre que no quiero pronunciar. O, cuando menos, un nombre que quiero pronunciar lo menos posible, como una penosa obligación de la que quisiera constantemente huir.

Cap. 47. El reloj de arena

Resulta entretenido ver pasar el tiempo por el cuellecito del reloj de arena.

Cuando escribo estas líneas en tu recuerdo, Eliacim, es lunes. El reloj de arena no marca los días de la semana, es un reloj de arena muy pequeño, pero yo sé que es lunes, a mí me consta que es lunes, y nadie podría quitarme de la cabeza que en este momento es, exactamente, lunes.

A veces me siento morir, los lunes sobre todo, invadida por un inconcreto y fortísimo deseo de vivir tres o cuatro días más adelante, el jueves o el viernes, por ejemplo. Entonces me digo: hoy sin duda alguna es jueves ya. Aunque deseo vivir el jueves y estoy casi segura de que lo consigo, me figuro que es lunes, pero que esa figuración mía no pasa de ser un error. Entonces miro el calendario y la cabecera del periódico y veo que el calendario y la cabecera del periódico sufren la misma equivocación, la misma alucinación que yo. Salgo a la calle y a una señora bien parecida que veo le pregunto: ¿sería usted tan amable, señora, que me indicase qué día de la semana es hoy? La señora entonces me responde: muy gustosa; hoy, amiga mía, es lunes, es lunes todo el día; mañana será martes; pasado, miércoles; al otro, jueves; y así sucesivamente.

Está muy extendida la común creencia de pensar que todos los lunes son lunes. Sería más hermoso que parte de la humanidad defendiese firmemente que algunos lunes son jueves.

Quizás si la U. N. O. ordenase construir relojes de arena públicos, capaces de marcar los días de la semana y los meses del año, esto pudiera llegarse a conseguir.

Mientras no se tome una determinación heroica y casi revolucionaria, yo seguiré atenazada al duro banco del no poder decidir por mí misma en qué día de la semana vivo y en qué día de la semana quiero vivir.

Esto, hijo mío, no es el libre albedrío.

Cap. 48. La soledad

Hace ya tiempo, hijo mío, pensé que la soledad más rigurosa podría reflejarme tu sombra sobre los objetos. Pero no fué verdad. Tu sombra, a veces, se presentaba, sí, pero de una manera borrosa, desvaída, vacía de todo encanto.

A ti, hijo, a tu recuerdo, consigo apresarlo mejor entre los hombres, los animales y las cosas, entre los minerales, los pájaros del monte y los vegetales del jardín. Quizás no te parezca mal. Te podría jurar que todo lo hago para poder sentirte más cerca de mí, más encima de mí.

La soledad, hijo mío, no es buena madera para poder pasar las yemas de los dedos sobre la huella de tu nombre, Eliacim.

Cap. 49. Los inviernos en el invernadero

¿Te imaginas, querido Eliacim, los amorosos, los aburridos inviernos de las cebollas del tulipán en el tibio y húmedo invernadero, en el vicioso invernadero?

A veces pienso, hijo mío, que desearía convertirme en un puñadito de estiércol del invernadero o en esa mimosa araña de largas y peludas patas que cuelga, casi inverosímilmente, de su hilo que brilla con descaro al sol.

Otras veces, en cambio, estoy tentada de destruir el invernadero, de destruirlo desordenadamente para poder solazarme entre sus ruinas, para poder pasearme descalza sobre los vidrios rotos, sobre los ladrillos rotos, sobre las enteras y milagrosas cebollas del tulipán.

Cap. 71. La mina

El hombre de la mina, Eliacim, guarda sus pensamientos en el hondo pozo del que sale, a diario, para llorar su asco sobre la luz de la tarde. Tú desapareciste muy joven, Eliacim, para darte cuenta perfecta de las cosas demasiado elementales, esas cosas que tienen su clave en la madurez.

Si alguna vez una señora en la mejor edad me preguntase, pongo por caso, ¿a su hijo Eliacim le interesa la cuestión minera?, yo le respondería, mirándole desafiadoramente a la cara: lo ignoro; mi hijo y yo, señora, no solemos hablar de estos temas, créame.

El aire de la mina, Eliacim, sabe a botica antigua o a herbolario y también a mano que se ha tenido muchos años guardada en el arca. Tú desapareciste tan joven, Eliacim, que no llegaste a dominar la pequeña ciencia de los sabores, esa pequeña ciencia que tiene su cifra en la desilusión.

¡Ah! Pero si alguna vez una golondrina me preguntase, digamos, ¿a su hijo Eliacim le interesa la cuestión minera?, yo le respondería mirándole agradecidamente a la cara: sí, sin duda, mi hijo Eliacim me lo confesó un día que me tuvo cogida la mano más de media hora, en un cafetín de barrio.

El mineral de la mina, Eliacim, puede ser de tres clases: diamante, oro y carbón. No es cierto que haya minas de estaño.

Cap. 77. Detesto de todo corazón

Son tantas las cosas que detesto de todo corazón, hijo mío querido, tantas las cosas que aborrezco de todo corazón, que me sería muy difícil poder enumerártelas. Es una verdadera bendición sentirse viva y con buena salud para poder dedicar algunas horas del día a detestar algo de todo corazón. Lo único que lamento es que tú no puedas acompañarme.

Detestar de todo corazón, Eliacim, detestar hondamente, atentamente, cuidadamente, sin resquicio alguno para la distracción o el hastío, es algo que no a todos se brinda, algo para lo que se precisa un paciente e incluso sacrificado entrenamiento.

Tu madre, hijo querido, detesta de todo corazón casi todo lo que le rodea: el aire que respira, la asistenta que le lava la vajilla, el gato que se deja acariciar, el agua que bebe, el pan que come, la confortable tetera, los programas de la radio, el cigarrillo que arde sin reproche, el vaivén de los viajes, los muebles familiares.

Más cómodo para los dos sería, Eliacim, que te enumerase las cosas que detesto, pero no de todo corazón. Acabaríamos antes y yo tendría más tiempo para seguir detestando de todo corazón.

Lo único que me acongoja, ya te lo decía antes, es que tú no puedas acompañarme. Pero hay cosas que no tienen remedio.

Cap. 88. Los lápices de colores

Con todos los colores del arco iris, hijo mío, se fueron alumbrando todos los lápices de colores del mundo y aún sobraron colores.

Con los colores más fáciles de inventar, Eliacim, con los colores puros y de nombre conocido, se alumbraron los lápices que habían de ser usados por los niños más pequeños, los lápices casi comestibles que llegarían a convertirse, a fuerza de pasar y repasar sobre el papel, en alas de pato y en heridores ojos de ciervo.

En el fondo del cielo, Eliacim, allí donde todas las cosas son más bien de un vago y desvaído tono azul, aún se ven las ruinas de la primer fábrica de lápices de colores que hubo, una fábrica pequeña donde todavía trabajan, entre las piedras que se han ido al suelo, unos hombres viejos y barbudos vestidos como los artesanos alemanes de la Edad Media.

(La caja de lápices de colores que te regalé el día de tu cumpleaños, Eliacim, como era una caja de lápices de colores que jamás se iba a usar, tenía, en vez de lápices de colores, nacaradas conchas marinas, un colibrí disecado y dos o tres ramitos de violetas. Lloré mucho cuando te puse la caja de lápices de colores sobre la almohada, Eliacim, hijo.)

Cap. 89. Los crisantemos

No son odiosas las flores del crisantemo, tampoco son amables. Las flores del crisantemo, Eliacim, encierran entre sus pétalos los átomos más indestructibles y permanentes de los corazones de los samurais.

Las madres que llevan flores a las tumbas de sus hijos muertos, Eliacim, eligen siempre el crisantemo porque es la flor de la compañía, la hedionda flor que sabe hermanarse con el dolor como un gusano.

En los jardines donde los crisantemos nacen para ser degollados a tiempo, hijo mío, habita también la caracola donde se refugia el dolor, la cazuelita vacía donde cuelga sus albaranes el dolor.

¡Si vieses, Eliacim, lo difícil que es llegar a entender el agudo canto del crisantemo, sobre todo en la época del celo! Se han escrito gruesos volúmenes sobre el tema, pero ninguno llega a conclusiones medianamente aproximadas.

Cap. 96. Los muebles convertibles

Tú sabes bien, Eliacim, que los muebles convertibles, esos muebles que lo mismo sirven para un roto que para un descosido, son más prácticos que elegantes, más útiles que vistosos, que airosos, que sólidos. A los animales convertibles les pasa lo mismo, a las gallinas, a los perros de pastor, y a los hombres convertibles, también: a los alemanes, a los americanos.

Tú, hijo mío, que te habías criado en una relativa holgura, eras enemigo declarado de los muebles convertibles, de los sofás-cama, de las escaleras-butaca, de las mesas-silla de tijera, etc., y no admitías que muchas gentes encargasen al ebanista un lavabo-muro de las lamentaciones o un tocador-chimenea de la esperanza, por ejemplo, acosados por el pálido espectro que habita en los bolsillos vacíos.

Ya sé, Eliacim, que tu postura era la que correspondía a los dictados del buen tono, pero, ¿qué trabajo te hubiera costado tener algo más de caridad?

Los muebles convertibles, hijo, como los animales y los hombres convertibles, como los minerales y los vegetales convertibles, como los climas y los paisajes convertibles, como los amores y los patriotismos convertibles, son las pepitas de oro que todavía se sacan, con grandes sudores, bien es cierto, de la agotada mina de oro que, en mejores tiempos, hizo feliz a los hombres que no necesitaban convertirse en hombres convertibles.

Pero hoy las cosas han cambiado mucho, Eliacim.

Cap. 97. Los globos cautivos

Si tú me lo pidieras, Eliacim, sería capaz de subir, gateando por el guiderope, hasta el más alto de los globos cautivos, hasta aquel globo que parecía no más que una manchita de lápiz entre dos nubes, en el medio mismo del cielo.

Me pondría unos pantalones de hombre, para manejarme con mayor soltura, y me tocaría la cabeza con una gran pamela, para que el viento tuviera por donde empujarme hacia arriba.

Debe dar gusto, hijo mío, ver el mundo desde un globo cautivo, verlo tan lejos que pudiera parecer, incluso, otro globo cautivo, mayor, sí, pero quizás aún más cautivo. ¡Vete tú a saber!

Si tú me lo pidieses, hijo, sería capaz de destrozarme las manos, ya te digo, para que tú me pudieses adivinar más alta y más torpe que los más altos y torpes pájaros.

Cap. 108. Los miedos inexplicables

Los peores miedos, hijo mío, son los miedos inexplicables, los miedos sin causa ni razón, los miedos sin pies ni cabeza, los miedos que vienen de dentro a afuera, que nacen en la sangre y no en el aire; el miedo a la oscuridad, el miedo a la soledad, el miedo al tiempo, los miedos que no se pueden evitar porque su substancia es nuestra propia y más íntima substancia.

Yo, hijo mío, siempre sentí predilección por los niños que se mueren de miedo, por los niños que sueñan horribles y confusas pesadillas, por los niños que viven atemorizados con la idea de transformarse en estatua de sal, con la idea de convertirse en olvidada y dura y solitaria hebra de cuarzo del monte.

Y si tuviera mucho dinero, Eliacim, si tuviera miles y miles de libras, me lo gastaría todo o casi todo en contratar demonios y máscaras muertas para atemorizar a los niños de la ciudad, a los niños que ven al miedo teñido y acicalado de tara familiar.

Tú, hijo mío, cuando eras niño pequeño, vivías en un continuo sobresalto, con los ojos poblados de atroces y permanentes miedos inexplicables.

Cap. 111. Los pisapapeles de bronce

Representando personajes mitológicos, literarios o históricos, Eliacim, los pisapapeles de bronce entran en algunas casas de las que después no salen jamás. Sería interesante que algún pensador nos hablase de la era de los pisapapeles de bronce, ese tiempo silencioso, solemne y envarado, hijo mío, en el que los orgullos domésticos, e incluso los oficiales, se cifraban, y aún se siguen cifrando, en el tamaño, y en el brillo, y en el peso de los pisapapeles de bronce.

En nuestra casa, Eliacim, desde tu falta, hijo mío, falta de todo, incluso de lo más superfluo, tal un pisapapeles de bronce. Nuestra casa, Eliacim, en su situación actual, semeja un poco la modesta economía de aquel joven poeta que caminaba por la vida con los zapatos rotos porque no ganaba más que para vicios.

Cuando tengo, ¡qué raramente!, alguna ráfaga de optimismo, algún rapto de ilusión que me suele durar menos que la muerte de los ahogados, Eliacim, pienso que alguna vez podrán rasgarse los negros nubarrones del horizonte para dejar pasar, como en una luminosa aparición, un pisapapeles de bronce representando a Ganimedes o al erótico rapto de Europa, tan sosegador.

Pero cuando retorno, con las orejas gachas, a la triste y usual realidad, Eliacim, veo que he nacido a destiempo, que ya no pude alcanzar la era de los pisapapeles de bronce representando personajes mitológicos, literarios, históricos.

Cap. 112. El reloj que gobierna la ciudad

El reloj que gobierna la ciudad, hijo mío, se ha parado, quizás de viejo, pero la ciudad ha seguido su marcha con un imperceptible e incluso saludable desgobierno.

El reloj que gobierna la ciudad desde su alta torre, hijo mío, se ha negado a pasar de las siete treinta, la hora que aguardan los enamorados para cubrirse la cara con un antifaz y llevarse una mano de fría cera al corazón.

El reloj que gobierna la ciudad desde la alta torre que domina el caserío, Eliacim, se ha muerto como se mueren los pájaros, los barcos de vela, las novias clandestinas, los lobos solitarios, los ermitaños de Onán, las lunas de los espejos, con una infinita discreción.

(Sobre el embalsamado cadáver de nuestro reloj, Eliacim, del reloj que ya no gobierna la ciudad, se niegan a volar los desaprensivos gorriones, las venturosas brujas de la ciudad. Quizás sea un triste presagio, hijo mío, un presagio aún más triste que la realidad, la silenciosa muerte de nuestro reloj.)

Cap. 113. Las palomas

Blancas, color ceniza, color café, las palomas, Eliacim, vuelan y vuelan por encima de nuestras cabezas, habitando su mundo de crueles corrientes de aire, su limbo de densas y plúmbeas nubes, su paraíso de verdiazules montañas con las crestas duramente dibujadas.

Las palomas, hijo mío, las odiosas palomas, las egoístas y antiguas palomas, baten el aire con desconsideración, con una despectiva confianza, como si el aire fuese suyo, y se van volando, en grupos de cinco o seis, por encima de los tejados de las casas, de los tejados de los hospitales, de los metálicos tejados de los mercados de frutas y verduras, de los mercados de carne, de los mercados de pescado.

Las palomas, Eliacim, también vuelan sobre las fuentes, sobre los ríos, sobre las lagunas, sobre el mar, envenenando las aguas y clavando contra el suelo, con invisibles y largos alfileres, a los niños que se miraban, absortos, en las aguas.

En un mundo mejor, Eliacim, en un mundo más justo y razonable, las palomas vivirían en islas desiertas y lejanas, en islas a las que fuera muy difícil ir e imposible volver, en islas que semejasen inmensas alas desgajadas y blancas, sin un árbol ni un solo animal.

Pero si ese mundo feliz se produjese, Eliacim, si ese mundo desplazase al nuestro, tan doloroso, el desván de los mundos rebosaría astillas y ruinoso polvo de fallidos propósitos, de intenciones que no podían vivir más que en nuestra atmósfera.

Lo que tampoco sería solución, hijo mío.

Cap. 120. La navegación fluvial

1,

Los anchos y planos barcos de los ríos, Eliacim, de los mansos y traidores ríos navegables, marchan, a favor de la corriente, engalanados con sus banderitas de colores chillones, respirando polcas y marchas militares que llegan algo húmedas a la orilla desde la que los saludan, con sus sucios pañuelos, los niños de las escuelas públicas.

La navegación fluvial, hijo mío, tiene un raro parentesco con la criminalidad más alevosa y un río, Eliacim, es siempre un poco la memoria de un crimen horrible, de un crimen cometido sobre la muchachita de tumefactas facciones que se paseaba, sombríamente, por las más estrechas y solitarias calles de la ciudad.

Los chatos barcos sin quilla de los ríos, Eliacim, de los sosegados y venenosos ríos navegables, marchan, a contrapelo de la corriente, con sus mástiles desnudos y su alta chimenea vestida de diario, jadeando inspiraciones y expiraciones que no alcanzan la orilla, esa verdinegra orilla desde la que nadie fabrica sonrisas para decirles adiós, os deseamos un viaje feliz.

2,

¡Ay, hijo mío! Por mis venas navegan, no sé si navegan ya, escuadras enteras de barcos fluviales, nada elegantes, por cierto, nada marineros, tampoco, pero que hacen su avío, casi vengonzantemente, como piden limosna los alegres y zurcidos pobres que fueron ricos, y me llevan y me traen, para arriba y para abajo, de pesadilla en pesadilla, de moribunda ilusión en moribunda ilusión, de susto en susto, para evitar que me quede dormida para siempre como, a veces, pienso que ya no es mi deseo.

Y en la proa de todos esos barcos fluviales, Eliacim, vienen pintados tus ojos, ya sin expresión, igual que los cansados ojos de los astros.

No te lo digo para añadir más tristeza a tu tristeza, hijo. Tampoco te lo digo para presumir de madre desamparada.

3,

En aquel barco fluvial que se llamaba, como una posada del puerto, "La gaviota que habla, dulcemente, el francés", me pasó una cosa terrible, Eliacim, una cosa que pone los pelos de punta. La verdad es que no pude evitarlo, pero cuando noté que lo había ahogado contra mi regazo, hijo mío, lo tiré por la borda aprovechando un momento en que nadie me miraba. No puedo seguir contándotelo, Eliacim, porque sus ojos suplicantes, aquellos ojos que, ¡incauta de mí!, olvidé cerrar, quizás por falta de experiencia, se clavan en mis ojos insistentemente.

Después, a medida que fué pasando el tiempo, fuí dando cada vez menos importancia al suceso. Aunque la tuvo, Eliacim, la tuvo.

4.

En los días de fiesta, los patrones dan a sus barcos fluviales un pienso extraordinario, que suele consistir en un denso y nutritivo puré de harina de maíz con pedacitos de tocino frito. A los barcos fluviales, en los días de fiesta, les nace un brillar impensado en la panza, un lustre que nadie podría imaginarse y, con el espinazo más enhiesto, Eliacim, semejan jóvenes bestias que quieren ser bien vendidas en la feria, quizás para cambiar de amo.

5.

Después de estudiar bastante las costumbres y las tradiciones de la navegación fluvial, querido Eliacim, me acongoja la idea de que todavía es muchísimo lo que me queda por aprender.

Los barcos como fuentes de sopa de los ríos como sopa, hijo, de los ríos que huelen a savia de viejos y dulces árboles del bosque, guardan celosamente, igual que los cautos fabricantes de porcelana, sus secretos profesionales, los secretos que han venido heredando, de generación en generación, desde tiempos remotos.

Y los niños de las escuelas públicas, Eliacim, y yo, que somos ya los únicos atónitos espectadores de la navegación fluvial, les sonreímos suplicantes, al verlos pasar, para tratar de granjearnos sus simpatías. Aunque ignoro, hijo mío, hasta qué límite lo podremos conseguir.

Cap. 161. La campana de bronce que suena por encima de los montes

Si tuviera fuerza bastante, Eliacim, mandaría enmudecer la campana de bronce que suena por encima de los montes porque, cuando más abstraída estoy pensando en ti, en tus ojos, pongo por caso, o en el tono que dabas a tu voz para pedirme que te preparase el baño, o en el lunar que tenías en el cuello, o en tus inexpertas manos o, simplemente, en que a tu raqueta de tenis conviene ir pensando en ponerle cuerdas nuevas, me distrae y me obliga, bien a mi pesar, a volverte la espalda.

La campana de bronce que suena por encima de los montes, hijo mío, pienso que muy bien pudiera ser la campana del odio, Eliacim, la campana que no se podrá hacer callar jamás porque no tañe ni dobla en sitio alguno al que los seres humanos podamos llegar sin condenar nuestras almas irremisiblemente, en medio del regocijo del demonio.

Entre mis amigas o conocidas de la vecindad, hijo mío, nadie ha escuchado jamás la campana de bronce que suena por encima de los montes, y cuando les hablo de ella, Eliacim, me miran con un extraño gesto que me irrita. Pero es que entre mis amigas o conocidas de la vecindad, Eliacim, sobran las que tienen el alma sorda como un pez muerto, el alma sorda y envenenada como una culebra muerta.

Si yo tuviera poder, Eliacim, un poder realmente fuerte y no ficticio, mandaría fundir la campana de bronce que suena por encima de los montes y erigir, con su ardorosa carne, una estatua a los animales distraídos. Pero yo, hijo mío, no tengo poder; yo, Eliacim, no soy más que una pobre mujer sin fuerza ni poder alguno, sin fuerza ni poder para tirar al suelo, tan sólo con un gesto, aunque en ese gesto tuviera que hipotecar toda mi energía, la campana de bronce que suena por encima de los montes. Si otra cosa estuviera en mi mano, Eliacim, con ella procuraría complacerte. A pesar de tus exigencias.

Cap. 162. El niño encendido

No lo quise apagar, hijo mío, para que no se desatase sobre nosotros, sobre ti y sobre mí, la ira de los dioses.

El niño encendido, Eliacim, rodeado de gritos, corría por el campo encendiendo las mieses y por el monte encendiendo los bosques. El niño encendido, Eliacim, que llevaba el gozo pintado en la cara con indelebles colores, corría por la ribera encendiendo los barcos y por las granjas encendiendo el atónito ganado. El niño encendido, Eliacim, que se llamaba Toby y se vestía de llamas, corría perseguido desesperadamente por las mujeres que querían apagarlo contra su corazón, sin temor alguno a la ira de los dioses.

Fué un espectáculo imborrable, Eliacim, el del niño encendido. Me desperté sobresaltada, hijo mío, e intenté, por todos los medios, tranquilizarme, pero su recuerdo me volvía, una y otra vez, en cuanto cerraba los ojos.

Tú, entre la multitud, vestido de uniforme y siempre guapo, aunque quizás ligeramente más viejo, estabas pasmado de estupor. El niño encendido, anunciándolo con un silbido intensísimo, daba piruetas en el aire, hasta más allá de las nubes, incendiando los pájaros y los ángeles.

Fué, ya te digo, algo que no podré olvidar jamás. Pero, ¡qué tonta soy!, ¿para qué te explico nada si estabas tú allí, entre la multitud, vestido de uniforme y siempre guapo, aunque quizás algo más viejo, pasmado de estupor?

A veces, hijo, tengo unos lapsus imperdonables; sí, Eliacim, no nos engañemos, yo ya no soy la que fuí.

Cap. 165. Músicos callejeros

Con su acordeón y su violín, hijo mío, los músicos callejeros tocan, a la puerta de las tabernas, en homenaje a los bebedores de buenas inclinaciones.

Con su corneta y su violín, hijo mío, los músicos callejeros tocan, a la puerta de las iglesias, en loor de los novios que ignoran cómo van a poder vivir.

Si no diese lugar a murmuraciones, Eliacim, yo metería en casa a todos los músicos callejeros que encontrase tocando polcas y marchas a la puerta de las tabernas y de las iglesias. Nuestra casa es grande, hijo mío, como tú sabes, y pienso que en ella habrían de caber tu madre y sus músicos callejeros, sus tibios y aromáticos músicos callejeros, aquellos que cubren su cabeza con una gorra de visera de hule y llevan una lira tatuada sobre el corazón. Los músicos callejeros, Eliacim, suelen ser con frecuencia, héroes de las minúsculas tragedias que echan agua a la vida de los hombres, quizás para que los más ruines espectadores se diviertan viendo cómo algunos hombres pelean por no ahogarse.

Pero los músicos callejeros, Eliacim, que prefieren irse ahogando poco a poco, como las ballenas viejas, no toman parte en la lucha a la que renunciaron para tocar la música, desde la mañana a la noche, mientras pasean, lentamente, por la ciudad, asomándose a las tabernas y a las iglesias, en busca del bondadoso bebedor y del novio pobre que, casi de milagro, todavía les da de comer.

En los fríos días del invierno, Eliacim, yo pienso y pienso en los músicos callejeros, en los hombres que tocan los violines enfermos, los acordeones enfermos, las cornetas y las flautas enfermas, hijo mío, y siento grandes remordimientos de conciencia que no puedo evitar.

Sí, Eliacim; si no diese lugar a murmuraciones yo llenaría nuestra casa de músicos callejeros que el diecisiete de abril, tu cumpleaños, se brindarían gustosos y sonrientes, a interpretar, a la puerta de tu vacío cuarto, las piezas que más pudieran agradarte.

Sería un día muy feliz, Eliacim, un día inmensamente dichoso para todos, pero me falta valor, hijo mío, me falta, ¡todavía!, el valor necesario.

Cap. 170. El rescoldo de la chimenea

Con la luz apagada, Eliacim, poco antes de irme a dormir, me suelo quedar un rato contemplando el rescoldo de la chimenea, el rescoldo color rojo, azul, naranja, rosa, verde, violeta pálido, que deja la leña que durante el día ardió.

Algunas noches afortunadas, Eliacim, entre los últimos brillos del rescoldo de la chimenea, te presentas tú, con los ojos cerrados, y me dices unas palabras en una lengua extraña en la que no consigo entenderte, en una lengua extraña que quizás pudiera ser griego.

Las noches que esto sucede, no muchas, desgraciadamente, no me voy a la cama hasta que el rescoldo de la chimenea se vuelve negro y gris, hijo mío, como el humo y la niebla del muelle, y frío como esa mano que siempre tememos encontrarnos.

Si se pudiera comer el rescoldo de la chimenea, Eliacim, si se pudiera comer igual que el foie-gras o que la mantequilla, extendiéndolo sobre pan tostado, jamás me acostaría sin haber intentado comerte, hijo mío, aunque después hablases en tu extraña lengua dentro de mí, y las señoras de las visitas me creyeran un monstruo capaz de devorar marineros griegos, o pescadores de esponjas griegos, o poetas griegos, o ensimismados soldados griegos de alba falda rizada.

Pero el rescoldo de la chimenea, Eliacim, es algo que

hemos de conformarnos con mirarlo fijamente, a veces casi a traición, para que pueda ir entregándonos, poco a poco, ese hijo ardiendo que todas las madres perdimos, quién sabe si para que nos sintamos avergonzadas de seguir viviendo, avergonzadas de seguir escuchando el atormentador latido de nuestro corazón.

El rescoldo de la chimenea, Eliacim, con su tenue respirar que se muere con tan socorrida languidez, me ata por las noches, hijo mío, a horas a las que ya debiera estar soñando contigo y nada más que contigo, y se resiste en soltarme como si yo, ¡pobre de mí!, pudiera ser todavía una presa apetecible.

Cap. 173. Las manos

¡Ay, hijo, si supiéramos para qué nos valen las manos, con sus mil huesecillos, sus dedos, sus uñas, su palma y su dorso! ¡Ay, hijo, si pudiéramos usar las manos para sujetar aquello que no quisiéramos dejar huir jamás! ¡Ay, hijo, si las manos pudieran servirnos, al menos, para decir adiós! ¡Ay, hijo, si las manos no fueran tan inútiles, tan crueles y desmemoriadas! ¡Ay, hijo mío, si las manos estuvieran hechas del mismo blando cristal del corazón!

Las manos, Eliacim, estas manos que ahora me miro, llena de extrañeza y de pasmo, como si fueran las manos de una mujer decapitada por la Revolución Francesa; estas manos que me lavo varias veces a lo largo del día; estas manos que, a fuerza de cuidados, aún se conservan bastante bien; estas manos ciegas que un día sirvieron para peinarte el cabello, las veo hoy muertas y sin aplicación. Si las manos pudieran comprarse y venderse, hijo mío, yo no dudaría un solo instante en cambiarme estas manos mías por otras manos más felices, por otras manos que se supieran útiles para algo, necesarias para cualquier sonrosada o pálida empresa.

Pero las manos, Eliacim, las llevamos pegadas a la desventura, con la firmeza con que el viento traidor se pega a las velas del barco, y no podemos arrancárnoslas, de un hachazo, para que se envenenen con nuestro veneno los perros más hambrientos.

O sí podemos, Eliacim, y nos falta valor para hacerlo, vete tú a saber.

Las manos, hijo mío, sólo sirven para que nos pasemos el día mirándolas, por el derecho y por el revés, para sentirnos, a cada hora que pasa, un poco más prisioneros de sus malas intenciones, de sus peores y más premeditadas intenciones.

¡Ay, hijo, qué desgracia tan grande saber para qué nos sirven las manos, con sus cien huesecillos, sus dedos, sus uñas!

Cap. 184. Aquel jarrón que estalló en mil pedazos

Tenía en gran aprecio aquel jarrón que, en tu primer aniversario, hijo mío, estalló en mil pedazos sin que nadie lo tocara. No era auténtico (ya lo sé), pero tenía una airosa línea y un ave del paraíso, con siete plumas con los colores del arco iris en la cola, que le daban un gran empaque, una lucida y orgullosa presencia.

Aunque, al principio, pensé guardar los pedazos para pegarlos, uno a uno, con el mayor cuidado, después, cuando vi que recomponerlo era imposible, decidí tirar los pedazos, uno a uno, a la basura. Al final, Eliacim, los recogí, uno a uno, los envolví, uno a uno y cada uno en su papel de seda, y los escondí, sin que nadie me viera para no tener que andar explicando a nadie lo que a nadie le importa, en el cajón de mi armario.

En tus aniversarios siempre, Eliacim, y en los restantes días, cuando me siento aún más sola que de costumbre, me encierro en mi cuarto, abro, tarareando cualquier cancioncilla, para disimular, el armario, y contemplo y acaricio, uno a uno, los mil pedazos de aquel hermoso jarrón que estalló, sin que nadie lo tocara, el día de tu primer aniversario.

(He hecho la observación, Eliacim, de que los pedazos del jarrón estallado están calientes, muy calientes, en tus aniversarios, y después, poco a poco, se van enfriando hasta el aniversario del año siguiente, que vuelven a tener fiebre. Quizás, hijo mío, sea éste un hecho sobrenatural; en todo caso, yo no lo sé interpretar.)

El gran aprecio que tenía por aquel jarrón que, en tu primer aniversario, hijo mío, estalló en mil pedazos sin que nadie lo tocara, se me ha ido quitando. Ahora, lo que tengo en gran aprecio son sus pedazos.

Cap. 188. Una mancha de sangre en la almohada

Hijo mío, en la almohada de tu madre aparece, todas las mañanas, una mancha de sangre. Aunque al principio me preocupaba, porque ignoraba su origen, ahora que ya lo conozco, siento, incluso, que me acompaña. La sangre de la almohada de tu madre, hijo mío, es del pulmón; toso mientras duermo, y escupo sangre, una manchita pequeña, ovalada, que está seca y opaca cuando me despierto.

Me hizo muy poca ilusión el diagnóstico del médico, Eliacim, pero ya he ido familiarizándome con la idea de que no he de vivir muchos inútiles años sin objeto.

La mancha de sangre de mi almohada, hijo mío, suele parecerse a ti. Consulté con algunas personas que presumen de haberte conocido bien, Eliacim, y pude comprobar con tristeza que todas se han ido olvidando de cómo eras, de tu perfil, de tu corte de cara, del dibujo del revuelto mechón de pelo que solía caerte sobre la frente.

Tus retratos de sangre, Eliacim, los recorto cuidadosamente y, para que no se deshilachen, suelo hacerles un dobladillo todo alrededor; en esto vengo ocupando ahora casi todo mi día.

En mi testamento, hijo mío, he añadido una cláusula disponiendo que me amortajen con una sábana hecha cosiendo todos los retratos tuyos que yo escupo cada mañana.

Es algo trabajoso, ya lo sé, pero dejo veinticinco libras a quien se preste a complacerme. Alguno aparecerá.

Y nadie podrá decir que abandono algo de lo que más puedo querer en este mundo, Eliacim, esas siluetas tuyas que para ti fabrico, dentro de mis venas, noche a noche.

Cap. 189. El sastre sentimental

Cerca de nuestra casa, Eliacim, se ha instalado un sastre sirio muy sentimental, que llora cuando hace frío y regala campánulas a las muchachas cuando llega la primavera. Sus precios, hijo mío, no son nada baratos, sino más bien algo más caros que los de los otros sastres, pero la gente le ha cobrado simpatía, porque es muy bueno y muy sentimental, y él ve crecer incesantemente su clientela.

El sastre sirio, hijo mío, se llama Joshua y lleva una melena negra, muy lucida, que le cae como con displicencia sobre los hombros.

Joshua, hijo mío, tiene una pata de palo, pero no quiere decir dónde la perdió, ni cómo, ni cuándo; para mí pienso, Eliacim, que Joshua vino al mundo con una pierna de menos, porque, cuando alguien le dice ¿Joshua, dónde y cómo y cuándo se quedó usted cojo?, él rompe a llorar con gran desconsuelo, como cuando hace frío.

El otro día, Eliacim, hablé a Joshua del Mar Egeo y también lloró. Para compensarle un poco le encargué que me cortara un *tailleur* casi sin forma, pero esta mañana, al irme a probar, vió que había tomado mal las medidas y una vez más se echó a llorar. Joshua, hijo mío, es un sastre sirio tan sentimental que se pasa más de la mitad de la vida llorando.

—¿Le es a usted igual que el *tailleur* le esté un poco estrecho?

A tu madre, hijo mío, ya le pasó la edad de la coquetería, ya le pasó hace varios años.

—Bien, ¡si no es mucho!

Joshua volvió a llorar.

—¡Ay, sí, señora, sí es bastante! ¡Ay, qué inmensa desgracia la que sobre mí pesa!

Yo traté de consolarlo, Eliacim.

—No se preocupe, Joshua, a mí me es igual que el *tailleur* me esté estrecho, yo lo que quería era ayudarle a usted, me resulta usted un sastre muy simpático.

Joshua se tiró al suelo ahogado por el llanto.

—¡Ay, la caridad, siempre la caridad, y no el mérito del artista!

Yo, Eliacim, le pagué el *tailleur* y se lo dejé en la tienda. Verdaderamente, aunque pesase veinte libras menos y midiese veinte pulgadas menos, no hubiera cabido dentro de él.

Cap. 191. Me siento desesperada, aunque no desesperada con entusiasmo

Pienso que ha de ser horrible sentirse desesperada con entusiasmo, Eliacim, sentirse desesperada con todos los resquicios de la ilusión taponados con la estopa del odio,

Eliacim, herméticamente taponados con la viscosa e impermeable pasta del odio.

Pero yo, hijo mío, por fortuna, aunque me siento desesperada, no me siento desesperada con entusiasmo, no me siento desesperada con grandeza y sin remisión, como las altas olas de la mar, el viento que huye por los montes o la garduña soltera que se rasca la lepra en las más ásperas cortezas del bosque.

La desesperación de las madres de familia, Eliacim, aunque estas madres, como a mí me sucede, se hayan ido quedando sin familia, nunca alcanza los sublimes matices, los nobilísimos acentos de la desesperación de las vírgenes olvidadas, hijo mío, los corazones que se desesperan entusiásticamente, Eliacim, como los bailarines de ballet borrachos a quienes la policía acusa de espionaje a favor de los alemanes.

Sí, Eliacim, yo me siento desesperada, sordamente, humildemente desesperada, pero me da una gran paz interior el saber que no me siento desesperada con entusiasmo, como las mariposas viejas, aquellas que no encontraron un rincón propicio para tejer su capullito de tenue seda y palidecen al sol, como las telas de colores, mientras la luna sigue su apacible camino.

Cap. 196. Todo muy simple

Todo es muy simple, Eliacim, de una simplicidad que sobrecoge. Una mujer nace, crece, se casa, va de compras, tiene un hijo, se ocupa aparentemente del hogar, pierde a su hijo, hace obras de caridad, se aburre y muere. Y así una vez, y otra vez más, y otra vez más aún, hijo mío.

Todo es tan simple, Eliacim, todo viene a resultar, al final, tan simple, que a veces pienso que sólo los grandes asesinos merecen ser acreedores a la inmensa paz que suele anidarles en la mirada, en esa feliz mirada que no creyó en la sencillez de las cosas, hijo mío, en la torpe sencillez del adulterio, en la cotidiana sencillez de la usura, en la diáfana sencillez de la bestialidad.

Si nuestros primeros padres Adán y Eva, Eliacim, no hubieran sido expulsados del Paraíso, quizás, a estas horas, los seres humanos no tendríamos la obligación de sentirnos tan condenadamente, tan malditamente simples.

Sí, Eliacim, sí; todo es muy simple, todo es de una simplicidad que anonada. Un hombre nace, crece, aprende un oficio, se casa, procura ganar cada día más dinero, tiene un hijo, va al club por las tardes, pierde a su hijo, cuenta portentosas mentiras de la guerra o de sus cacerías en el Tanganyka, se aburre y muere. Y así una vez, dos, tres, cuatro veces.

(Hay hombres, sin embargo, Eliacim, que se ahogan con el oficio recién aprendido.)

Cap. 197. La gente que pasa por la calle

Tras los visillos, Eliacim, veo cómo se afana, cómo trajina y muere la gente que pasa por la calle.

La gente que pasa por la calle, hijo mío, no es varia y divertida, como podría suponerse, sino aburrida, resignada y monótona. La gente que pasa por la calle, Eliacim, con sus deudas, sus úlceras de estómago, sus disgustos familiares, sus insensatos y milagrosos proyectos, etc., marcha con el ánimo encogido, camino de ningún lado, con la secreta ilusión de que la muerte le coja de sorpresa, como el destripador de criaturas que acecha a la puerta de las escuelas.

Observando la gente que pasa por la calle, Eliacim,

con las manos en el bolsillo o un vergonzante paquetito bajo el brazo, suele acometerme una congoja que me desconsuela, un ansia que me llena la conciencia de vagos remordimientos, que me vacía los ojos de caridad.

Yo no me explico, hijo mío, por qué la gente que pasa por la calle tiene un nombre propio y un apellido heredado de su padre, cuando mucho más humano y mucho más lógico hubiera sido que cruzasen por la vida sin memoria, o con la espita de la memoria obstruída con una bolita de cristal.

La gente que pasa por la calle, Eliacim, la dolorosa, entumecida gente que pasa por la calle, hijo mío, con sus desnutriciones, sus lesiones tuberculosas, sus amores sin compensación, sus anhelos jamás cumplidos, etc., marcha sembrando estupidez y resignación sobre las malolientes tiendecillas y los plácidos burdeles del arrabal, un poco con la no confesada ilusión de que la muerte les coja con las botas puestas, como al vagabundo que hizo de su bota temblorosa carne de su pie.

Tras los visillos de mi ventana, hijo mío, veo cómo camina, siempre un poco escorada, la gente que pasa por la calle, camino del suplicio. Desde mi atalaya, Eliacim, se pierden casi todas las esperanzas.

Cap. 198. Los enfermos del hospital

1.

¡Qué silenciosamente, qué temerosamente alegres, Eliacim, los enfermos, los hombres y las mujeres que duermen sin documentación, qué felizmente, en la larga y fría sala del hospital, en el inmenso, en el dilatado mundo del hospital, robándose los unos a los otros, deseándose, de todo corazón, la muerte los unos a los otros!

¡Qué cautamente, qué sabiamente venenosos, Eliacim, los enfermos, los hombres y las mujeres, qué tenazmente, en la lóbrega y húmeda sala del hospital, en el enorme, en el desorbitado planeta del hospital, denunciándose los unos a los otros, jurándose, con toda el alma, el sepulcro los unos a los otros!

¡Qué taimadamente, qué disimuladamente malditos, Eliacim, los enfermos, los hombres y las mujeres que agonizan sin lágrimas, qué delicadamente, en la oscura y sucia sala del hospital, en el anónimo, en el ruin campo de batalla del hospital, zancadilleándose los unos a los otros, ofreciéndose, con sus últimas fuerzas, un beso en la boca los unos a los otros!

2.

¡Ay, hijo mío! ¡Qué temerosamente, qué sabiamente, qué disimuladamente, qué silenciosamente, qué cautamente, qué taimadamente alegres y venenosos y malditos, Eliacim, los enfermos, los hombres y las mujeres que duermen, y agonizan sin lágrimas, sin responsabilidad, sin documentación, qué tenazmente, qué delicadamente, qué felizmente, en la fría y húmeda, en la sucia y larga, en la lóbrega y oscura sala del hospital, en el anónimo y ruin campo de batalla, en el enorme y desorbitado planeta, en el inmenso y dilatado mundo del hospital, denunciándose, y robándose, y zancadilleándose los unos a los otros, y jurándose con toda el alma, y deseándose de todo corazón, y ofreciéndose con sus últimas fuerzas la muerte, y el sepulcro y un beso en la boca los unos a los otros!

Cap. 205. La mano de escayola

¡Si, por lo menos, Eliacim, tuviera una mano tuya de escayola! ¡Si, al menos, hijo mío, tuviera una mano tuya vaciada en escayola y cortada por la muñeca!

Las manos de escayola, hijo mío querido, son todavía más manos de muerto que las mismas manos de los muertos, Eliacim, y las madres que nos conformaríamos con guardar las orejas del hijo muerto envueltas en un pañuelo de hilo, ¿cómo no íbamos a dar lo que se nos pidiese, a cambio de una mano de nuestro hijo vaciada en escayola y cortada por la muñeca?

Recuerdo que cuando tú querías mofarte de cualquiera, Eliacim, decías, con el falso gesto que se suele emplear para decir la verdad: es un ser tan ridículo y tan grotesco que, de haber podido, tendría en su casa, vaciada en escayola y cortada por la muñeca, la mano del hijo que perdió en la guerra, ¡qué gran fastidio!

Pues bien, Eliacim, ése es mi caso, y puedes creerme, hijo mío, que visto desde dentro, esto de desear el vaciado en escayola, cortado por la muñeca, de la mano de aquel a quien se quiso y se quiere mucho y se perdió para siempre, es algo que resulta mucho menos ridículo y mucho menos grotesco de lo que tú, tan arriesgadamente, te imaginabas.

Si tuviera conmigo tu mano de escayola, me acariciaría con ella la mejilla. Nada me importa lo que puedas pensar. Pero, por tener que renunciar a todo, hijo mío, hasta a tu más fría y muerta forma vaciada en escayola he de renunciar.

Aunque nada me importa, Eliacim, ya que sé que algún día, a lo mejor el día menos pensado, volverás a casa como un pequeño erizo de mar arrepentido de tanta inútil navegación.

Y ese día, Eliacim, echaremos las campanas a vuelo mientras la gente se pregunta, con los ojos muy abiertos, ¿qué pasa?

(Pero esto sólo lo sabremos tú y yo.)

Cap. 209. El aire

Tengo la habitación llena de aire, amor mío, de un extrañísimo aire de color morado que me anima a no pensar, que me induce a pasarme todo el día tumbada encima de la cama, esperándote.

La noche me la pasé de claro en claro, amor mío, sin pegar ojo. Este sitio es limpio, raro y frío, no frío de temperatura sino frío de color.

(Mis mejores amigas, amor mío, a pesar de su promesa, no han venido a verme. Quizás no hayan podido hacerlo, a lo mejor se les ha muerto el marido, de repente, a todas.)

Tengo la habitación llena de aire, amor mío. A mí me parece que en esta habitación hay demasiado aire, amor mío, aire a presión, como en los neumáticos, aire para poder respirar durante toda una larga vida.

Cap. 210. La tierra

En la tierra de mi habitación, amor mío, he plantado varitas de nardo, más de mil varitas de nardo, para que se beban el aire, amor mío, todo el aire que sobra.

Tengo la habitación llena de tierra, amor mío, el cuerpo lleno de tierra, los ojos, y la boca, y los senos inútilmente llenos de tierra, amor, de una pegajosa tierra de color blanquecino que me va sepultando, que me va envenenando el paladar.

Tampoco he dormido esta noche, amor mío, viendo cómo crecía la tierra, plantando varitas de nardo en cada nuevo puñado de tierra que aparecía, en cada nuevo puñado de tierra que caía del espejo. (Las primeras varitas de nardo que planté, amor mío, fueron perdiéndose bajo la tierra que brotó después. Pero a mí me ilusiona pensar que esta tierra que avanza y avanza con crueldad, amor mío, va lastrada de varitas de nardo muertas como niños.)

En mi habitación hay demasiada tierra, amor mío. A mí me gustaría saberte enterrado en mi habitación, debajo del lavabo, entre los nardos. Por las mañanas, sin que nadie me viera, te desenterraría cuidadosamente, amor mío, para que respirases.

Y cuando ya la tierra llenase toda la habitación, nos moriríamos los dos, amor mío, abrazados definitivamente.

Sería un gracioso final, amor mío, un final ejemplar y que mis mejores amigas (que siguen sin venir a verme), envidiarían con los más secretos ímpetus de sus corazones.

Cap. 211. El fuego

No me asustó nada, amor mío, ver mi habitación llena de fuego, ver mi habitación ardiendo, ver mi habitación rebosante de cautelosas llamas que me abrasaban la carne. Incluso llegué a sentir, amor mío, un dulce y placentero bienestar imaginándome, ¡con cuánta precisión, con qué diáfana realidad!, que tú te reías, con la conciencia quebradiza como el cristal, desde la esquina en que, agazapado y con el rabo entre las piernas (un rabo carnoso y terminado en un anzuelo de un desvaído color verde claro), contemplabas la escena, dichoso de estar otra vez delante de mí.

Tenías los vueltos cuernos al rojo, amor mío, al rojo vivo, quizás por el calor, quién sabe si por el remordimiento, y me mirabas vestirme y desnudarme con arrobo, tomando notas en un cuadernito (cosa que me molestó, relativamente, porque yo ya no soy la que fuí). Para complacerte, amor, estuve todo el día vistiéndome y desnudándome a una velocidad vertiginosa, a un ritmo que me fatigó y me hizo toser.

Mi habitación está llena de fuego, amor mío, y en mi carne se levantan quemaduras grandes como manos que acarician, extensas como manos insaciables y sabias.

Pero aunque sé que el fuego de mi habitación es devastador y maldito, amor mío, y de la misma substancia que el fuego del infierno, me siento muy dichosa de saberte testigo de él, excepcional y apasionado testigo de él.

(Mis mejores amigas siguen sin venir a verme, amor mío; me da la sensación de que esto debe estar en el fin del mundo, en algún sitio a donde sea peligroso llegar. Nada me extraña que no se hayan atrevido a venir, que les haya dado miedo venir.)

Cap. 212. El agua

No puedo con el agua que cae del techo, amor mío, que mana de las paredes, que brota del suelo, que fluye de los muebles, y de las ropas de la cama, y de los objetos que tengo colocados sobre el tocador, incluso con un cierto buen orden.

El agua es algo que me atenaza, algo que me ahoga, algo que quisiera apartar de mí, amor mío, algo que quisiera también haber apartado de ti cuando todavía era tiempo... [1].

Madrid, 1947-Los Cerrillos, sierra del Guadarrama, 1952.

---

[1] *N. del T.*—En el original de Mrs. Caldwell siguen dos últimas cuartillas borrosas y absolutamente indescifrables, con evidentes señales de humedad, con inequívocas señales de haberse pasado horas y horas hundidas en el agua, como un marinero ahogado.

LA CATIRA

La catira *es, en mi intención, un canto arrebatado a la mujer venezolana. También a la tierra venezolana. A veces, el amor no encuentra razones con las que hacerse comprender. Novela «novelesca», novela con mucha acción, mucha pasión y no poca —aunque ignoro si lograda o no— poesía, en* La catira *ensayé, con todas las agravantes, la doble experiencia de la incorporación del mundo americano y su peculiar lenguaje a la literatura española. Sé bien que su lectura no es fácil, tanto por el empleo constante de palabras no habituales en el español de España como por la figuración que me propuse de su fonética. En la edición incluyo un* Vocabulario de venezolanismos, *de cuyas ochocientas noventa y seis voces aquí hago gracia al lector.*

Brindo en esta selección dos trozos de dos capítulos y un capítulo entero, el último de la novela. La catira *está dividida en dos partes: la segunda discurre en nuestros días y la primera, hace diez y seis o diez y ocho años. De los dos primeros ejemplos que ofrezco, doy entre corchetes el título que hubieran podido tener de haberse publicado no incluídos cada uno de ellos en su respectivo capítulo.*

A La catira *le fué otorgado el Premio de la Crítica 1956, único galardón literario que recibí.*

PRIMERA PARTE

CAPITULO I

La catira Pipía Sánchez

[LA BATALLA]

... ...

La noche había transcurrido nerviosa y pajarera en el hato del Pedernal. Don Froilán, rabioso como un tigre entabanao, estaba de un humor de todos los diablos.

—¡Ah, pi... zarra! ¡Si a ño Perico no me lo egüelven, de Potreritos no va a quear ni la jumaera!

La negra Cándida José no se apartó del patrón en todo el tiempo.

—¡Y la niña, don! ¿Po qué no se trae a la niña, don? ¡Míele, don, que en el hato e ahí e ese lao son bellacos!

—¡Usté ya se ha callao, negra! ¡Que lo que son en el hato e ahí e ese lao, ya me lo sé yo!, ¿sabe?

—¡Sí, patrón! Peo, ¿y la niña? ¡Ay, don, que la catira era tal y como una plumita e azulejo! ¡Qué doló más grande, don!

La negra Cándida José, sentada en una lata de kerosén vacía, no se hartaba de llorar.

—¡Anda, negra e el diablo, eja ya ese leque-leque, pues! ¡Con la soga a cacho y quijá te voy a traé a la niña, pa que la veas!

Don Froilán se dirigió a la peonada, reunida bajo el alar del hato.

—Güeno... ¡Toitico el mautaje por desmostrencá! ¿Qué se hizo e los tercios que metían un chicote a pie a un lebruno cacho e diablo? ¡Güeno...! ¡Aquí naide habla! ¡Que pu el llano no quea más que magalla con las manducas trozás! ¡Güeno...!

La peonada procuraba no mirar para don Froilán. Don Froilán, en la mano el cárdeno rejo de enlazar y el pavonado colt en el cinturón, tampoco hubiera consentido que lo mirasen.

—Güeno... ¡Pues hablaré yo!

Don Froilán se apoyó en un pitoco de jobo que por allí asomaba. Don Froilán carraspeó un poquito y escupió lejos; después, cambió la voz.

—En el hato Potreritos, muchachos, se gana bien... Güeno, mejó que en el Pedernal, eso es... En el hato Potreritos hay una rialera e güenos juertes de plata esparramá pu el suelo, güeno... Yo me voy a dir pa el hato Potreritos... El trabajo es muy jochao, muchachos, peo se gana bien...

Don Froilán se detuvo, a ver qué efecto habían hecho sus palabras en el personal. La peonada, en silencio, seguía sin mirarle.

—El que se quiea e vení conmigo, pues, no tié más que ensillá. Güeno... El que se quiea e vení conmigo ha e ve, pues, que entoavía no le ha volao la pierna al caballo, pues, y ya empieza a ganase los riales. El ganao e ese costo es menos bravo e lo que la gente piensa, pues...

Don Froilán sacó unos duros y los sonó en la palma de la mano.

—Esto es un ñereñere, muchachos... Güeno, en Potreritos hay más, toiticos iguales.

Don Froilán echó los duros a la peonada como hubiera podido echar un puñado de maíz a los pavos del corral.

El doctor Pacheco, al acercarse a Potreritos, metió a su ford por más allá del palmar de la Güérfana, para evitarse el paso del Turupial, en el camino del hato de Sánchez.

En el paso del Turupial, don Froilán había puesto, a eso de las cuatro de la madrugada, a tres hombres fregados, con la escopeta hambrienta y las gandumbas bien prietas.

—Y al primeo que pase, como no sea gente e el Pedernal, me lo caen a bala, ¿sabes?

—Sí, patrón.

Don Job Chacín, cuando se chocó al tranquero de Potreritos, respiró.

—¡Ajá, cuñao, que hemos llegao con bien!

—Sí, don, ¿y por qué no habíamos de llegá con bien?

Don Filiberto salió a recibirlos. Don Filiberto, aquella mañana, iba montado en el potro *Lancero,* el bayo cabos blancos de las grandes solemnidades.

—¡Guá, don Job, que ya me se hacía tardá!

—¡Güeno, don Filiberto, que anduvimos como que venteando la sabana, peo aquí le toy a la orden!

En Potreritos estaba todo preparado para la boda. Las mujeres habían adornado el altar de la Virgen —¡minúscula Virgen de la Coromoto, tímida como la yerbita de la granadilla!— con ramos de albahaca y de orégano y con la flor, oro y púrpura, de la marinela. A la catira, que había pasado la noche con un si es no es de fiebre, le dió la negra Balbina, que era algo curiosa, una fletación con agua de flor de mayo, por la cintura.

El patrón explicó a don Job cuáles eran sus propósitos. Don Job ya estaba al cabo de la calle.

—Sí, cuñao, que algo ya me contó don Juan Evangelista. Peo, ¿ha e se así, sin botá las amonestaciones?

—¡Y claro, don! ¿Y pa qué nos va a botá las amonestaciones? ¿Y no sabe usté que la catira y yo somos los dos solteros, pues, y sin compromiso?

—¡Guá, que también es cierto, vale!

La catira Pipía Sánchez, cuando ya estuvo vestida para la ceremonia, mandó llamar al mocho Clorindo López. La catira Pipía Sánchez estaba linda como una garza real.

—Mié, Clorindo, pues, que aquí paece y que me voy a casá...

—Sí, misia, que así paece.

—Güeno, peo toy aún soltera, ¿sabe?, y quería pedile un favó.

—Sí, misia, lo que usté hable.

La catira Pipía Sánchez llevaba un corpiño, bordado en oro, que le había regalado su mamá a don Servando, de recuerdo.

—Güeno, que espués, cuando ya me hayan botao la

bendición, ¿sabe?, ya no le tendré que pedí favores, ¡guá!, que seré el ama e el hato, ¿sabe?

—Sí, misia, que usté manda.

La catira Pipía Sánchez hurgó en su bolso hasta que se topó con lo que buscaba.

—Mié, Clorindo, tome estos cien bolos, ¿sabe?

—Gracias, misia, que tampoco había que dalos... Eso es mucho rial, señorita.

La catira Pipía Sánchez ni le dijo "de nada". La catira Pipía Sánchez tenía los ojos como un gato. A la catira Pipía Sánchez le tembló la voz.

—Al muerto e ño Perico, en su bestia, me lo pone más allá e el tranquero, en el camino e el Pedernal...

El mocho Clorindo tragó saliva y habló mirando para el suelo.

—A los muertos hay que ejalos, misia...

—Güeno, Clorindo, no me hable usté... Mié, ¿me quié jacé ese favó? A ño Perico hay que degolvéselo a don Froilán... Ño Perico es suyo... Los dos tién la mesma yel en el corazón...

La catira Pipía Sánchez habló como una sonámbula.

—También hay que no ecíselo a naide.

El mocho Clorindo tenía unos raros escrúpulos de conciencia.

—Peo, ¿y el patrón no se lo hemos de ecí?

La catira Pipía Sánchez sonrió, quizás incluso con tristeza.

—Al patrón no jace falta, Clorindo; el patrón ya lo sabe...

La potranca *Paraima*, con el muerto de ño Perico atravesado, se iba acercando, ni aún a medio casco, al paso del Turupial.

La catira Pipía Sánchez tenía la voz templada y llena de vigor.

—¿Quié usté pu esposo al señó Filiberto Marqués?

—Sí, quieo.

—¿Se otorga usté pu esposa, y tal y cual?

—Sí, me otorgo.

En aquel momento, a la catira Pipía Sánchez la encontraron hermosa hasta las primas del novio, las solteronas del hato Primavera, que habían venido a la boda a toda prisa, en una tartana y con sus mejores trapitos encima.

A lo lejos se oyeron unos disparos. Don Filiberto miró para don Juan Evangelista y don Juan Evangelista salió de la capilla.

—¡Ajá, muchachos, que empieza el joropo! ¡Calma, que tan enrabietaos y les vamo a da con el plomo en los ojos! ¡Ca cristiano a su escopeta, muchachos, y el que no la tenga que ajorre pa otra ocasión y que se gaste el mono!

La peonada de Potreritos respetaba a don Juan Evangelista y se sentía segura a su lado.

—Miá, moreno, que tú tiés un jaco que es el mesmo viento, ¿sabes? Y te vas a dir po la culata e la casa, ¿sabes?, y te güelas al hato Primavera a ecile al caporal que sus señoritas están en un peligro muy grande, ¿sabes?, en un peligro grandísimo.

—Sí, doctó.

—¡Pues ánimo, cuñao, y ya tas allá!

Don Juan Evangelista, organizando la defensa de Potreritos, tenía un noble aire de general romántico, de bravo llanero de un siglo atrás.

—Y tú, vale, te llegas a la mosca, pues, que se vengan a la casa, que yo no quieo muertos, ¿sabes?

—Sí, don.

Los disparos sonaron hacia el Turupial y por la parte de la laguna.

Cuando la potranca *Paraima* llegó, con su carga encima, hasta la gente del hato Pedernal, la peonada palideció.

—¡Guá, que son bellacos los de este costo!

Don Froilán trató de levantarles el coraje.

—¡Toitico erechos, compaes! ¡Al rumbo y ajuera e el camino! ¡Que tres caballos se corran a la trocha e Primavera, pa cortala! ¡Alante, muchachos, que les vamo a enseñá la danza a esos vegueros! ¡Alante, que esta noche hay que tomá ramás en Potreritos! ¡Que naide ajorre la pólgora, que va a sobrá! ¡Alante, que a estos marrajos se les revienta con el rejo!

Don Job, después de leer la epístola de San Pablo a los novios, tomó a don Filiberto de un brazo.

—Mié, patrón, que si quié yo me salgo a ecile a ese piazo e sute e el vecino que se esarrime a sus calcetas.

Don Filiberto sonrió.

—No, don, que el vecino es tercio caprichoso, ¿sabe?, que pa mí que no lo hicieron de güen palo...

Don Filiberto miró para don Job Chacín y don Job Chacín frunció un poco los ojitos.

—Ejelo y que se llegue a tiro, don; el hato Potreritos tié un güen melitá en don Juan Evangelista.

—Sí, don.

—Y claro que sí, cuñao... Con don Juan Evangelista en los tranqueros, uno se pué casá tranquilo, don.

La catira Pipía Sánchez estaba pálida y seria. A la catira Pipía Sánchez, de recién casada, le hubiera gustado ser hombre, para volarle la pierna a un potro y echarse al yerbazal a pelear.

—Tú, catira, te vas pa entro, que éste no es fregao pa señoras, ¿sabes?

—Sí, patrón.

A don Filiberto no le hizo gracia que la catira le llamase patrón, ni aún de broma.

—Dame un beso, pues, que eres mi señora.

—Sí que lo soy, ¡guá!, y haga Dios que te llene la casa e hijos...

A la catira Pipía Sánchez le corrió un temblor por el espinazo.

El moreno Chepito Acuña llegó al hato de las primas de don Filiberto, ajobachado y con la lengua afuera; su caballo *Espigao* tampoco estaba más fresco.

—¡Guá, caporal, que le vengo a comunicá y que estamo en guerra!, ¿sabe?

Aquiles Valle, el caporal del hato Primavera, no pareció inmutarse demasiado.

—¿Lo mesmitico que en España?

—Pues, sí, compae, eso es, lo mesmitico que en España.

Aquiles Valle era hombre de aficiones..., bueno, de aficiones más bien pacíficas y sosegadas.

—¡Guá, qué tronco e vaina! ¿Y pu ónde anda la guerra, moreno?

—Pu el hato e mi patrón, compae, que los cerreros del Pedernal nos han caío a bala y tan armando un zaperoco. Pa mí que lo venían tutumiando, compae, esde que mi patrón le enamoró la niña a don Froilán.

—Y antes, moreno, que el pleito tié los mesmos años que la catira...

—También pué se así, compae...

Aquiles Valle le ofreció un cafecito al moreno Acuña.

—¡Guá, que este gallito candelillo e don Froilán no tié arreglo, moreno!

—Pué que no, compae, que es tercio duro e pelá.

Aquiles Valle se consideró en el deber de preguntar por sus señoritas. Aquiles Valle, mientras le servía el café a Chepito Acuña, dejó caer las palabras como por compromiso.

—¿Y misia Marisela, moreno, y misia Flo e Oro?
—Pues ya lo ve, compae, en mitá e el combate.
Aquiles Valle volvió a torcer el morro.
—¡Guá, qué palo e vaina!

La gente de Potreritos disparaba desde el tejado y desde el corralón; la gente de Potreritos hacía la guerra con buen orden y con mucha serenidad.

La peonada de don Froilán, escondida entre la alta yerba, tampoco se asomaba del veladero. A don Froilán, a veces, se le veía cruzar, a lo lejos, recorriendo los puestos y animando a la tropa.

El doctor Pacheco había dado una orden muy clara.

—A don Froilán no se le apunta, muchachos. Don Froilán es venao pal patrón.

Entre la gente de Potreritos había ya dos bajas: el negrito guayanés Gonzalo Walter, muerto de un tiro en la cara, y el catire Lamberto Salas, un mozo bravito y barbilampiño que llevaba plomo en la cadera. El catire Lamberto Salas, cuando cayó herido, acababa de gritar, lleno de júbilo:

—¡Pata e mollejera la que le metí a aquel zambo en la barriga!

El catire Lamberto Salas ponía la bala donde ponía el ojo.

Don Filiberto, con el sol aún muy alto en el cielo, preparó una descubierta para intentar caer al enemigo por la espalda, desde el palmar de la Güérfana. En don Filiberto, para nada pesaron los argumentos con que don Juan Evangelista trató de disuadirlo.

—No, miá, chico, este tarantantín hay que acabalo. ¡Guá, que no vamo a ejá el coroto macaniao!

—¡Como mandes!

Cuando don Filiberto bajó a la cuadra, se encontró a

Lancero con las crines trenzadas y con un ramito de rosas sabaneras en la chocontana.

—¡Guá, la catira! ¡Qué ángel!

Si Lamberto Salas no tuviera plomo en el cuerpo, la catira Pipía Sánchez hubiera podido añadir aún más primores a su labor.

Misia Marisela y misia Flor de Oro —las dos empingorotadas, las dos secas, las dos sin conocer varón— rezaban rosario tras rosario, sin darse un punto de sosiego. Misia Marisela y misia Flor de Oro —las dos virtuosas, las dos sesentonas, las dos solteras— estaban indignadas con su primo Filiberto, que las había metido en aquel berenjenal. Misia Marisela y misia Flor de Oro —las dos timoratas, las dos ecuánimes, las dos piadosas— confiaban en Aquiles Valle, aquel güevón a la vela, como en el Santo Advenimiento.

—¡Ay, Marisela, qué doló!

—¡Ay, Flo, qué esasosiego!

El peón que hacía guardia en el ventano del cuarto donde las dos misias agonizaban, se arrancó por lo bajo con una canta llanera y vieja, sentimental y tradicional:

> Mataron a Juan Herrera
> en el combate e el Yagual,
> arrequintando su lanza
> contra el ejército rial.

Las dos primas de don Filiberto se miraron.

—¿Tú oyes, Marisela? ¡Ave María Purísima!

—Sí, Flo, ¿no voy a oí? ¡Alabao sea el Santísimo Corazón de Jesú!

Fuera, entre el gamelote y la cola de caballo, entre el guarataro y la yerba del Pará, la sangre pintaba amapolas que el sol se encargaba de secar.

Don Juan Evangelista se subió al tejado, a ver salir a don Filiberto. Antes, don Juan Evangelista había corrido el fuego hacia el tranquero de la trocha de la laguna, para distraer a la gente de don Froilán. Don Froilán, que era morrocoy viejo, no pisó el peine.

—¡Toiticos achantaos, muchachos, que ya se mostrará la res!

Don Filiberto se echó al pasto con cinco hombres de a caballo: el mocho Clorindo López, jinete en *San Benedicto;* Bartolomé Saucedo, montando a *Indio libre;* Catalino Borrego, que le voló la espuela a *Sonajita;* Catalino Revenga, caballero en el moro *Pallarón,* y Oscar Martínez a lomos de *Perro de agua,* un potro nerviosillo y rucio mosqueado, zumbao por las patas. La tropa de don Filiberto tenía una vieja prestancia desesperada.

—¡Ajá, a galope, muchachos, y portugués el que se quée atrá!

Los hombres picaron a las bestias y las bestias, al sentir el jierro, volaron como pájaros.

Entre la peonada de don Froilán hubo unos momentos de estupor. Don Froilán, con buen instinto, reunió a su gente. Si Aquiles Valle se hubiera presentado con cinco o seis hombres, don Froilán hubiera tenido que replegarse. Pero Aquiles Valle, a pesar de las órdenes que llevaba el moreno Chepito Acuña, prefirió quedarse en el hato Primavera, cazando paujíes. Y don Froilán, que conocía bien a Aquiles Valle, lo sospechó.

Don Filiberto y sus hombres llegaron sin novedad hasta el palmar de la Güérfana. La cosa estaba bien pensada, pero salió mal; las guerras, es lo que tienen. Don Filiberto intentó caerle por la espalda a don Froilán, pero don Froilán se percató y las cañas se tornaron lanzas.

Don Filiberto y sus hombres tropezaron en la canillera que les echó don Froilán.

—¡Ajá, los valientes del Pedernal, que los guates, de ésta, no juyen vivos!

Don Froilán le cayó a don Filiberto por los tres lados. Don Filiberto y su tropa se defendieron como leones, pero la suerte ya estaba echada. Bartolomé Saucedo, aquel tercio jaranero y guapo que tenía vida para dar y regalar, fué derribado de un tiro en la garganta, de un tiro que le cortó la voz para siempre. Su potro *Indio libre,* al sentirse sin peso, dejó escapar un relincho largo y extraño, un relincho desamparado y nada alegre.

—¡Que ya hay uno, muchachos! ¡Guá, y al bulto, que es un cerecere! ¡E las tucacas los vamo a colgá!

La peonada de don Froilán se creció.

—¡Ah! ¡Ah! ¡Apretá!

Clorindo López, con el mitigüison de la catira en la mano y el potranco *San Benedicto* al galope, cargó sobre el grupo en el que vió a don Froilán.

—¡Guá, chocoreto e el diablo, pando airiao!

A Clorindo López lo tumbaron de un lanzazo en la oreja del lado del ojo bueno. Clorindo López, en la yerba, notó el mundo tenebroso. A Clorindo López le sabía la boca a sangre. Clorindo López se hizo el muerto. Clorindo López estaba ciego. A Clorindo López le dolía el corazón.

Los boleros de don Froilán cayeron sobre don Filiberto en tropel, como el peje de la caribera. A pares, y aún a pares dobles, se hubieran echado atrás. Don Filiberto peleó por derecho y, ¡las cosas que pasan!, quedó encachao en su propia bravura. De la sabana huyó el viento para que el amo de Potreritos, jinete en el bayo cabos blancos de las grandes solemnidades, muriese con cinco balas de plomo clavadas un palmo más arriba del cinturón.

Por el suelo se esparramaron, como las perlas del collar de una joven suicida, las rositas sabaneras que llevaba el potro *Lancero* en la chocontana...

Sobre el llano retumbó un bramido sobrecogedor. El ganado —desde la fundadora paría hasta la novilla virgen, desde el orgulloso padrote al maute mamón— sintió una chispa ardiéndole en los cachos, y el bestiaje —el cimarrón airoso, la potranquilla grácil, la yegua de vientre, el capitán del hatajo— oyó el frío en los cascos, igual que si caminara sobre yelo. Perdió brillo el pintado plumaje del gallo de pelea —¡ah, gallito canagüey, gallito talisayo, gallito zambo, gallito marañón!—, palideció el púrpura de la corocora, se empañó el oro de la guacharaca, desafinó su melodía el turpial y enmudeció, con luto en el alma, la peraulata armoniosa y gentil.

La catira Pipía Sánchez llevaba dentro todas las desatadas fuerzas de una loba. La catira Pipía Sánchez, a caballo del potro *Chumito,* semejaba un doncel heroico dispuesto al más gallardo y al más inútil de los sacrificios. Catalino Borrego y Oscar Martínez habían llegado ya con la noticia. El moro *Pallarón,* sin Catalino Revenga encima, se acercaba, la boca en sangre, los ojos espantados, al paloapique del hato Potreritos. Catalino Revenga, como un leal, había muerto al estribo del amo.

Una rara calma, un silencio de muerte se posó, como una guacaba enferma, sobre la sabana.

La catira Pipía Sánchez mandó abrir todos los tranqueros. La catira Pipía Sánchez salió sola y airosa. La catira Pipía Sánchez llevaba en el alma ese sosiego sin linde, esa paz infinita, ese inmenso y poético estupor que sólo encuentran, tímido como la última florecilla que miran, los paladines de romance, los santos mártires y los grandes criminales. La catira Pipía Sánchez había dicho a la peonada:

—Que naide se mueva e el hato. Lo que pase entre mi papá y yo, es cosa nuestra. Si mi papá quié, me cruza la cara con el látigo... Si mi papá quié, me lleva arrastrando po las mechas po tóa la sabana...

Y la peonada y, con la peonada, don Job Chacín y don Juan Evangelista Pacheco, enmudeció.

La catira Pipía Sánchez no volteó la cara. La catira Pipía Sánchez se fué hasta donde estaba don Froilán. La catira Pipía Sánchez notaba estallarle el pecho bajo el corpiño bordado de oro con el que se había casado, aquel corpiño que le regalara mamá Chabelonga a don Servando, de recuerdo, poco antes de nacer ella.

—¡Guá, magalla e niña! ¡Llégate a acá, pues!

La catira Pipía Sánchez acercó un poco más su caballo... La catira Pipía Sánchez sabía que don Froilán le iba a cruzar la cara con el látigo... La catira Pipía Sánchez cerró los ojos... A la catira Pipía Sánchez, don Froilán le cruzó la cara con el látigo...

—¡Ah, pulla e volantona, señorita e mierda! ¡Llégate a acá, pues!

La tropa de don Froilán se mantuvo en un respetuoso silencio. Algunos hombres, al ver llegar a la niña, se habían descubierto.

La catira Pipía Sánchez volvió a acercar su caballo... La catira Pipía Sánchez sabía que don Froilán la iba a descabalgar asiéndola de los cabellos... La catira Pipía Sánchez cerró los ojos... A la catira Pipía Sánchez, don Froilán la descabalgó asiéndola por los cabellos...

—¿Era esto lo que usté quería?

Un tigre agonizando, un volcán que va a entrar en erupción, el viento derribando torres, no tenían la voz más velada, más siniestra, más hermosa, que la catira Pipía Sánchez, en aquellos momentos.

—¡Zamuro!

Don Froilán se cortó.

—¡Niña!

La catira Pipía Sánchez tomó al potro de don Froilán de la brida y le bajó el hocico. La catira Pipía Sánchez tenía un halo de negror envolviéndole la honda mirada.

—¡Zamuro!

Don Froilán levantó la cabeza a su caballo.

—¡Niña!

La catira Pipía Sánchez no quiso soltar la brida.

—¡Zamuro...! ¡Asesino...!

Don Froilán echó el potranco sobre la catira Pipía Sánchez... Por el cielo voló el carrao, como un fantasma... La catira Pipía Sánchez, desde el suelo, descargó su revólver sobre don Froilán. La catira Pipía Sánchez le metió las seis balas en el cuerpo; no marró ni una... Por el cielo voló la vocinglera chenchena... Don Froilán dobló por la cintura. No se movió nadie...

La catira Pipía Sánchez, de nuevo sobre *Chumito*, alzó la cara para hablar a la peonada.

—Váyanse al Pedernal, a esperá órdenes. Entierren a sus muertos y boten las armas a la laguna. ¡Tóas las armas! No quieo mirá cuál jué la que me ejó viuda... Ustés sabrán obedecé al ama e el Pedernal...

La catira Pipía Sánchez se volvió por el pisao de Potreritos. La catira Pipía Sánchez, cosa rara, no iba llorando. La catira Pipía Sánchez sabía estar en su papel.

En el horizonte se pintaron, elegantes y rojas, las nubes de la tarde.

CAPITULO IV

La caribera

[LA MUERTE DEL CAPORAL AQUILES VALLE]

... ...

A la madrugada siguiente, don Juan Evangelista tocó diana todavía de noche. La partida de don Juan Evangelista, aún con los gallos puñaleando a gritos la escurana, cruzó El Samán de Apure, pueblito de aguas duras, de bongos airosos, de curiaras sentimentales, de caribes ruines y cayaperos. Los cascos de las caballerías, retumbando en medio del silencio, ponían un romántico y misterioso contrapunto sobre el caserío. Las mozas de El Samán, medio dormidas bajo el mosquitero, notaron como un vago estremecimiento de la carne al escuchar el paso de la tropa.

—¡Ah, los vaqueros, niña, que se van pa la vaquería!

El indio Adelito Rosas, saliendo de El Samán, rompió a cantar.

> Soy indio poque es preciso,
> poque indio jué mi papá;
> quiere ecí que mamá
> no faltó a su compromiso.

El indio Adelo tenía muy buen oído y una voz, triste y melodiosa, de pajarito solitario.

Don Juan Evangelista se metió por el pisao de la orilla, en el camino de Santa Catalina, lugar que queda al otro lado de las aguas. Don Juan Evangelista abrió a su compañía en abanico, para que pudiesen otear mejor el terreno.

—A la primea señal me se juntan, pues, me se llegan tóos dispuestos pa peliá... Yo sé que naide me se va a echá atrá...

Los hombres de don Juan Evangelista se callaron. Ninguno de los hombres de don Juan Evangelista, llegado el momento, hubiera sido capaz de echarse atrás.

—Güeno, pues, y suerte pa ladrale en la cueva al pato e Aquiles, que allá nos encontraremo...

—Sí, don, que allá nos encontraremo, pues...

El indio brujeador amigo del zambo Candelito Manuel, el indio brujeador que había visto las bestias maroteadas y como pajareras, se llamaba Fortunato García y cargaba unos viejos y haraposos calzones que le llegaban, estirándolos mucho, a media canilla. El indio Fortunato García iba descalzo. El indio Fortunato García, en el talón izquierdo, llevaba, sujeta con dos tiras de crudo y hediondo cuero de res, una espuela de hierro, una espuela violenta y monstruosa capaz de desjarretar un potro de una sola arrimada.

El tautaco saludó a Evaristo, al pasar. Evaristo le correspondió, quitándose el sombrero.

—Buenos días, pájaro, y salud para verlos terminar.

Evaristo, a veces, era muy cumplido y muy amable. Evaristo, cuando la vena le daba por ahí, sabía portarse bien, sabía estar reverencioso y correcto como un escuelitero. Evaristo, en el despliegue de la tropa, contando a partir del río, ocupaba el tercer lugar; el primero era el del mestizo Rubén Domingo; el segundo, el de don Juan Evangelista Pacheco, y el cuarto, el del indio Adelo Rosas.

Al cabo de hora y pico de andar, Evaristo vió, al pie de unas palmas moriches, a un tercio de rara estampa que se esforzaba por ocultarse. Evaristo dió la voz de alarma.

—¡Eh, eh! ¡Fíjense en aquel tipo! ¡Por allá va, escondiéndose entre las palmeras!

Don Juan Evangelista Pacheco mandó al mestizo Rubén Domingo y al indio Adelo Rosas a que le cortasen la escapada.

—A mí no me parece Aquiles Valle, doctor.

—Ahorita veremos, cuñao. Aquiles Valle también tié que aparecé así, como e improviso, pues...

Evaristo y el doctor Pacheco se acercaron al palmar,

de frente y sin poner las bestias al galope. El hombre que se había escondido —un indio que cargaba unos calzones, derrotados y valetudinarios, que le llegaban, con buena voluntad, a media canilla—, se asomó en son de paz.

—¿Lo ve cómo no es Aquiles?

Evaristo y el doctor Pacheco se llegaron al hombre que se había escondido.

—¡Guá, don Juan Evangelista! ¿Qué hubo? ¿No se recuerda e mí, pues? Yo soy Fortunato García, ¿no se recuerda e mí? En Cunaviche nos conocimo, güeno, va ya pa largo, en vía e su señó papá, que en pa escanse. ¿No se recuerda e mí, pues?

Don Juan Evangelista no se acordaba, sino muy vagamente, del indio Fortunato García.

—¡Ah, Fortunato, y cómo no! ¡Ya lo creo que me recuerdo, compae Fortunato!

El indio Fortunato García sonrió con agradecimiento. El indio Fortunato García iba descalzo. El indio Fortunato García, en el talón izquierdo, llevaba, sujeta con dos tiras de nauseabundo y fresco cuero de res, una espuela de hierro, una espuela cruel y descomunal capaz de desgraciar un potro, con sólo pasársela.

—¿Y qué le trajo pu estos pagos, Fortunato?

El indio Fortunato García respondió con cierto cómico descaro.

—Pues ya lo ve, don, unos potrancos que le vide, pues, y que pensé que lucían güenos pa llevárselos...

Don Juan Evangelista, nada más verlos, reconoció los potros de misia Marisela y misia Flor de Oro. Pero don Juan Evangelista Pacheco se calló. Ni el gallego Evaristo, ni el mestizo Rubén Domingo, ni el indio Adelo, que no habían andado por el hato Primavera, hubieran podido delatarlo con su indiscreción.

—Y las bestias, cuñao, ¿no tenían a naide al cuido?

—Pues, sí, don, sí que tenían a alguien, pues, que el marico e Aquiles Valle, ¿sabe?, andaba con ellas... Peo el caporal se jué, don, yo no le sé ecí... Peo yo pienso que tendrá que andá pu aquí cerca, don, que las bestias taban aún maroteás, ¿sabe?

La tigana volaba, entre armoniosos clarinazos, detrás de los mosquitos zumbadores, en pos de la mosca roja y azul del morichal. Don Juan Evangelista se puso a pensar. El pico-e-plata enamoraba el aire con su silbo. Don Juan Evangelista Pacheco tenía el gesto como preocupado. El güirirí —ese alegre bandolero— cruzó en cayapa. Don Juan Evangelista Pacheco se arrancó.

—Mié, compae Fortunato, pues, quéese con los potros, ¿sabe? Los potros se los regalo... Yo pueo jacelo, güeno, y se los doy pa usté... Los potros ya son suyos, cuñao... Si alguien le pregunta, usté le ice que me lo pregunte a mí, ¿sabe?

El indio Fortunato García se frotó las manos.

—Gracias, don... Naide preguntará, lo ha e ve...

El indio Fortunato García quiso pagar a don Juan Evangelista con la buena moneda de la lealtad.

—¿Pa qué le pueo serví, don? ¿Qué encomienda quié usté encomendame, don?

—Ninguna, compae Fortunato, ocúpese e sus bestias... Usté ya cumplió, pues, no más que mostrándose, ¿sabe?

El indio Fortunato García no entendió lo que don Juan Evangelista le quiso decir. El indio Fortunato García, la verdad es que tampoco lo necesitaba. El indio Fortunato García, sobre *Ululay* y con las otras dos bestias de la rienda, se perdió por la trocha que llevaba a la carretera de Mantecal. El indio Fortunato García, desde lejos ya, volteó la cabeza para despedirse botando al aire su peloeguama costroso. El indio Fortunato García iba feliz.

—¡Ah, indio, que los potrancos valen una rialera!

Don Juan Evangelista volvió a abrir a su gente. Antes, don Juan Evangelista y sus hombres, sin poner pie a tierra, se tiraron los troncos al buche, para hacer por la vida.

—¿Y usté se piensa, don, que Aquilés tié que andá pu estas matas?

—Y sí, cuñao, que yo le pienso que Aquiles nos va a saltá, pues, antes de que el día caiga, ¿sabe?

El indio Adelo Rosas tenía olfato de perro. El indio Adelo Rosas tenía oído de venado. El indio Adelo Rosas tenía vista de tigre. El indio Adelo Rosas, con el sol en el meridiano, se paró sobre los estribos de *Yerbatero*. Don Juan Evangelista se le acercó.

—¿Qué escucha, Adelito, pues?

El indio Adelito Rosas levantó la cara.

—Que no escucho, doctó...

Don Juan Evangelista Pacheco miró para el horizonte.

—Entonces, ¿qué aguaita, pues?

El indio Adelito Rosas volvió a poner las cachas en la bridona.

—Que no aguaito, doctó..., que paece como que güelo...

Don Juan Evangelista Pacheco venteó el aire.

—Y que yo no güelo na, cuñao.

—Sí, doctó, fíjese, pues, que pa mí como que el aire trae una jedentina a muerto...

Guiados por la nariz del indio, don Juan Evangelista Pacheco, el mestizo Rubén Domingo y el gallego Evaristo se acercaron a un palmar que pintaba su silueta sobre el río.

—Y sí que güele, don.

—Ahorita, sí, cuñao; alguna bestia...

El indio Adelo Rosas tenía la cara seria.

—No, doctó, pa mí que no es una bestia, güeno, pa

mí que es un cristiano. Jiede amarguito, doctó... Las bestias jieden como más endulzao...

La zamurera siniestra, a la llegada de los hombres, levantó el vuelo sobre el cadáver del peón Gilberto Flores. Don Juan Evangelista se estremeció.

—Que naide escabalgue.

Los hombres de don Juan Evangelista obedecieron. El peón Gilberto Flores, casi en cueros y con las carnes y la cara mordidas por el negro y desgarbado pájaro de la carroña, semejaba un horrible pelele degollado, ultrajado, olvidado y por enterrar.

—¿Lo conocen ustés?

El único que habló fué el indio Adelito.

—No, doctó...

Don Juan Evangelista sintió que se le saltaba la voz.

—Yo, sí...

Don Juan Evangelista Pacheco aflojó la rienda a *Carasucia*, y *Carasucia* salió andando con *Tamerito*, con *Bienmesabe* y con *Yerbatero* detrás. Con los hombres aún a tiro de piedra, los zamuros volvieron a su aplicada labor de dejar al peón Gilberto Flores con el carapacho mondo y lirondo.

Un silencio atenazador envolvió al llano. Los hombres de don Juan Evangelista no se atrevieron a romperlo, en las varias horas que caminaron sin novedad. Un muerto, es mala cosa; pero un muerto comido por los zamuros, es peor cosa todavía.

Aquiles Valle se perdió solo, igual que el pajarito vajeado por la bicha. Los hombres del doctor Pacheco no habían visto a Aquiles Valle, que estaba enmatado en un estoracal. Pero Aquiles Valle sintió venir a los hombres del doctor Pacheco, se vió bajito y se le fué la cabeza. Aquiles Valle —¡ah, qué marico pavoso!, ¿y pa cuándo ejó usté, caporal, las conchas que el diablo le dió?— se perdió solo. Ni el doctor Pacheco, ni Rubén

Domingo, ni Adelo Rosas, ni Evaristo habían pensado que el caporal estuviera oculto entre aquellos estoraques. Pero el caporal Aquiles Valle se desorientó y se cegó. Dios ciega a quienes quiere perder.

El caporal Aquiles Valle picó espuelas a *Cacique* y se enseñó, pálido y bien dibujado, a menos de veinte pasos de la tropa. Los hombres de don Juan Evangelista se pararon en seco.

—¡Ese es!

Don Juan Evangelista jopeó a su gente.

—¡Ese es! ¡Ajá, a galope y sin dispará, que es nuestro!

Evaristo, ciego y sordo por la emoción del tomate, no oyó la orden. Evaristo desenconchó el mitigüison y apretó el gatillo. Evaristo —¡pero, hombre, Evaristo!, ¿no decía usted que no sabía tirar?— no dió al caporal, pero le metió la bala en la boca al potro *Cacique*.

—¡Sin dispará, que es nuestro! ¡Ajá, por él! ¡Bichanguéenlo duro, que no se va!

El zebruno *Cacique*, con el morro sangrante y el bocado roto, pegó un reculón y se volteó sobre los cuartos de atrás, con el río mismo frente a la cara. Fué todo muy rápido —¡pum!—, más rápido de lo que se cuenta —¡zis!, ¡zas!—, tan rápido que el caporal no pudo ni botarse al suelo —¡chumbulún!— y se magulló en la chorrera asiéndose, como un fantasma loco, a la crin del potranco.

—¡Alto!

El animal dejó escapar un sordo relincho que ahogó el retumbador y amargo glu-glú del agua. Aquiles Valle rugió, insospechadamente, como un león herido. El animal quiso nadar y mostró sus ojos puros y desorbitados, unos ojos que eran el mismo espejo del miedo. Aquiles Valle ni siquiera sabía nadar. Así, acababa antes.

—¡¡Alto!!

La caribera cargó sobre el hombre y sobre la bestia, que braceaban, inútiles y violentos, acodándose en su propio espanto. El animal volvió a relinchar y el hombre tornó a rugir, envenenados ya por sus mil mordeduras de fuego. El animal mostró el morro un instante y por el aire volaron, orgullosos, vencedores, brillantes, los dos caribes que se cebaban en su boca sangrienta. El caporal Aquiles Valle, ni asomó la gaita por encima de las aguas.

—¡¡¡Alto!!!

La caribera prendió al hombre y al animal a las rígidas bridas del agua, y el hombre y el animal, tiñendo el agua de sangre y de yel, se hundieron, ya para siempre jamás, en la muerte del río Apure, esa muerte que tiene cara de papel de lija.

—¡¡Alto!!

Ni el potranco ni el hombre volvieron a asomar; la caribera se encargó de que ni el potranco ni el hombre volvieran a asomar. Desde la orilla, saliendo de las dulces raíces de la yerba, brotando de las viejas y suaves piedras del lecho, bajando el río, nadando contra la corriente, cruzándose, entrecruzándose y atropellándose, miles y miles de caribes raudos y violentísimos se sumaban al suculento e impensado banquete funeral.

—¡Alto!

Los hombres de don Juan Evangelista Pacheco bajaron la cabeza. Evaristo —él sabría por qué— se descubrió.

—Igualito que con la vaca lebruna...

—¿Eh?

—Nada, no decía nada...

En el horizonte se pintaron, rojas y elegantes, las nubes de la tarde. Lo mismo que el día del peleón del Turupial. El llano, a veces, varía poco, muy poco.

SEGUNDA PARTE

CAPITULO IV

La cesta de Sibisibe

La tierra queda. La tierra queda siempre. Aunque los ríos se agolpen. Aunque los cielos lloren, durante días y días. Aunque los alzamientos ardan. Aunque los hombres mueran.

—¿Manque las mujeres se tornaran jorras, güeno, como las vacas?

Sí; aunque las mujeres se volviesen horras, igual que las viejas vacas agotadas, la tierra, esa rara substancia, quedaría siempre.

—¿Y el día que el mundo reviente, vale?

—¡Guá, compae, no lo piense! ¡El mundo ta entoavía finito!

A la tierra la levanta el viento. La tierra se lleva y se trae pegada a la alpargata. La tierra, a veces, se abre y escupe fuego, como un dragón.

—¡Ah, cuñao, qué vaina e pendejá más misteriosa, pues, qué tronco e vaina, to esto e la tierra...!

Pero la tierra, pase lo que pase, no devuelve a sus muertos. A quien Tunga se lo lleva, la tierra no lo trae. La tierra se alimenta de muertos, se nutre de dolorosos o indiferentes muertos.

—Güeno, peo a la res se la devora el zamuro, compae, y no la tierra...

—Y, sí, cuñao, peo el zamuro también esaparece, pues, y zamuro no come zamuro, ¿sabe?

Don Job Chacín se preparó un cafecito en el reverbero. Había algunas cosas que don Job Chacín jamás pudo explicarse.

—Prefieo una montonera e mauseros.

—¿A qué, don?

—A tóa esta lava e guiña, catira...

La catira Pipía Sánchez, una vez más, dió tierra a sus muertos. Los sabios dicen que hay tribus, remotas tribus, que cuando las cosas vienen mal dadas, comen tierra.

—¡Y muy fregao se les tié que poné el coroto, compae!

—Güeno, peo cuentan que la comen, ¿sabe?, que yo no lo he mirao po mis ojos...

La catira Pipía Sánchez, desde la muerte del hijo, se agarró aún todavía más a la tierra. La tierra es, al mismo tiempo, caritativa y cruel, hermosa y monstruosa, blanda como la pluma de garza y dura como el viento del páramo, amarga y dulce, sonreidora y esquiva, desmemoriada y rebosante de amor. La negra María del Aire sintió que sus olvidos no andaban con la luna.

—¡Guá, negra, que e tanto dir al conuco, le va a pegá el plomo...! ¡Que los piones le son muy jochaos, ¿sabe?, y no buscan a la negra más que pa gozá...!

A la negra María del Aire le pegó el plomo.

—Güeno, mejó pa mí... ¡Tampoco voy a se la primé negra que bote al mundo un muchachito clareao...!

—Tampoco, pues...

El moreno Chepito Acuña, con su pañuelo, quitaba todas las noches la tierra a su peloeguama. El moreno Chepito Acuña lucía triste, desde algún tiempo atrás.

—¿Y pa qué tanto limpiá el alón, moreno?

—¡Pues ya ve!

La negra María del Aire, recién ascendida, daba yelito al moreno Chepito Acuña. Al moreno Chepito Acuña, un día, se le fué el yelito contra el suelo. La negra María del Aire se rió.

—¡No se reiga, pues, que me se ha llenao e tierra!

—La tierra no es mala, moreno, sóplele un poquito no más...

Catalino Borrego se chocó a San Juan de los Morros,

a cumplimentar unas diligencias de la catira. Leónidas Bujanda, el poeta que se hizo famoso cuando lo del óbito del doctor Eligio Rivero, jurisconsulto de mucho renombre, había instalado un mabil de mala muerte a medias con una tal ña Sentimientos, vieja de oficios varios y mujer de inestables geografías. El poeta Leónidas Bujanda, entre palo y palo de ron, compuso un soneto que tituló "In memoriam" y que empezaba así:

> Parca inclemente que segó la espiga
> y botó a tierra la más alta estrella.

Leónidas Bujanda era un poeta especializado en parcas. Ña Sentimientos le decía el verso a todo el que asomaba el hocico por su casa.

—¿Es lindo, ah?

—¡E lo más lindo que se ha escuchao, comae...! ¡Guá, que es lindo!

En La Yegüera, el poeta Leandro Loreto Moncada también arregló otro soneto. El poeta Leandro Loreto Moncada lo tituló "In memoriam". El soneto del poeta Leandro Loreto Moncada empezaba así:

> Capullo tierno que la parca airada
> volteó a la tierra que lo vió nacer.

La gente solía decir que el poeta Leandro Loreto Moncada era más fino, más espiritual, pero que el poeta Leónidas Bujanda tenía más fuerza, más mensaje. Cuando hay un muerto por medio, estas güevonadas de los poetas jieden a mamaera e gallo.

Don Job Chacín se preparó un cafecito en el reverbero. Don Job Chacín, por más que se esforzaba, no conseguía hacerle comprender al poeta Leandro Loreto Moncada que la tierra, pasase lo que pasase, era siempre la misma.

—Esde Adán y Eva, bachillé, pa que lo vaya sabiendo, la tierra, güeno, sigue onde está. El Guárico, bachillé, pa que lo vaya sabiendo, tenía el mesmo coló cuando lo miraron Adán y Eva, güeno, si se chocaron pu acá, cosa que no se ha averiguao.

El poeta Leandro Loreto Moncada, es posible que ni siquiera para irritar a don Job, lucía su más afiladita cara de liebre.

—¡Guá, don, qué ideas! ¡Peo si el Guárico estaba sin inventá aún, pues, pu aquellos tiempos...!

Don Job Chacín, hablando con el poeta Leandro Loreto Moncada, se ponía de un humor de mil pares de diablos.

—Mié, bachillé, lo mejó es que no se meta en estas profundiades, ¿sabe?, que pa mí que es usté muy cortico e luces...

El poeta Leandro Loreto Moncada se levantó y se fué, con el rabo entre piernas. Don Job Chacín sopló el reverbero y se sirvió el cafecito.

—¡Ah, qué palo e tontiloco este bachillé comemierda...! ¡Lo que tié uno que aguantá, amarrao a tanto ignorante...!

Don Job Chacín, desde la muerte de Juan Evangelista, se engrillaba por cosas que antes le tenían sin cuidado.

—Ta güeno el cafecito... Sí, señó, ta güeno... Y ahorita me voy a pelá la barba... Sí, señó, ahorita me voy a pelá la barba, que pa eso es mía...

Don Job Chacín, desde la muerte de Juan Evangelista hablaba solo. Don Job Chacín prendió el reverbero para calentar el agua de la afeitada.

—Y entre lintre me pelo la barba, güeno..., entre

lintre me pelo la barba, pues..., na. Entre lintre me pelo la barba, na...

El reverbero de don Job Chacín era un reverbero de lujo, regalo de la catira Pipía Sánchez.

—Y que lo mesmo le vale, cuñao, pa un roto que pa un descosío..., que lo mesmo le vale, güeno, pa fritá que pa cocé...

—Y, sí, don, que le son muy prácticas, pues, tóas estas maquinitas.

El pereza, desde su yagrumo, adivina pasar el tiempo. El oso palmero, desde el morichal, mira crecer las aguas. El morrocoy de la corriente, la lapa de la vaguada, el cachicamo de la terronera, el tigre de la alta yerba, el venado corredor, el caribe traidor, el gavilán volador, sienten, a veces, que algo raro sucede.

—¡Abajo la raza latina!

El poeta Leónidas Bujanda le tentó el bulto de la plata a su hermano Publio. A la ocasión la pintan calva.

—Güeno, manito Publio, pues, que el arte no da pa lujos..., que la existencia e el verdadero poeta es muy jochá, güeno, manito Publio, en estos tiempos tan metalizaos...

El Tornado Cubiche sabía bien que la obligación de toda coima que se precie es defender la tela de su cabrito contra las tenazcadas de los parientes.

—Miá, Publio, tú verás, ¿ah? Yo no me voy a meté... Leónidas es tu hermano, güeno, y yo no me vóy a meté, ¿ah?, peo a mí me paece que Leónidas te vié to erechito pu el rial, ¿ah?

Publio Bujanda era tercio de moneda pronta. Además, Publio Bujanda admiraba las habilidades del poeta Leónidas.

—Miá, chico, poco es, ¿ah?, peo toma este marrón, güeno, y no se lo igas a la maracucha...

—A naide, manito... Po mí, naide lo ha e sabé... En estas cosas es mejó la reserva, pues, y ni abrí la boca...

Ña Sentimientos le propuso al poeta Leónidas la forma de corresponder.

—Que más vale tenelo bien preparao, pues, po lo que puea pasá...

Ña Sentimientos, recordando sus viejas artes de cabrona, era hembra que acertaba a dar en la ñángara de cada cual.

—Arréglale una rumba a la maracucha, pues, pa que Publio le ponga el compasito.

—Ya lo había pensao, Sentimientos, yo creo que eso le habrá e gustá mucho...

El poeta Leónidas Bujanda le escribió a *El Tornado Cubiche* una letra procaz y descocada a la que tituló "El cambur". A *El Tornado Cubiche* le agradó y el poeta Leónidas, en vista del éxito, le compuso "Mango maduro" y "La ponchera de plata", letras que, andando el tiempo, llegarían a hacerse famosas.

Publio Bujanda le arrimó al poeta otro marrón.

—Y a la maracucha, ni japa, ¿ah?

—Escuida...

Cuando el pereza se aburre, se hace una bola y se deja caer, desde la rama más alta del yagrumo; después se va a dar un paseo por el campo, hasta no muy lejos.

—¡Abajo la raza latina!

Telefoníasinhilos de Vásquez R. le ordeñó la teta de los bolos a la hermana Saludable Fernández. A la ocasión —se dice—, asirla por el guedejón.

—Güeno, Salú, pues, que con esto e tanto muchachito, una no tié ni pa lo más preciso... ¡Guá, que al que nace pa caleta, e el cielo le caen los bultos!

El Tornado Cubiche le aflojó la mosca a la hermana

Telefoníasinhilos. Publio Bujanda veía con resignación las caridades de *El Tornado Cubiche*.

—Miá, negra, bótale unos juertes a la sobriná... Yo te pienso que tóa esta cayapa tié que pasá más gazuza que una pella e portugueses.

El amanuense Dorindito le sugirió a su señora la mejor manera de expresar el agradecimiento.

—Que más va va vale te te tenela ami mi miga, pues, po lo que pu pu puea ve vení.

El amanuense Dorindito tenía alma de siervo y un raro instinto para adivinar las cobas del prójimo.

—Lla lla llámale pla pla platúa, pu pues.

—Ya lo había pensao, Dorindo Eliecer, a mi manita Salú le gusta escuchá que ta en la guama.

Telefoníasinhilos de Vásquez R. le jaló mecate a *El Tornado Cubiche*. *El Tornado Cubiche*, en agradecimiento, le soltó otra pila de duros.

—Y Publio no tié po qué enterase, ¿ah?, Publio no tié po qué sabelo.

El Tornado Cubiche prefería que Publio supusiese que los reales habían sido más.

El Tornado Cubiche, como los comerciantes avisados, llevaba dos contabilidades.

—Escuida...

Cuando las aguas bajan su pujanza invernal y vuelven, casi como corderos, a empatiarse en sus previstos cauces, el oso se descuelga, a tímidos brincos, del moriche esbelto, y se pasea, igual que un señorejo vitoco, por la húmeda tierra recién despierta.

—¡Abajo la raza latina!

El moreno Chepito Acuña procuró consolar el moceril entusiasmo de la negra María del Aire.

—¡Morenitica bonitica, preciosura e mis ojos, pajarita e las nieves, rosita e la sabana, pitreza e tóa la tierra, lindura e la Pachequera, que me dé un besitico apretao en la mitá e el morro...!

La negra María del Aire pronto echó a un lado el recuerdo del caporal Feliciano Bujanda. A rey muerto, rey puesto y el que venga detrás, que arree.

—¡Ah, que no son horas, moreno, que to tié su tiempo, pues...! ¡Confórmese con su yelito y no me friegue, ¿sabe?, que tengo que trabajá...!

El moreno Chepito Acuña, cuando la negra no andaba facilona, lucía manso y bobalicón hasta que la noche, con su mejor cultivada diligencia, arropaba en amorosas sombras al caney. La negra María del Aire, quizás para evitarse incómodas comparaciones, no había vuelto a entrar en el conuco, desde la muerte del caporal Feliciano Bujanda. Es posible que a la negra María del Aire también le latiese, vaya el diablo a saber en qué cruz de sus carnes, un último y cachondillo resto de fidelidad.

—Que en el caney se ta mejó, moreno, a la sombrita e la luna...

—Güeno, negra, que yo toy bien en tóas partes, ¿sabe?, con tal de andá a su lao...

A la negra María del Aire, con un niño en la panza, el amor le brotó jacarandoso, maromero y alegre.

—¡Que yo le pienso igual, moreno, que yo le pienso igualitico igual!

Cuando algo raro acontece y los hombres y los animales se desorientan, el probo cachicamo, la recoleta lapa, el morrocoy paciente, guardan las formas.

—¡Abajo la raza latina!

Peje caribe, en cambio, el gavilán, el venado, el tigre, alborotan y echan los pies por alto, como una negra núbil que espera novedades y cree, a pie juntillas, en casualidades.

—¿Y cómo jué, negra, que le hubo e pegá el coroto, tan motolita, pues, tan mosca muerta?

—¡Y ya lo ve, misia, tinoso que me salió mi amó, ¿sabe?, que me acertó a la primera, güeno, sin mallugame ni una ñinguita así...!

—¿Ni una ñinguita así, negra?

—¡Güeno, misia, casi...! ¡Toíto le vié a resultá mesmo asegún se hable...!

—¡Ah, negra, no me se ande mangüeleando, pues, que yo no le voy a pedí cuenta e sus amoríos, ¿sabe?

La negra María del Aire se encampanó.

—¡Que ya lo sabía, misia, sin que me lo ijese naide!

Libertad de Asociación Gutiérrez, el primer marido de Telefoníasinhilos —la esposa del amanuense Dorindito— y el papá de sus tres primeros niños, Sesquicentenario del Lago, Helicóptero y Supereterodino, fué tercio arbitrista y soñador que pensaba arreglar el mundo cortándole las alas, o quién sabe si la cabeza, a la raza latina. Libertad de Asociación Gutiérrez llamaba raza latina a los curas y monjas.

—¡Qué vaina e cachorrá, compae!

Misia Picaflor, la mujer que porfiaba con la negra María del Aire, era una santanderina pacotillera que se había chocado a Potreritos vendiendo bacinillas de peltre y matrimonios.

Don Job Chacín arrimó la canoa al decaído ánimo de la catira Pipía Sánchez.

—Miá, catira, la tierra quea, ¿sabes? La tierra es lo prencipá, catira, to lo emás son pendejás y gana e pasá el tiempo.

La catira Pipía Sánchez, enmatada en sus cavilaciones, no solía prestarle mucho cuidado.

—Sí, don.

—Sí, catira, la tierra quea, pase lo que pase... La tierra quea siempre, catira... Güeno, hasta el fin del mundo. Espués del fin del mundo, ya to es igual... Güeno, menos lo e la gloria y el infierno, claro, que e eso no se habla ahorita, pues...

A la catira Pipía Sánchez, por dentro de su pálida tez y en el negro fondo de sus ojeras, le brillaban los fucilazos violentos de la última energía.

—Sí, don.

—Sí, catira, la tierra no hay quien se la lleve... La tierra nos come a tóos, catira, peo la tierra quea...

La catira Pipía Sánchez sonrió tristemente. La catira Pipía Sánchez levantó los ojos.

—¿Pa quién, don, pa quién quea la tierra?

Don Job Chacín había sido amigo de Libertad de Asociación Gutiérrez.

—¡Guá, que esta gorda maracucha e la Telefonía cargó esgracia con los maríos, a pesá e to lo que cambió...!

Libertad de Asociación Gutiérrez fué un ñato malaúva y picado de viruela que murió de una comelona de mute que tuvo lugar en el Rotary Club de San Felipe, Estado Yaracuy, el día de la Toma de la Bastilla del año 1944. A Libertad de Asociación Gutiérrez le sentó tan mal el alimento que la espichó antes de que acabase su discurso el doctor Pompilio Lira, fundador de la Agrupación Sinfónica Panamericana. Libertad de Asociación Gutiérrez panqueó de golpe y sin avisar, y al doctor Pompilio Lira, al verse interrumpido en lo mejor, le dió tal coraje —por otra parte, bien justificado— que le cayó a patadas al muerto y, si no lo apartan, lo hubiera acabado quebrando como una caneca. En Burro Negro, Estado Zulia, a orillas del río Pueblo Viejo y cuna de Libertad de Asociación Gutiérrez, ni se enteraron de tan sensible desenlace.

—Pues la tierra quea pa los que vienen detrás, catira... El pajarito quea, catira, manque la yerba sea nueva tóos los años y el ganao se la coma... Y si el pajarito arde, catira, como en el 1926, que tú tabas entoavía chiquita, la tierra, ahí la tiés, también quea...

Don Job Chacín buscaba en su caletre el manantial de los buenos argumentos, la vena de las razones sin vuelta de hoja. Pero don Job Chacín —los años pasan para todos— tenía seca y dura la discurridera.

—La tierra quea pa siempre, catira, quea pa los que vienen detrás, catira, quea..., güeno..., ¡quea!

Por verdadero milagro, don Job Chacín no aclaró que la tierra quedaba para los hijos y para los nietos. La catira Pipía Sánchez le habló como sin querer.

—¿Pa los hijos y pa los nietos, don?

—Güeno, niña Pipía, pues, que yo no lo ije...

A la catira Pipía Sánchez le entristeció aún más ver triste a su fiel y compungido don Job Chacín.

—No, don..., que usté no lo ijo..., que juí yo...

Libertad de Asociación Gutiérrez, con su pinta innoble de licenciado del degredo, dejó un hueco muy hondo en el corazón de Telefoníasinhilos.

—¡Ay, mi esposo, que me lo han matao, con tanto viaje! ¡Ay, mi esposo, que eja tres güerfanitos, que no van a podé viví sin su protección! ¡Ay, mi esposo, que no lo voy a sabé olvidá en toíta la existencia! ¡Ay, mi esposo, lo farrusquero que lucía con su flux de casimir, comprao recién!

Telefoníasinhilos dejó los tres muchachitos a Saludable y se largó hasta San Felipe, para despedirse de los restos mortales de Libertad de Asociación. Cuando Telefoníasinhilos llegó, ya estaba todo dispuesto para el entierro.

—A mi esposo no me lo botan a la tumba fría, ¿ah?, hasta que jieda a muerto y a bien muerto... Yo no me esaparto e mi Libertá hasta que ya no aguante la jedentina... Esde los espacios etéreos, mi esposo me lo sabrá agradecé...

Telefoníasinhilos se sentó al lado de la caja de su marido y aguantó hasta que a los zamuros se les hizo la boca agua. Después permitió que lo llevaran al camposanto. Sus acompañantes a la última morada tuvieron que taparse la nariz.

—¡Guá, qué peste e maracucho, y cómo güele el condenao! ¡Pa mí le tengo que ya taba putrefacto e vivo...!

Como el corazón de Telefoníasinhilos era blando, el hondo hueco que le dejó su marido pronto llegó a cerrarse. Telefoníasinhilos, de vuelta a Maracaibo, dejó pasar los plazos de la ley y después, quizás para no verse tan sola, matrimonió con el filatélico albino Wolf Schneider, musiú, sí, pero no francés. Este Wolf Schneider, judío que se dió el bote a tiempo de la Alemania de Hitler, le hizo, a la Telefoníasinhilos Fernández otros tres hijos, Tucán, Televisa y Penicilina, que solían cobrar unas sobas medianas de sus hermanastros.

—Que juí yo solitica, don..., que a veces no lo pueo evitá..., ni quieo, don, ni tampoco quieo, ¿sabe?

La catira Pipía Sánchez prefirió pensar que la tierra, quedare en las manos que quedase, agradecía siempre las horas, nadie sabe si inútiles o victoriosas, que se le dedicaban.

—La tierra es como un hombre, don, amorosa y violenta como un hombre... Peo los hombres se nos van de al lao, güeno, quién sabe si pa dejanos a solas con la tierra...

La panza de la negra María del Aire crecía como la vela hinchada por el viento. El moreno Chepito Acuña, cuando la vió llenita, le regaló un diostedé amaestrado, un picoefrasco negro, naranja y escarlata que venía volando cuando se le llamaba.

—Tenga, pues, María e el Aire, se lo doy pa usté, ¿sabe?, pa que le brinque toíto alrededó.

—Agraecía, moreno, es un pájaro muy relindo, pues... Ha tenío usté muy güena ocurrencia...

El moreno Chepito Acuña sonrió, gentil y caballero.

—Usté se lo merece, María e el Aire.

La negra María del Aire sonrió también, discreta como una infanta.

—Favó suyo, moreno, favó que usté me jace...

Por la cocina de Potreritos cruzó un aire rendido, versallesco y sutil.

—Ciérreme la ventanita, moreno, que nos vamo a acatarrá, ¿sabe?

El moreno Chepito Acuña cerró la ventana. Después, como la tenía tan a la mano, besó a la negra María del Aire.

—No, licenciao, esta tierra no se vende, ¿sabe?, a usté le han informao con poco jundamento, ya le igo..., a usté le han informao mal... Si usté se choca al hato con esta encomienda, güeno, pa mí que el ama le bota los perros, ¿sabe? La Pachequera costó mucho doló reunila, licenciao, y apaciguala, ¿sabe?, y al ama le sobra el rial pa que piense en ventas... Esta tierra no se vende, licenciao, a usté le han informao mal, le han informao con poco jundamento...

El licenciado Zorobabel Agüero sorbió parsimoniosamente su taza de café. El licenciado Zorobabel Agüero entornó los ojos con un lánguido y coqueto gesto de putita europea. El licenciado Zorobabel Agüero era un hombre de mundo que, sólo para pasar el rato, señor, se dedicaba a la compraventa de fincas.

—Güeno, don, na hemos perdío pu hablá, ¿sabe?, pa mí ha sío un placé podé conocelo personalmente...

Don Job Chacín correspondió inclinando la cabeza.

A don Job Chacín, el licenciado Zorobabel Agüero no le daba buena espina.

—¡Guá, qué pepito relindo, qué marico más relamío!

Don Job Chacín, haciendo un gran esfuerzo, procuró disimular.

—Pa mí también, licenciao, yo me alegro e velo, ¿sabe?, aquí ta usté en su casa...

—Mil gracias, don.

—No hay que dalas, licenciao, güeno...

Don Job Chacín, sin dejar las finuras, quiso poner las cosas en claro y en su sitio.

—Peo lo e la compra, olvíelo, ¿sabe?..., a la Pachequera, éjela pasá..., ¡y ojos que te vieron, paloma turca! Es lo mejó, licenciao, lo más prudente... Si usté me se choca al hato con esa encomienda, ¿sabe?, el ama le manda botá los perros, no lo dude... La catira Pipía Sánchez, licenciao, no es jembra pa andá e broma, ¿sabe?..., al ama Pipía Sánchez le pegó muy duro la vía, güeno, y claritico, licenciao, pues que se ha endurecío, ¿sabe?

—¡Versiá, don!

—¡Y tanto, licenciao, y tanto!

El licenciado Zorobabel Agüero cargaba un lupus en la nariz del porte, más o menos, de un petipoá. El licenciado Zorobabel Agüero lucía las uñas de las manos muy cuidadas y muy bien pulidas. El licenciado Zorobabel Agüero gastaba tacón cubano.

—Güeno, ¡y qué le vamo a jacé, don...!

Don Job Chacín no le ofreció el segundo cafecito. Don Job Chacín, disimulandillo, se puso a mirar al techo. Don Job Chacín estaba deseando que el licenciado Zorobabel Agüero se largase.

La catira Pipía Sánchez se vió desnuda en el espejo. A veces uno, de repente y como sin querer, se ve desnudo y de cuerpo entero en el espejo. No pasa con frecuencia, pero sí de cuando en cuando.

—¡Guá, qué lipúo te has güelto, cuñao, quién te ha visto y quién te ve, compae, con tóa esa grasa e más que te se ha posao, güeno, en la sobrebarriga...!

Por el cielo rodaban, como espantadas yeguas, las preñadas y grises nubes de la tormenta. La catira Pipía Sánchez se encontró hermosa y juvenil. Coroto es éste que debe andar, como casi todo, en relación con los astros y con las fases de la luna. La catira Pipía Sánchez sonrió.

—¡Y que entoavía tas linda, catira, y e güen ve! Hay mujeres que crían arrobas, y mujeres, esbeltas como palmeras, que mueren sin claudicar. La catira Pipía Sánchez hizo una reverencia ante el espejo.

—¿Pa quién, catira?

La catira Pipía Sánchez, sin ningún remordimiento de conciencia, soltó la carcajada.

—¡Pa quien yo quiea y no me lo mande naide!

La catira Pipía Sánchez, frente al espejo, cerró un ojo y lo abrió; después hizo lo mismo con el otro. Dentro de una mujer desgraciada, honda y tímidamente desgraciada, puede habitar, sin que nadie, ni aun ella misma, lo sepa, la temblorosa sombra de una mujer feliz, de una mujer cruel e ignoradamente feliz.

—Ta bien, catira...

La catira Pipía Sánchez, sola en su espejo, levantó un brazo y lo bajó; después hizo lo mismo con el otro.

—¡Y vivita, catira, pues, manque con maera e muerta!

Contra la tierra estalló, como relincha el potro recién capado, el aldabazo del trueno retumbador y miserable. La catira Pipía Sánchez se apartó del espejo y, de bruces sobre la cama, rompió a llorar. Después, poco después, la catira Pipía Sánchez se quedó dormida. Sobre el cristal del espejo de la catira Pipía Sánchez, se posaron siglos y siglos de desdichada preocupación.

Misia Picaflor, baratijera de Zapatoca, le soltó una ristra de pachotadas a la señora del amanuense Dorindito. Contra todos los pronósticos, a Telefoníasinhilos de Vásquez R. se le aguó el guarapo, por lo menos de momento. Misia Picaflor era tercia largurucha y jipata, que escupía venablos y sapos y culebras a bocaradas, en cuanto el coroto se le torcía; con las gentes de malas obras y de peor lengua, lo más prudente es no buscarse brollos. Las cosas que le dijo misia Picaflor a la señora del amanuense Dorindito, no son como para recordarlas.

—¿Tan graves jueron, pues?

—¡Y más entoavía, cuñao, que la bruja e la pacotillera mesmo paecía que taba como tomá e tóos los diablos! ¡Guá, y pobretica misia Telefoníasinhilos, compae, tan correcta, ¿sabe?, y tan señora, que me la pusieron como a palo e maraca! ¡Qué cosas tié uno que ve, vale, y que escuchá...!

—¿Y la señora e Dorindito, pues, ni rechistó?

—Güeno, sí... La señora e Dorindito, cuando ya se vió jarta e tanta hablaera, se le paró, e lo más bien educá, eso sí, y le ijo: mié, ña, que los matos son pintaos y andan empinaos, ¿sabe?

—¿Y misia Picafló?

—Pues, na, compae, misia Picafló se queó como esorientá, ¿sabe?, y la señora e Dorindito, ¡qué pacencia, vale!, le atapuzó un templón que a poquitico más la perjudica.

El amanuense Dorindito, en el botiquín del indio Pompeyo Lozada, que abría su canija puerta frente a la jefatura, comentó el suceso con el licenciado Zorobabel Agüero.

—Si mi mi se se señora se po pone brava, lo me me mejó es juí, ¿sa sabe?

—Ya, ya... ¡Que se lo pregunten a la colombiana, pues!

—E e eso, que se se se lo pre pregunten..., a ve qué qué ice...

El amanuense Dorindito sonrió, rebosante de gozo, y, para celebrar lo alto que había puesto su señora el pabellón familiar, invitó al licenciado Zorobabel Agüero a otro palo de ron. El amanuense Dorindito presumía de las victorias que, por puritico tonelaje, cuñao, lograba la gorda de la Telefoníasinhilos.

—Po la salú e su señora, pues...

Al amanuense Dorindito estuvo a punto de salírsele el corazón fuera de su sitio. El amanuense Dorindito, esa es la verdad, andaba muy enamorado de su señora; no suele ocurrir en los matrimonios pero, a veces, a algún amanuense del interior le sucede.

—¡Sa salú, li li licenciao!

Don Job, aquella misma tarde, se chocó al botiquín del indio Pompeyo Lozada. Don Job, para mayor seguridad, no entró por derecho.

—Güeno..., me paece, vale, que no habrás tenío precisión e guardá a la guaricha...

El indio Pompeyo Lozada le miró, sin explicarse ni poco ni mucho por dónde le iba a salir el curiepe.

—¿Po qué, don?

—Po na, compae, que con esta parroquia e bujarras pienso que pués dormí bien tranquilito...

El indio salió del mostrador y se sentó a la vera de don Job Chacín.

—Con su licencia, don.

El indio Pompeyo Lozada bajó la voz.

—¿Lo ice usté pu el amanuense e la jefatura, don, pu el tartaja e Vásquez?

Don Job Chacín prefirió que el indio entrase poco a poco y sin amugar la oreja.

—¿Un cigarro, cuñao?

—Güeno, don, ¡qué honó!

Don Job Chacín temía festinar el cuidadoso informe.

—Guá..., y pu otros lo igo, cuñao, que el Vásquez..., güeno, el Dorindito no me paece e ese pelero, ¿sabes?, que el Dorindito ta como airiao esde que nació, güeno, peo pato no me paece.

El indio Pompeyo Lozada acercó un poco más el taburete.

—¿Lo ice usté pu ese propietario e San Carlos que le andaba esta mañanita con Vásquez, pues?

Don Job Chacín disimuló.

—Güeno..., yo no lo igo po naire, Pompeyo Lozada, yo lo ecía más bien pu hablá e algo...

Don Job Chacín era maestro en la difícil suerte de atar las moscas por el rabo.

—Y ese que andaba con el Dorindito, pues, ¿ices que es un propietario e San Carlos?

—Sí, don, eso rugen pu ahí... un propietario e mucho rial..., güeno, yo no se lo he visto, pues, peo eso cuentan, ¿sabe?

—¡Ajá!

Don Job Chacín, repicando con los dedos sobre el tablero de la mesa, hizo como que se distraía.

—¿Y quería comprá tierra, pu aquí?

—Y no lo sé, don, de eso no hablaron... Aquí se pasó to el tiempo murmurando con Vásquez de la tángana e su señora...

—¡Ajá!

El indio Pompeyo Lozada le contó a don Job Chacín, al por menudo y con pelos y señales, todos y cada uno de los tiempos del bonito número que, al vecindario de La Yegüera, brindaron, al alimón, la maracucha misia Telefonía, 230 libras, y la santanderina misia Picaflor, 125 libras. Don Job Chacín le dejó hablar, sin interrumpirle.

—¡Y con qué señoría, don, la esposa e Vásquez le atiestó media docena e lufres! ¡Usté había e vela, don, con qué elegancia, pues, con qué serenidá! ¡Daba gusto mirala, don!

La señora de Dorindo Eliecer Vásquez R. tenía muy buena prensa en La Yegüera.

—¡Ya sé lo que paece el licenciado Zorobabel Agüero, catira! ¡El licenciado Zorobabel Agüero, güeno, con perdón, paece una putita europea, catira! ¡El licenciado Zorobabel Agüero paece mesmamente una putita europea, toíto engringolaíto, catira, toíto vitoquito, toíto recién lavao y aplanchao y perjumao...! ¡Ah, qué tronco e marico entrometío, catira!

La catira Pipía Sánchez procuró aplacar las iras de don Job Chacín.

—¡No me se ponga bravo, don, no vale un higo, to esto! ¡Ejelo con sus manías, pues, y que se nos vaya en paz y sin molestá, don, éjelo que se nos bote ajuera!

Don Job Chacín estaba furioso consigo mismo.

—¡No, catira, lo que pasa es que ya voy viejón, güeno, y sin juerzas para na, ¿sabes?, que si me toma con diez años menos, le marco el jierro e la Pachequera en mitá e la nalga, pa que lo cargue e recuerdo, catira!

—¡Ejelo que se vaya lejos, don, no vale el cuidao..., éjelo que se nos bote ajuera y sin fregá!

Don Job se pegó un puñetazo en las rodillas.

—¡Y yo igo que no, pues! ¡Yo no estuve peo que

na acertao ejándolo marchá, catira! ¡A enemigo que juye, plomo caliente, catira, pa que aprenda!

Don Job Chacín le contó a la catira las pretensiones del licenciado Zorobabel Agüero sobre la Pachequera. La catira lo escuchó sin indignación.

—El licenciao no sabe e qué va el coroto, don..., yo y el licenciao pensamos muy iferente e la tierra...

La catira, después, se fué encogiendo, igual que un pajarito.

—¡Peo quién sabe quién tié razón!

Por el llano corrió el runrún de que la catira vendía.

—La catira no pué vendé, cuñao, si la catira vende, güeno, la catira se muere e la pena... La catira ha puesto tóa su sangre en la tierra, vale, tóa su sangre y la sangre e tóa su gente... La Pachequera, cuñao, es como una cestica e sibisibe toíta rebosá e sangre... La sangre no es como el agua, cuñao, la sangre se pega duro y tarda en borrase... La sangre que se bota a la tierra, cuñao, no se pué comprá porque quema la mano... La catira tié que ejá su sangre, cuñao, onde ta su sangre... La catira es como la garcita que cae en el cañabraval, compae, que tié que resistí, pues, íngrima y sola, manque la soledá le pese, porque tié quebrá el ala y ya no pué levantá el güelo... Y la catira, cuñao, ¡no lo piense!, manque pudiera volá e su tierra, no lo haría... La catira no pué juí e la tierra que pacificó... La catira no juntó la tierra, cuñao, pa dirse e ella... ¿Sabe?

—¡Versiá, don...!

—¡No lo piense, cuñao! ¡Usté, que ta joven, habrá e velo pa contáselo a sus nietos, compae! ¡La catira morirá e vieja y en su sitio, lo ha e vé!

La negra María del Aire se acercó a la pieza de la catira. La negra María del Aire tenía temblorosa la voz.

La negra María del Aire cargaba un resplandor agudo en los ojos, un brillo como de haber llorado. La negra María del Aire habló igual que si no tuviera sentido común.

—Un muchachito retinto no vale pa que la sujete a la tierra, misia, peo si lo quié, güeno, se lo doy...

A la negra María del Aire se le puso la voz estremecedoramente alegre.

—Y yo me boto al caimán del caño Guaritico, misia, pa no podeme golvé atrás...

La catira Pipía Sánchez tuvo que hacer un doloroso esfuerzo para fingirse cruel. La catira Pipía Sánchez engalló la voz, quizá para ahuyentar los malos pensamientos.

—¿Qué ice usté, negra? ¿Quién la ha mandao llamá? ¡Lárguese a la cocina, pues, y no me se ande entrepiteando, güeno, onde no la requieren!

La negra María del Aire no se movió del sitio. La negra María del Aire se rió. A los condenados a muerte, a veces, les pasa que se mean por encima al recibir la noticia del indulto.

—¡Ah, qué vaina esto e tené que seguí viviendo!

La negra María del Aire se meó por encima. La negra María del Aire, con la verija ardiendo, se acordó de Feliciano Bujanda, el caporal.

—¡A besototes te he e reventá, negra, pa que te recuerdes del santarriteñó pa tóa la vía...! ¡A besototes te he e comé, negra, pa que cargues mi jierro en mitá e la cara, ¿sabes?, que ya no tas cachilapa, negra...!

—¡Ah, qué tercio tardinero, pues, y pa qué me botó tóa esnúa, güeno, encimita e la tierra!

La negra María del Aire no se movió del sitio. Por dentro de la cabeza de la negra María del Aire retumbaron, confusas como las más honestas caricias, las vagas campanas de la palabrería.

—¡Pa que te se pegue tóa la tierra al cuero, negra, pa que al comete la carne me sepa, entro e la boca, al sabó e la tierra!

Los ángeles pastorejos del bestiaje y del ganao cantaron por dentro de la cabeza de la negra María del Aire, la eterna melopeya que funde los amargores de la tierra y el hombre.

—Misia Pipía...

La catira Pipía Sánchez no respondió. La catira Pipía Sánchez, con los ojos atónitos, el alma en equilibrio y el corazón en vilo, tampoco apartó el mirar de la negra María del Aire.

—Misia Pipía...

La catira Pipía Sánchez vió a la negra María del Aire toda hecha de tierra, de dulce y latidora tierra, de tierra amable y tibia como un niño que llora porque no aguanta el acre saborcillo de la felicidad.

—Misia Pipía...

A la catira Pipía Sánchez se le posó, en los párpados, una nube misteriosa y blanda, una amorosa nube venida como del otro mundo.

—Misia Pipía...

—Yo no quieo un muchachito robao, negra María e el Aire, sea catire o retinto, ¿sabe?, yo quieo un muchachito mío, güeno, a lo mejó me entiende...

La catira Pipía Sánchez tomó de un brazo a la negra María del Aire.

—¡Y usté ya se ha callao, negra...!

La negra María del Aire semejaba una muda mujer de tierra, una mujer hecha de palpitante tierra sabrosa, de fecunda y templada tierra, de esa misma tierra que se nutre de muertos y que, al decir de los barbudos y pacientes sabios, comen, cuando las cosas vienen mal dadas y el coroto se tuerce, algunas tribus remotas.

—Sí, misia...

—Y claritico que sí, negra.

La catira Pipía Sánchez siguió hablando sin soltar a la negra María del Aire.

—Poque eso que se ruge pu ahí es falso, negra... Yo no vendo... Yo compro, negra... La Pachequera no la pueo vendé, ¿sabe?, poque la Pachequera, güeno, no es mía... Güeno, a lo mejó me entiende... La Pachequera es de la sangre que costó la paz, negra... Y la paz es algo que no se vende en el mercao... La paz se gana, negra... Güeno, a lo mejó me entiende.

La catira Pipía Sánchez volvió a sentarse en su mecedor. Después, la catira Pipía Sánchez, serena como nunca, prendió candela a su cigarro.

—Poque la tierra quea, negra... La tierra quea siempre, ¿sabe...? Güeno, a lo mejó es éste coroto que tóos entendemos...

La catira Pipía Sánchez se balanceó con la cabeza echada hacia atrás. A la catira Pipía Sánchez le había oscurecido, ligeramente, el pelo.

—Sí, negra... Tóos lo tenemo que entendé... La tierra quea, negra... La tierra quea siempre... Manque los cielos lloren, durante días y días, y los ríos se agolpen... Manque los alzamientos ardan, güeno, y mueran abrasaos los hombres... Manque las mujeres se tornaran jorras, negra...

La catira Pipía Sánchez se paró en medio de la pieza. A la negra María del Aire, el ama Pipía Sánchez le pareció más alta que nunca.

—¡Míeme e arriba abajo, negra...! Y yo entoavía no me veo jorra... Y yo no vendo, negra... Yo no pueo vendé la paz, negra... Ni la sangre, negra... Güeno, ni la sangre...

Desde el cotoperiz, pregonando a los vientos de la Pachequera lo que la tierra, esa sabiduría, jamás dudara, silbó el pajarito alegre de la esperanza. Y al pie del ceibo, aquel ceibo —¿recuerda, vale?— cuya copa materna casi podía tocarse desde el balcón de la catira, se estremecieron, tierra sobre la tierra, unas cenizas.

La negra María del Aire se echó a llorar.

—Váyase pa la cocina, negra...

—Sí, misia...

La catira Pipía Sánchez también se echó a llorar, con unas lágrimas inmensa y piadosamente consoladoras.

—Hasta que el mundo reviente e la viejera, y el mundo ta entoavía finito, la tierra tié que se e la mesmitica sangre que la apaciguó...

La catira Pipía Sánchez, vestida como estaba, se miró en el espejo.

—Sí...

Palma de Mallorca-Puerto de Pollensa, febrero-septiembre de 1954.

VIAJE A LA ALCARRIA

Declaro que me apasiona el campo de España. Declaro también que hago lo posible por demostrarlo. El Viaje a la Alcarria *es mi primer libro de vagabundaje por el campo español. Creo que la prueba de caminar España no es mala gimnasia para el escritor de nuestro país, hombre que, salvo excepciones, suele estar y presentarse excesivamente apegado al asfalto.*

* * *

En la Dedicatoria *de la primera edición («Revista de Occidente», 1948), decía lo siguiente:*

«Mi querido don Gregorio Marañón:

Estoy en deuda con usted. Hay en mí muchas cosas que no podrían explicarse sin su generosa y aleccionadora amistad. No intento saldar mi deuda con estas páginas que hoy le ofrezco. Entre mis defectos no está, creo yo, el de no saber ver las cosas como son, sobre todo cuando, como en este caso, son claras como la luz de una bombilla. Yo le envío este libro con otra intención. Cuando las deudas no se pagan porque no se puede, lo mejor es no hablar de ellas y barajar. Yo le dedico mi Viaje a La Alcarria *porque sé que es usted aficionado a los libros de viajes.*

La Alcarria es un hermoso país al que a la gente no le da la gana de ir. Yo anduve por él unos días y me gustó. Es muy variado, y menos miel, que la compraron los acaparadores, tiene de todo: trigo, patatas, cabras, olivos, tomates y caza. La gente me pareció buena; hablan un castellano magnífico y con buen acento y, aunque no sabían mucho a lo que iba, me trataron bien y me dieron de comer, a veces, con escasez, pero siempre con cariño. Hasta hubo un pueblo donde me hicieron huésped de honor del Ayuntamiento y me pagaron la fonda; en otro, como para compensar, me encerraron por orden del Alcalde, que era un albino borracho y medio tartamudo, y me tuvieron un día con su noche metido en un sótano maloliente y alimentado con unas sopas de ajo y un par de venencias de esperriaca. En el calabozo estaba un gitano, de mi edad poco más o menos, que había robado una mula. Se creyó, vaya usted a saber por qué, que yo era cómico, y no hacía más que preguntarme: «Si usted es artista, ¿por qué no lo quiere decir?» Al hombre no le cabía en la cabeza que no es que no lo quisiera decir, sino que, simplemente, lo que pasaba es que no era artista. De este pueblo no hablo en el libro porque pocas cosas agradables podría decir de él.

Cuando me soltaron seguí caminando, y después, cuando me cansé, me vine otra vez para Madrid. Por la Alcarria fuí siempre apuntando en un cuaderno todo lo que veía, y esas notas fueron las que me sirvieron de cañamazo para el libro. No vi en todo el viaje nada extraño, ni ninguna barbaridad gorda —un crimen, o un parto triple, o un endemoniado, o algo por el estilo—, y ahora me alegro, porque, como pensaba contar lo que hubiera visto (porque este libro no es una novela, sino más bien una geografía), si ahora, al escribirlo, me caigo pintando atrocidades, iban a decir que exageraba y nadie me había de creer. En la novela vale todo, con tal de que vaya contado con sentido común; pero en la geografía, como es natural, ya no vale todo, y hay que decir siempre la verdad, porque es como una ciencia.

Pues bien, mi querido don Gregorio: esto es todo lo que hay. Poco es; pero, en fin, menos da una piedra. Le mando también una flor que arranqué de una cuneta; la tuve todo este tiempo metida en un libro y ya está disecada. Yo creo que es bonita.

Le ruego que acepte usted este regalo que le ofrece, con la mejor intención del mundo, su devoto,

C. J. C.»

* * *

En la Nota a esta edición *que incluyo en la segunda* («Espasa-Calpe, Colección Austral», n.º 1.141, 1952), *dije:*

«El otro día, desempolvando y ordenando un poco las cuartillas del original de este libro, me di cuenta de que está escrito con bastante buena letra, a pesar de que, sobre las notas que fuí tomando por el camino, hube de redactarlo, de cabo a rabo,

durante los días 25, 26, 27, 28, 29, 30 y 31 de diciembre de 1947, para ponerle punto final el 1.º de enero de 1948 y poder entregárselo, sin incumplir el contrato que con él tenía firmado, con su primer editor: «Revista de Occidente».

Esto de que los escritores tengamos, a veces, buena letra, es algo que no ha sido estudiado —y si lo ha sido, yo no lo sé—, pero que quizá pudiera tener su importancia. El Viaje a la Alcarria *es un libro que en seguida se ve que ha sido escrito con buena letra, y, si no con gordos y finos, como la caligrafía inglesa, sí, al menos, con una letra igual, toda inclinada para el mismo lado y, mejor o peor medida, toda ella de un tamaño parecido.*

Yo no sé si será porque este libro se vendió peor que otros míos, pero siento hacia él una inclinación que tampoco tengo por qué disimular. El Viaje a la Alcarria *es un libro antiguo, un libro escrito con cabeza antigua y con ingenuidad antigua, esto es, echándose su autor, un servidor de ustedes, al monte, no sé si como un conejo o como José María el Tempranillo, para ver por dónde salían las cosas y en qué palo pintaba el naipe del vagabundaje.*

Después resultó, porque esto de la literatura no hay quién lo entienda, que el libro gustó a cuatro o cinco personas de importancia y yo, claro es, me alegré.

En el Viaje a la Alcarria, *como en casi todo lo mío, salvo en algunas páginas muy de los primeros tiempos de andar yo en este oficio, las cosas están contadas un poco a la pata la llana y tal como son o como se figuraron. En esto de los libros de viajes, la fantasía, la interpretación de los pueblos y de los hombres, el folklore, etc., no son más que zarandajas para no ir al grano. Lo mejor, según pienso, es ir un poco al toro por los cuernos y decir «aquí hay una casa, o un árbol o un perro moribundo», sin pararse a ver si la casa es de este o del otro estilo, si el árbol conviene a la economía del país o no y si el perro hubiera podido vivir más años de haber sido vacunado a tiempo contra el moquillo. En los libros de viajes suele sobrar la pedantería, que también es lo más fácil de poner, ya que viene en la* Enciclopedia Espasa *o en el* Petit Larousse Illustré.

A mí me extrañó mucho cuando los señores de Espasa-Calpe *de aquí, de* Madrid, *me dijeron que los señores de* Espasa-Calpe *de ahí, de* Buenos Aires, *se interesaban por este libro, pero como sobre gustos, según la gente, no hay nada escrito, me callé y* en paz. Verme hoy con estas páginas en una colección que tira muchos ejemplares, me gusta, sin duda, pero no me lo explico demasiado. A mí me parecía que el Viaje a la Alcarria era así como el cuaderno de bitácora de un hombre que se aburría en la ciudad, cogió el morral y salió al campo, a que no le pasase nada. ¡En fin!

Hace unas horas, para darme un poco cuenta de si convenía, a lo mejor, quitar o corregir algo, terminé de leer este libro y me gustó. El lector, claro es, puede pensar que soy un imbécil por decir estas cosas, pero en todo caso, puedo asegurarle que, cuando menos, soy un imbécil sincero, ya que con ser mentiroso y callarme me ahorraría el insulto.

De la primera edición a ésta no hay más diferencia que las erratas de imprenta, que seguramente no coincidirán. El texto es el mismo y las palabras no varían, aunque en esta edición se lee p... donde en la anterior se leía, ¡vaya por Dios!, p... también.

Y nada más. Ignoro cómo le sentarán a la seca Alcarria los aires atlánticos, pero ya saldremos de dudas.»

* * *

En la tercera («Destino», 1954), también incluí una nueva Nota a esta edición. Es la que aquí copio:

«Me toca escribir, desde el mar, unas breves palabras prologales a esta tercera edición de Viaje a la Alcarria, un libro de secano. El Viaje a la Alcarria —decía hace dos años, con motivo de redactar la nota que llevó la edición segunda— es un libro antiguo, un libro escrito echándose al monte y en el que las cosas se cuentan un poco a la pata la llana. Ahora me gustaría insistir sobre esos puntos de vista que, en este género literario de los viajes, me parecen inexcusables.

La expresión «libro antiguo» pudiera inducir a error. Las otras dos, no; las otras dos son claras y deben admitirse, sin más complicaciones, en su inmediato sentido. Con el adjetivo «antiguo» quise —y sigo queriendo— dar a entender que mi Viaje a la Alcarria es un libro ortodoxo, trabajado y concebido según las más vetustas normas del narrador viajero —la veracidad, la sencillez, la complacida visión de lo imprevisto—: aquellas que sirvieron, con mejor o peor talento, a Marco Polo y al navegante Alain Gerbault, al portugués Ponz y a don Ciro Bayo (de quien hablaba ayer, precisamente, con motivo del pró-

logo de mis Apuntes carpetovetónicos), *al explorador Amundsen y al último peón de turno en la eterna y vertiginosa noria del Orinoco.*

A diferencia de la poesía y de la novela, que han evolucionado sensiblemente, aunque no se sepa del todo si para bien o para mal, el libro de viajes, ese bello género-cenicienta de todas las preceptivas, casi no se ha movido desde que lo inventaron. Hoy como ayer, el escritor viajero es un hombre que se pone en marcha; se sorprende, lleno de honestidad, con lo que ve; lo apunta de la mejor manera que sabe y después, si puede y si le dejan, lo publica. Si el escritor viajero anduvo por el Congo o por el Tangañyca, en su libro hablará de leones y de elefantes, de «safaris» emocionantes y de vegetaciones ubérrimas. Si el escritor viajero no pasó de la Alcarria, en sus páginas hallarán cobijo el bigotudo garduño y la abeja laboriosa, la florecilla del monte y el zagal que cuida las cabras y marca enlazados corazones, a punta de navaja, en la amorosa y aguanosa varita de verde fresno. En definitiva, es igual. El escritor viajero cumple con reflejar lo que ve y con no inventar. Para inventar ya están otras esquinas de la literatura.

También es, este Viaje a la Alcarria, *un libro escrito «echándose al monte». «Echarse al monte» es expresión que tiene, en el sabio decir de las gentes, dos acepciones: una, próxima y directa, que significa, ni más ni menos, que salir al camino o a la trocha, huyendo de la ciudad y de sus ciudadanos, para escuchar el silbo armonioso del jilguero, y ver salir y ponerse al padrecito sol, y otra, más redicha, que vale por «ponerse el mundo por montera» o «hacerle un corte de mangas al tendido» y, como en la cirugía de guerra, «cortar por lo sano». En ambos trances pienso que se ha de encontrar el escritor viajero para dar cima, sin salirse de estas reglas acreditadas y airosas, a su labor.*

El paisaje y el hombre —por más que se lo rumien los cuáqueros, los incautos y los ordenancistas— son cosas que no están en los libros. También son cosas que, a pesar de todo, se presentan de una determinada manera y no de ninguna otra, más cómoda o más conveniente. Pues bien: retratando al hombre y a su paisaje, sin meterse en camisa de once varas y en berenjenales que le lleven a sacar conclusiones filosóficas, morales o políticas (que ya sacará el lector, si quiere y acierta), el escritor viajero ya hace bastante. Y, sobre todo, ni se mixtifica él, ni mixtifica nada. La mixtificación no cabe en el libro de viajes porque el campo y el mar, los animales y la gente, se desnudan ante quien llega a ellos enseñando en los ojos la clara patente de la buena intención, el diáfano pasaporte de la más rebosante y decidida buena fe. Y se disfrazan, como las ciudades, en el caso contrario. Pero en las ciudades —según aprobamos en el I Congreso Mundial de Vagabundos celebrado el año pasado en Clermont Ferrand— no entra ningún vagabundo que se precie. Las ciudades se bordean. Quienes se metan en ellas no son escritores viajeros ni vagabundos: son ensayistas, que es peor.

Tan sólo me resta aclarar que, en esta edición, he incluído por vez primera y en sus sitios correspondientes, los versos que en las dos anteriores, ignoro por qué misteriosas causas, dejé fuera y reuní en el librillo que titulé Cancionero de la Alcarria. *Así el lector podrá escoger la versión que más le guste, aunque yo prefiera dar ésta por buena y no tocarla más.»*

* * *

De mi trotar alcarreño también salieron los versillos del Cancionero de la Alcarria, *que refundo, como digo, en el texto de la tercera edición, a la que titulo, para mejor precisar,* Viaje a la Alcarria. Con los versos de su cancionero, cada uno en su debido lugar. *Este* Cancionero de la Alcarria *es hoy un libro difícil y muy agotado.*

En esta antología he copiado de la edición de «Destino». Selecciono los capítulos I, VI y XI, enteros, la mitad, más o menos, del II, y la primera parte del V.

I. Unos días antes

El viajero está echado, boca arriba, sobre una *chaiselongue* forrada de cretona. Mira, distraídamente, para el techo y deja volar libre la imaginación, que vuela, como una torpe mariposa moribunda, rozando, en leves golpes, las paredes, los muebles, la lámpara encendida. Está cansado y nota un alivio grande dejando caer las piernas, como marionetas, en la primer postura que quieran encontrar.

El viajero es un hombre joven, alto, delgado. Está

en mangas de camisa fumando un cigarrillo. Lleva ya varias horas sin hablar, varias horas que no tiene con quién hablar. De cuando en cuando bebe un sorbo de whiskey o silba, por lo bajo, alguna cancioncilla.

En la casa todo es silencio; la familia del viajero duerme. En la calle sólo algún taxi errabundo rompe, muy de tarde en tarde, la piadosa intimidad de los serenos.

La habitación está revuelta. Sobre la mesa, cientos de cuartillas en desorden dan fe de muchas horas de trabajo. Extendidos sobre el suelo, clavados con chinchetas a las paredes, diez, doce, catorce mapas con notas y acotaciones en tinta, con fuertes trazos de lápiz rojo, con blancas banderitas sujetas con alfileres.

—Después, nada de esto sirve nunca para nada. ¡Siempre pasa igual!

A caballo de una silla duerme la chaqueta de dura pana. En la alfombra, al lado de un montón de novelas, descansan las remachadas botas de andar. Una cantimplora nueva espera su carga de vino tinto. Suena en el noble, en el viejo reloj de nogal, la última campanada de una alta hora de la noche.

El viajero se levanta, pasea la habitación, pone derecho un cuadro, huele unas flores. Ante un mapa de la península se para, ambas manos en los bolsillos del pantalón, las cejas casi imperceptiblemente fruncidas.

El viajero habla despacio, muy despacio, consigo mismo, en voz baja:

—Sí, la Alcarria. Debe de ser un buen sitio para andar. Luego, ya veremos; a lo mejor no salgo más; depende.

El viajero enciende otro cigarrillo, se sirve otro whiskey.

—La Alcarria de Guadalajara. La de Cuenca, ya no; por Cuenca puede que ande el pinar.

El viajero hace un gesto con la boca.

—Y tampoco importa que me salga un poco, si me salgo. Después de todo, ¿qué más da?

Revuelve entre los papeles de la mesa buscando un doble decímetro. Lo encuentra, se acerca de nuevo a la pared y, con el pitillo en la boca y el entrecejo arrugado para que no se le llenen los ojos de humo, pasea la regla sobre el mapa.

—Etapas ni cortas ni largas, es el secreto. Una legua y una hora de descanso, otra legua y otra hora, y así hasta el final. Veinte o veinticinco kilómetros al día ya es una buena marcha; es pasarse las mañanas en el camino. Después, sobre el terreno, todos estos proyectos son papel mojado.

Busca unas notas, consulta un cuadernillo, hojea una vieja Geografía, extiende sobre la mesa un plano de la región.

—Sí, sin duda alguna las regiones naturales. Los ríos unen y las montañas separan, no hay otra división.

El viajero se distrae un instante y toma, de la estantería, el primer libro que alcanza: la *Historia de Galicia,* de don Manuel Murguía. No lo necesita para nada; en realidad, lo coge sin darse cuenta.

—Es gracioso esto.

El viajero está medio dormido y da un par de cabezadas mientras pasa las hojas. Se despierta de nuevo del todo, cuando lee el pie de una lámina: "Cromlech que existe en Pontes de García Rodríguez". Lo devuelve a su sitio y piensa que, realmente, tiene los libros bastante mal ordenados. La *Historia de Galicia* queda entre una *Fisiología e Higiene,* del bachillerato, y el *The sun also rises,* de Hemingway.

El viajero vuelve ante el mapa.

—Las ciudades las bordearé, como los buhoneros y los gitanos.

Se rasca una ceja y arruga la frente. El viajero no está muy convencido.

—O no, no las bordearé. Las ciudades hay que cruzarlas, a media tarde, cuando las señoritas salen a pasear un rato, antes del Rosario.

El viajero sonríe. Tiene los ojos semicerrados, como de estar soñando.

—Bueno, ya veremos.

Se queda un rato en silencio, pensando muy confuso, muy precipitadamente. Es ya muy tarde.

—¡Qué barbaridad!

El viajero —que se cansa de golpe, igual que un pájaro herido— piensa, al final, que ya sólo falta empezar, que quizá esté dándole demasiadas vueltas en la cabeza a un viaje que se quiere hacer un poco a rumbo, un poco como el fuego en una era.

De la misma botella bebe el último trago.

—No. Estas son las cuentas de la lechera; lo mejor será coger el macuto y echarse a andar.

Se desnuda, desdobla la manta de pelo, apaga la luz y se echa a dormir sobre la *chaise-longue* forrada de cretona.

Fuera se oye el distante golpear del chuzo contra la acera. Por las rendijas de la persiana se cuela un hilito de claridad. Pasan lentos, entumecidos, los carros de los primeros traperos. El viajero se ha dormido.

II. El camino de Guadalajara

La del alba sería... No; no era aún la del alba: era más temprano.

El viajero, a los pocos días, se levanta a la última noche, la más negra, antes incluso que los grises, menudos pájaros de la ciudad. Se viste con luz eléctrica, en medio del silencio. Hacía años ya que no madrugaba tanto. Se siente una sensación extraña, como de sosiego, como de descubrir de nuevo algo injustamente olvidado, al afeitarse a estas horas, cuando todos los vecinos duermen todavía y el pulso de la ciudad, como el de un enfermo, late quedamente, como avergonzado de dejarse sentir.

El viajero está alegre. Silba, aproximadamente, la coplilla de una película y habla, poco más tarde, con su mujer, que se ha levantado a calentarle el desayuno. El viajero está casado. Los viajeros casados, cuando se echan a andar, tienen siempre, a última hora, una persona que les calienta el desayuno, que les da conversación mientras se afeitan a la estremecida luz eléctrica de la mañana.

El viajero, una hora antes de la salida del tren, baja las escaleras de su casa. Antes, se ha ido a despedir de su niño pequeño, que duerme, tumbado boca abajo, como un cachorro, porque tiene calor.

—Adiós. ¿Llevas todo?

—Adiós. Dame un beso. Creo que sí.

El viajero, al llegar a la calle, va cantando por lo bajo. Tiene mal oído y las canciones no sabe sino empezarlas. El Metro está cerrado aún y los tranvías, lentos, distantes, desvencijados, parecen viejos burros abultados, amarillos y muertos.

El viajero tiene su filosofía de andar, piensa que siempre, todo lo que surge, es lo mejor que puede acontecer. Se va mejor a pie, andando por el medio de la calle, oyendo cómo rebota sobre las casas el sonar de la clavazón del calzado. Las casas tienen las ventanas cerradas y las persianas bajas. Detrás de los cristales —¡quién lo sabe!— duermen su maldición o su bienaventuranza los hombres y las mujeres de la ciudad. Hay casas que tienen todo el aire de alojar vecinos felices, y calles enteras de un mirar siniestro, con aspecto de cobijar hombres sin conciencia, comerciantes, prestamistas, alcahuetas, turbios jaques con el alma salpicada de sangre. A lo mejor, las casas de los vecinos venturosos no tienen ni una sola matita de hierbabuena o de mejorana en los balcones. A veces, las casas de los vecinos ahogados por la desdicha, señalados con el hierro cruel del odio y la desesperación, presumen de un balcón de geranios o de claveles rompedores, gordos como manzanas. Es algo muy misterioso la cara de las casas, daría qué pensar durante mucho tiempo.

El viajero, dándole vueltas a la cabeza, va por las tapias del Retiro, llegando a la Puerta de Alcalá. Ve muy claro todo lo que piensa, y un poco confuso, quizá, todo lo que ve. El día fuerza por levantarse, cauto, desconfiado, sobre los cables más altos, sobre las últimas azoteas de la ciudad, mientras los gorriones recién despiertos chillan, en los árboles del parque, como condenados. En el parque también, sobre la hierba, la república de los gatos cimarrones, dos docenas de gatos sin fortuna, sin amo, dos docenas de gatos grises, malditos, sarnosos; de gatos que, sin un sitio al lado de ningún hogar encendido, deambulan en silencio, como aburridos presos sin esperanza o enfermos incurables, dejados de la mano de Dios.

Los portales siguen cerrados, como las bolsas miserables, y los serenos de nuevos, relucientes galones de oro, miran, con cierta desconfianza, para el viajero que pasa, camino de la Estación, con la mochila al hombro y el andar despreocupado, casi sin compostura incluso.

El viajero va lleno de buenos propósitos: piensa rascar el corazón del hombre del camino, mirar el alma de los caminantes asomándose a su mirada como al brocal de un pozo. Tiene buena memoria y quiere deshacerse de la mala intención, como de un lastre, al dejar la ciudad. De dentro de su pecho salen en voz alta, rodando sobre las baldosas de la acera, los versos de don Antonio—el hombre de cuerpo más sucio y alma más limpia que, según alguien dijo ya, jamás existió.

—Quisiera poder decir, al volver, las verdades de a puño que se explican, como el río que marcha, por sí solas. Rodeado de las gentes honestas que ahorran durante meses enteros, quién sabe si aún durante años enteros, para comprarse una alfombrita para los pies de la cama, quisiera poder repetir, con los ojos afables y el gesto como resignado, las sabias palabras de don Antonio:

En todas partes he visto
caravanas de tristeza,
soberbios y melancólicos
borrachos de sombra negra,
y pedantones al paño
que miran, callan y piensan
que saben, porque no beben
al vino de las tabernas.

Mala gente que camina
y va apestando la tierra...

Diciendo sus versos, el viajero llega hasta la Cibeles. Las últimas golfitas del cabaret de las llamas, a los primeros, inciertos clarores del día, venden su triste anís a los señoritos juerguistas que van de retirada. Son jóvenes estas muchachas, muy jóvenes; pero tienen ya en la mirada todo el único, santo dolor de las bestias al punto, llevadas y traídas por la mala suerte y por la mala sangre.

El viajero toma por el Paseo del Prado. En los soportales de Correos, la cochambre de la golfería duerme a pierna suelta sobre la dura piedra. Una mujer pasa, presurosa, el velo sobre la cabeza, camino de la primera misa, y una pareja de guardias fuma aburridamente, sentados en un banco, con el mosquetón entre las piernas.

Los misteriosos tranvías negros de la noche portan de un lado para otro su andamiaje sobre ruedas; van guiados por hombres sin uniforme, por hombres de boina, callados como muertos, que se tapan la cara con una bufanda.

—También quisiera decir, que de todo hay en la viña del Señor, la otra verdad:

Y en todas partes he visto
gentes que danzan o juegan,
cuando pueden, y laboran
sus cuatro palmos de tierra.

Nunca, si llegan a un sitio,
preguntan a dónde llegan.
Cuando caminan, cabalgan
a lomos de mula vieja,

y no conocen la prisa
ni aun en los días de fiesta.
Donde hay vino, beben vino;
donde no hay vino, agua fresca.

Son buenas gentes que viven,
laboran, pasan y sueñan,
y en un día como tantos
descansan bajo la tierra.

A las verjas del Jardín Botánico, el viajero siente —a veces le pasa— un repentino escalofrío. Enciende un pitillo y procura alejar de su cabeza los malos pensamientos. Dos tranviarios pasan con las manos en los bolsillos, la colilla entre los labios, sin decir ni palabra. Un niño harapiento hoza con un palito en un montón de basura. Al paso del viajero levanta la frente y se echa a un lado, como disimulando. El niño ignora que las apariencias engañan, que debajo de una mala capa puede esconderse un buen bebedor; que en el pecho del viajero, de extraño, quizá temeroso aspecto, encontraría un corazón de par en par abierto, como las puertas del campo. El niño, que mira receloso como un perro castigado, tampoco sabe hasta qué punto el viajero siente una ternura infinita hacia los niños abandonados, hacia los niños nómadas, que, rompiendo ya el día, hurgan con un palito en los frescos, en los tibios, en los aromáticos montones de basura.

Camino del matadero pasan unas ovejas calvas, mugrientas, que llevan una B pintada en rojo sobre el lomo. Los dos hombres que las conducen les pegan bastonazos, de cuando en cuando, por entretenerse quizá, mientras ellas, con un gesto en la mirada entre ruin y estúpido, se obstinan en lamer, de pasada, el sucio, estéril asfalto.

Cae por la cuesta de Moyano un alegre carrito de hortalizas. Los puestos de libros de lance guardan, herméticos, su botín inmenso de vanas ilusiones que fracasaron, ¡ay!, sin que nadie se enterase.

En la bajada de la Estación, algunas mujeres ofrecen al viajero tabaco, plátanos, bocadillos de tortilla. Se ven soldados con su maleta de madera al hombro y campesinos de sombrero flexible que vuelven a su lugar. En los jardines, entre el alborozo de miles de gorriones, se escucha el silbo de un mirlo. En el patio está formada la larga, lenta cola de los billetes. Una familia duerme sobre un banco de hierro, debajo de un letrero que advierte: "Cuidado con los rateros". Desde las paredes saludan al viajero los anuncios de los productos de hace treinta y cinco años, de los remedios que ya no existen, de los emplastos porosos, los calzoncillos contra catarros, los inefables, automáticos modos de combatir la calvicie.

El viajero, al pasar al andén, nota como un ahogo. Los trenes duermen, en silencio, sobre las negras vías, mientras la gente camina sin hablar, como sobrecogida, a hacerse un sitio a gusto entre las filas de vagones. Unas débiles bombillas mal iluminan la escena. El viajero, mientras busca su tercera, piensa que anda por un inmenso almacén de ataúdes, poblado de almas en pena, al hombro el doble bagaje de los pecados y las obras de misericordia.

El vagón está a oscuras. Sobre la dura tabla los viajeros fuman, adormilados. De cuando en cuando se ve brillar la punta de un cigarro, se oye el chasquido de una cerilla que ilumina, unos instantes, una faz rojiza y sin afeitar. Unos obreros se sientan, con la chaqueta al hombro, la fiambrera envuelta en un pañuelo sobre las rodillas. Sube al vagón un grupo de pescadores — el cestillo de mimbre en bandolera— que colocan, con todo cuidado, las largas cañas de pescar. Entran mujeres de grandes cestas al brazo, campesinas que han bajado a Madrid a vender huevos y chorizo y queso, a comprar una tela estampada para un traje de domingo, o una gorra de visera para el marido. Dos guardias civiles se acomodan, uno enfrente del otro, en un extremo del departamento, al lado de la puerta, debajo del timbre de alarma y de la placa de loza con el extracto de la legislación de ferrocarriles.

Se apagan las luces del andén y la oscuridad es ya absoluta. A última hora aparecen, subiéndose al tren de un salto, soldados de Caballería que van a Alcalá de Henares, que hacen todos los días el mismo viaje.

El tren sale; son ya las siete. De repente, al escapar de la marquesina, el viajero descubre que ya es de día. Dos trenes salen a la misma hora y corren, paralelos, hasta que el otro tira para abajo, camino de Getafe. Es gracioso verlos correr, uno al lado del otro, mientras los viajeros se agolpan en las ventanillas para mirarse. Algunos se saludan con la mano y dan gritos como animando al tren a correr más. En el fondo —no se sabe por qué—, los viajeros de un tren envidian siempre un poco a los viajeros de otro tren; es algo que es así, pero que resulta difícil explicar. Quizá sea, aunque no lo vean muy claro, porque un viajero de tercera se cambiaría siempre por otro viajero, aunque fuera de tercera también.

... ...

V. Del Tajuña al Cifuentes

El viajero, a la caída de la tarde, baja hasta el río. A la izquierda, Tajuña arriba, va el camino de Masegoso y de Cifuentes; a la derecha, Tajuña abajo, el de Archilla o el de Budia. El viajero está indeciso y se sienta en la cuneta, de espaldas al pueblo, de cara al río, a esperar el momento de la decisión. Recostado sobre la mochila, está cómodo y descansado. La mochila le coge justo la espalda, hasta los riñones, y le hace un respaldo alto, acogedor, un poco duro quizás.

Por poniente cruzan, lentas, alargadas como culebrillas, unas nubecitas rojas, de bordes precisos, bien dibujados. Dicen que las nubes de color de fuego, a la puesta del sol, presagian calor para el día siguiente. El río corre rumoroso, rápido, por la vega, y a su orilla silban los pajaritos de la tarde, croan las últimas ranas de la tarde. Se está fresco, sentado al borde de la carretera, a la sombra de un olmo, después de un día caluroso en el que se han caminado algunas leguas y se ha pateado, de un lado para el otro, un pueblo grande y recién descubierto. Cruza, con su vuelo cortado, un caballito del diablo. Pasan dos chicas jóvenes subidas en un burro manso, castrado, que anda despacio, con la cabeza inclinada hacia adelante. Van muy juntas, riéndose a carcajadas, con el pelo adornado con amapolas. Algún campesino que se ha pasado el día trabajando la tierra —cavando las judías, escardando el cebollino, regando las lechugas— vuelve, camino de Brihuega, con la azada al hombro, la tez curtida por el sol y el aire, la noble, antigua frente, sudorosa. Ante el viajero, al borde del río, una mujer corta juncos con un cuchillo. La mujer llegó con una niña pequeña de la mano. La niña va descalza, con los brazos al aire y lleva un lazo morado, grande como un murciélago, sobre la despeinada cabeza rubia. Al llegar a la orilla, mientras la madre apila las varitas de junco, la niña corta lirios en silencio. Llega a tener un montón tan grande como ella misma, un montón con el que no podrá cargar. Zumban los enjambres dentro de las colmenas, en el colmenar que hay a diez pasos del viajero, y el campo huele con un olor profundo, penetrante, distante, casi hiriente.

Al viajero le pesan los párpados. Quizás, incluso, haya dormido algún instante, con un sueño ligero, sin darse cuenta. Está inmóvil, a gusto, sin sentir las piernas, en la misma postura que tomó al sentarse. No hace ni frío ni calor.

Un perrillo de rastrear conejos pasa por la cuneta. El viajero enciende un puro que compró en Guadalajara. El humo sube despacio, derecho, formando, a veces, tenues volutas azules. Un gato rubio mira al viajero desde un árbol. No se mueve una brizna de aire.

Por la cuesta abajo viene, con calma, distraídamente, un hombre que camina detrás de un burro. El hombre anda como un caballero en derrota. Lleva la cabeza erguida y el mirar vago, como perdido. Tiene los ojos azules. El burro es un burro viejo, con el pelo gris y el espinazo en arco. Fijándose bien, podría vérsele una sangrante matadura, negra de moscas, en el cuello afelpado.

Al viajero le da un salto el corazón en el pecho. Al acercarse el viejo, le grita.

—¡Eh!

Y el viejo, que lo ha reconocido, para el burro con la voz.

—¡So, *Gorrión*!

El burro se para y el viejo se sienta al lado del viajero.

—Buena tarde quedó.

—¡Ya, ya!

El viajero ofrece su petaca al viejo.

—¿Un cigarro?

—Eso nunca se desprecia.

El viejo lía un pitillo grueso, abundante, un pitillo de amigo que envuelve parsimoniosamente, como recreándose. Está callado unos momentos y, mientras apaga con los dedos la larga mecha color naranja, pregunta, casi indeciso.

—¿Va usted a Cifuentes?

—No sé; no acababa de echar a andar. ¿Usted, sí?

—Sí, allá me acercaré. Cifuentes es un pueblo bueno, un pueblo con mucha riqueza.

—Eso me han dicho.

—Pues es la verdad. ¿Usted no ha estado en Cifuentes?

—No; no he estado nunca.

—Pues véngase conmigo; son buena gente para los que andamos siempre dando vueltas.

El viejo pronunció sus palabras mirando vagamente para el horizonte.

—¡Buen tabaco!

—Sí; cuando se tienen ganas de fumar, no es malo.

Los dos amigos echan un trago de la cantimplora, y se levantan. El burro *Gorrión* lleva la mochila del viajero. Caminan hasta la noche, poco ya, comen un bocado y buscan, con las últimas temblonas luces de la tarde, un sitio para dormir.

Sobre la hierba, al pie de las tapias de adobe de una Harinera —la manta gris de algodón del viajero, debajo, la gruesa manta de lana a cuadros del viejo, por encima— los amigos se echan boca arriba, hombro con hombro, con la boina puesta y las cabezas reclinadas sobre el morral y la alforja. El viejo tiene un olor que alimenta, un olor tibio, pastoso, que hace propicio el sueño. El burro *Gorrión,* con las manos trabadas con una correa, está inmóvil, igual que muerto, indiferente, como una estatua perdida entre las sombras de un jardín.

Duérmete, burrillo manso,
que ya es la hora.

Ya te has comido la flor
de la amapola.

Ya has bebido en el restaño
del agua sola.

Duérmete, burrillo manso,
que ya es la hora.

Cantan los grillos y un perro ladra sin ira, prolongadamente, desganadamente, como cumpliendo un mandato ya viejo. Por la carretera pasa un carrito tirado por una mula ligera que va al trote, haciendo sonar las campanillas. Se oye, distante, la aburrida esquila de una vaca mansa. Un sapo silba desde la barbechera, al otro lado del camino.

El viajero se duerme como un tronco hasta la madrugada, cuando cantan los gallos por primera vez y el viejo le despierta pasándole unas hierbas por la cara.

—Ave María.

—Sin pecado concebida.

—¿Andamos?

—Bueno.

El viejo se levanta y estira los brazos. Dobla la manta con cuidado, la carga sobre el burro y bosteza.

—Yo siempre ando después de la doce, cuando canta el gallo. Parece que se va mejor, ¿no cree usted? Yo digo que la mañana se ha hecho para andar y la noche para dormir.

—Sí, eso pienso yo.

Es aún noche oscura. Hace fresquito y se camina bien.

—Y si hemos dormido una noche bajo la misma manta, cambiando los calores, es que ya somos amigos, ¿no le parece?

El viejo se para, cuando añade:

—Vamos, ¡digo yo!

El viajero piensa que sí, pero no responde.

—Porque, ¿usted sabe de fijo cuándo nos vamos a separar?

—No.

Los amigos comen, mientras marchan, un bocado de pan y de chorizo. El viajero va en silencio, oyendo al viejo, que canta, en voz baja, un aire alegre y despreocupado que empezaba: "Mozas de Torrebeleña, mozas de Fuencemillán". El burro *Gorrión* va unos pasos delante, suelto, moviendo las orejas a compás. A veces se para y arranca con sus dientes inmensos un cardo o una amapola de la cuneta.

El viajero y el viejo hablan del burro.

—Para bestia es ya tan viejo como yo para hombre. Pero sólo Dios sabe quién ha de morir antes.

En la oscuridad, con la manta por los hombros, el viejo filosofa, con la voz ligeramente velada y el aire fantasmal.

—Y siempre va suelto, ya lo ve usted, y unos pasos adelante.

El viejo aprieta un brazo del viajero.

—Y la noche que me quede, igual que un perro, tirado en el camino, le diré con las fuerzas que aún me resten: "¡Arre, *Gorrión!*", y el *Gorrión* seguirá andando hasta que el día venga y alguien se lo tope. A lo mejor todavía dura cuatro o cinco años más.

El viejo se calla un instante y cambia la voz, que ahora tiene unos agudos extraños.

—En la albarda lleva cosido un papel que dice: "Cógeme, que mi amo ha muerto". Me lo escribió con letra redondilla el boticario de Tenebrón, cerca de Ciudad Rodrigo, dos años antes de la guerra.

Se callan otro rato y el viejo suelta una carcajada.

—Echemos un traguito, que por ahora aún estoy muy duro, aún nadie ha de leer la letra del boticario.

—¡Que sea verdad!

—Y usted que lo vea.

Un perro sale gruñendo de unas huertas. El viejo le tira unas piedras y el perro huye. Tenía la cabeza gorda y llevaba una carlanca de clavos sobre la que sonó, fuerte como una herradura sobre el empedrado, uno de los cantazos del viejo.

—Ahí queda Barriopedro, a la orilla de ese arroyo. A veces trae algo de agua; ahora vendrá bien, lo más seguro. Nace en unos terrenos que llaman del Villar.

Poco más adelante, cerca de la carretera, queda Valderrebollo.

—De aquí sale un camino que lleva a Olmeda.

Está amaneciendo. El cielo se aclara sobre unas lomas secas, de color tierra, casi rojizo, que quedan por detrás de Valderrebollo.

—A esas les dicen las Morras.

Los amigos llevan andando ya un largo rato —un largo rato de tres o cuatro horas— cuando cruzan por Masegoso.

—Por mí nos quedamos, yo no tengo prisa.

—¿Se cansa?

—No, yo no. Si quiere, vamos hasta Cifuentes.

Masegoso es un pueblo grande, palvoriento, de color plata con algunos reflejos de oro a la luz de la mañana, con un cruce de carreteras. Los hombres van camino del campo, con la yunta de mulas delante y el perrillo detrás. Algunas mujeres, con el azadillo a rastras, van a trabajar a las huertas.

El burro *Gorrión*, el viejo y el viajero cruzan el puente sobre el Tajuña. Un pescador pasea por la orilla del río. El pueblo queda a un lado, con el sol por detrás.

Los amigos, a eso de las ocho y media o nueve, hacen un alto, a la vista ya de Moranchel. Moranchel queda a la izquierda del camino de Cifuentes, a dos centenares de pasos de la carretera. Es un pueblo pardo, no hecho para estar rodeado de campos verdes. El viejo se sienta en la cuneta y el viajero se acuesta de espaldas y se queda mirando para unas nubecillas, gráciles como palomitas, que flotan en el cielo. Una cigüeña pasa, no muy alta, con una culebra en el pico. Unas perdices se levantan de un tomillar. Un pastorcito adolescente y una cabra pecan, con uno de los pecados más antiguos, a la sombra de un espino florecido de aromáticas florecitas blancas como la flor del azahar.

Tumbado boca arriba, el viajero se duerme al sol pensando en el Viejo Testamento.

Pasa un camión estruendoso, sucio, deforme, que levanta una nube de polvo. El viejo, cuando el viajero se pone en pie, está cosiéndose un botón de la chaqueta.

VI. Con el Cifuentes hasta el Tajo

A la mañana temprano el viajero sale de Cifuentes, por el camino de Trillo, dejando el río a la derecha y el castillo de don Juan Manuel a la izquierda.

A poco de andar se ven en el horizonte, chatas, aisladas, las Tetas de Viana. No mucho más tarde, al coronar un resayo suave, se ve también Gargolillos, con su torre en punta, y Gárgoles, con su torre cuadrada. A Gargolillos le llaman algunos Gárgoles de Arriba y a Gárgoles, Gárgoles de Abajo. Los dos están a orillas del Cifuentes; Gargolillos, un poco desviado de la carretera, al final de un camino muy bonito que va entre tapias y zarzales.

Hace algo de fresco y se camina a gusto. Sobre el río se extiende una tenue cinta de niebla casi imperceptible. Vuelan los estorninos y los vencejos; una urraca blanca y negra salta de piedra en piedra mientras una alondra silba entre los sembrados. El vientecillo de la mañana corre sobre el campo, y el aire está limpio, lúcido, transparente, diáfano.

No más remontado un zopetero, Cifuentes desaparece. El camino va entre choperas aisladas, no muy tupidas. Entre el camino y el río verdean las huertas. Al otro lado, el terreno aparece otra vez seco, duro, de color pardo. En el terreno seco se ven rebaños de ovejas blancas y ovejas negras —mejor, castaño oscuro—, todas revueltas, y en el de agua se ven mujeres y niños trabajando la tierra.

El camino está desierto, nadie sube ni baja. El viajero pasa al lado de un caserón de piedra, que parece abandonado. Tiene alrededor unas huertas y un pequeño jardín. A la puerta hay un letrero que dice: "Prohibido el paso. Finca particular."

Sentado sobre un mojón, un hombre arregla una bandeja de baratijas.

—¿Viene de Cifuentes?

—Sí.

—¿Y qué tal?

—Pues... ¡Muy bien!

El hombre hace un gesto de desagrado.

—Pues ya no voy.

—¡Pero, hombre!

—Sí, ¡qué quiere usted! Ya no voy. A mí nadie me dice la verdad.

El buhonero tiene los párpados mondos y lirondos, sin una pestaña, y lleva una pata de palo, mal sujeta al muñón con unas correas. Tiene una cicatriz que le cruza la frente y una nube en un ojo, una nube color azul celeste, casi blanca. Es bajo y estrechito como un alfeñique, y tiene malas pulgas.

—A mí nadie me dice la verdad, me tienen asco. ¿Sabe usted cómo me llaman en Guadalajara?

—No.

—Pues me llaman el Mierda, ¿qué le parece?

—Pues, hombre, me parece mal, ¡qué quiere que le diga!

—¡Los arrastrados! ¡Así los arrastrasen hasta pelarlos!... Oiga: ¿me da un poco de tabaco para la pipa?

El viajero le ofrece su petaca.

—Sí, muy gustoso, cójalo usted.

—¿Por qué dice muy gustoso?

El viajero duda antes de responderle.

—Porque es verdad. Ande, encienda su pipa.

—Bueno, hombre, bueno, no se incomode, ¡caray con la gente! ¡A ver si se ha creído que por darme un poco de tabaco se va a poder poner así!... Oiga, ¿usted es de Aranzueque?

—No, ¿por qué?

—No sé, me parecía que tenía usted cara de hambrón.

El hombre mira para su bandeja y ordena un poco las cintas de colores, los papelitos de la buena suerte y los peinecillos de metal dorado, bien pulido, relucientes como espejos.

—¡No se vende una escoba!

—Sí, los tiempos están malos...

El hombre levanta la cabeza y clava sus ojos en el viajero.

—¿Y usted se queja, siendo alto y teniendo dos patas?

El viajero empieza a pensar que el hombre de las cintas de colores tiene una dialéctica desconcertante.

—A mí me robaron una gran fortuna, una herencia.

—¿Sí?

—Sí, señor; ¿o es que no me cree?

—Sí, sí, ¿no he de creerle?

—Pues fué la fortuna del Virrey del Perú. ¿Usted ha oído hablar del Virrey del Perú?

—Sí, mucho.

—Pues me dejó todos sus bienes. En el lecho de muerte llamó al notario y delante de él escribió en un papel: "Yo, don Jerónimo de Villegas y Martín, Virrey del Perú, lego todos mis bienes presentes y futuros a mi sobrino don Estanislao de Kostka Rodríguez y Rodríguez, alias el Mierda". Me lo sé de memoria. El papelito está guardado en Roma porque yo ya estoy muy escarmentado, yo ya no me fío de nadie más que del Papa.

El buhonero se puso en pie y continuó:

—La herencia me la robaron, y a mí me dejaron en la mayor indingancia.

El viajero tardó unos instantes en entender que había querido decir indigencia.

—Pero lo que yo digo, ¿de qué les ha de valer si en el Valle de Josafat saldrá toda la verdad a relucir?

—Verdaderamente.

—¡Pues claro, hombre, pues claro! Los de Guadalajara, que lo que dicen por la noche por la mañana no hay nada. ¡Pero ya veremos en el Valle de Josafat!... Oiga, ¿quiere que andemos?

—Bueno.

El hombre anda mal, renqueando.

—Es que la pata me está algo larga... Oiga, ¿no le pesa mucho el morral?

—Sí, algo.

—¿Y por qué no lo tira?

A una hora de camino aparece Gárgoles de Arriba, a orillas del Cifuentes, un poco apartado de la carretera. Un hombre de boina y bufanda y dos mujeres jóvenes esperan el paso del autobús. Son los únicos habitantes de Gargolillos con los que se topa el viajero, y tienen cara de buena gente, aunque les digan lañas, que significa tanto como ladrones, los de los otros pueblos.

El viajero escucha cómo el buhonero perdió la pata.

—Ya le digo. El día de San Enrique del año de la República, me dije: "Estanislao, esto hay que acabarlo. Eres un desdichado, ¿no ves que eres un desdichado?" Hacía un calor que no se podía aguantar. Yo estaba en Camporreal, me acerqué hasta Arganda y me acosté en la vía. "Cuando venga el tren—pensé—, Estanislao se va para el otro mundo." Pero, ¡sí, sí! Yo estaba muy tranquilo, se lo juro, pero era mientras no venía el tren. Cuando el tren asomó yo noté como si se me soltara el vientre. Aguanté un poco, pero, cuando ya estaba encima, me dije: "¡Escapa, Estanislao, que te trinca!" Di un salto, pero la pata se quedó atrás. Si no es por unos de la fábrica de azúcar que me recogieron, allí me desangro como un gorrino. Me llevaron a la casa del médico y allí me curaron y me pusieron el mote al ver cómo tenía los pantalones. Uno de los que me cogieron llevaba la pata en la mano, agarrada por la bota, y no hacía más que preguntar: "Oiga, ¿qué hago con esto?" El médico se conoce que no sabía qué hacer, porque lo único que le contestaba era: "Eso se llama pierna, mastuerzo, eso se llama pierna."

El viajero cree más prudente interrumpirle. El buhonero, hablando de la pierna que se dejó en Arganda, había adquirido un aire triste, un ademán cabizbajo.

—¿Quiere usted encender otra vez la pipa?

—Bueno. Oiga: ¿usted entiende de pipas?

—No mucho.

—Pues entonces no merece la pena que le explique nada. Bástele saber que es una Camelia de Luxe, de París de la Francia. ¡Caray con tanto ignorante! Oiga, ¿sabe usted quién me la regaló?

—No.

—Pues apréndalo. El general Weyler, un día en el Paseo de Rosales de Madrid.

El hombre miró al viajero con aire de triunfador y sonrió.

—¡Je, je! ¿Con quién se había creído usted que estaba tratando?

Son ya las once de la mañana y el viajero siente hambre.

—¿Me jura usted que no es de Aranzueque?

—Sí, hombre, se lo juro.

—¡Huy!

El gorgotero se sentó en la cuneta, se desató la pata de palo y encendió la pipa.

—Bien. Comamos entonces un bocado. ¿Qué quiere usted, mezclamos o cada cual come de su macuto?

—Es mejor que mezclemos, ¿no le parece?

—A mí, sí. Yo creo que usted hace un mal avío, ¡pero bueno! Yo no llevo más que un pellizco de cecina.

Los dos hombres comieron y bebieron del morral y de la cantimplora de quien tenía las dos patas sanas. Parece que no, pero en el campo, sentados al borde de un camino, se ve más claro que en la ciudad eso de que, en el mundo, Dios ordena las cosas con bastante sentido.

El buhonero comió como un león, mientras el viajero pensaba si el hombre no sería de Aranzueque.

—A mí esto del embadurnen me gusta a bocados —decía el de las cintas mientras devoraba una lata de *foie-gras*—. Deje usted el pan para luego, no vaya a ser que le falte.

El hombre, con la comida, se tornó aún más inquisitivo.

—Oiga, ¿usted a qué se dedica?

—Pues... ¡ya ve usted! Yo ando a lo que salte.

—No, no, como si se lo preguntase la Guardia Civil. ¿Usted a qué se dedica?

El viajero no sabía qué contestar.

—¡Dígalo, hombre, dígalo! Yo no soy un voceras, y además, si vamos a ver, todos nos quedamos con lo que se tercie, si se tercia a modo. Vamos, ¡es un suponer! Por aquí el que no espabila, ya sabe lo que le espera. Si vas a Aleas, pon la capa donde la veas, porque si vienen los de Fuencemillán, te la quitarán. Ahora, si usted no quiere hablar, pues no hable. ¡Por mí...!

El buhonero se calló un momento, volvió a echar un trago de vino y continuó:

—Decía mi madre que, en este mundo, todo el que come, roba, y el que no roba es porque no sabe. ¿Usted a qué se dedica?

Poco antes de entrar en Gárgoles de Abajo, después de caminar otro rato, el buhonero se despidió de repente.

—¿Sabe usted una cosa?

—¿Cuál?

—Pues que yo no doy un paso más, yo ahí no entro.

—¿Se cansa?

—No, no me canso. Hoy ya he comido y no quiero tentar a Dios. Yo no entro en los pueblos más que para comer. Cuando abuso, Dios me castiga y me hace echar sangre por la boca... Oiga, ¿puede usted socorrerme?

En Gárgoles el viajero se encuentra con unas cuevas con puerta y con candado, que usan para guardar el vino y las patatas. A su amigo Estanislao de Kostka Rodríguez y Rodríguez, sobrino del Virrey del Perú, no hacían más que ponerle trabas en todas partes.

El viajero, para que no se le olvidase cómo era, apunta en un papel la media filiación del Mierda.

Don Estanislao de Kostka
tiene una pata de palo.
Buhonero del camino de la Alcarria
—cintas,
alfileres,
vidrios de color,
horquillas,
peinetas,
papeles de olor—,
tienda de esperanzas para gente sabia.

Don Estanislao de Kostka
lleva, a hombros, un ángel malo.

Gárgoles es un pueblo huertano, con el terreno bien trabajado y la gente aplicada a su labor. En Gárgoles la carretera se pega al río y así marchan los dos ya hasta Trillo. Unos niños que estaban sentados en una cerca miran para el viajero. Los campesinos desdoblan el espinazo, se incorporan y miran también. El viajero se mete en el parador, un parador sin nombre, como el de Torija, a descansar un rato, a lavarse y a esperar la hora de la comida. El viajero averiguó en este pueblo que en la Alcarria no conocen la palabra mesón. Preguntó por el mesón y ni le entendían. Fué cuando preguntó por la posada cuando le dijeron que posada no había, pero que sí había parador. El parador de Gárgoles, a la izquierda de la carretera, como todo el pueblo, viniendo de Cifuentes, tiene una gran puerta claveteada, noblemente antigua, que parece la puerta de un castillo. El viajero cuelga su espejo de un clavo, en la puerta misma, y se afeita las barbas. Por el espejo ve que lo contemplan, desde lejos, quince o veinte personas.

Por el zaguán sale un mulero tirando de dos mulas. Unas palomas pican en un montón de paja menuda. Dos perros duermen estirados al sol. Un niño sin pantalón está en cuclillas, haciendo sus necesidades encima de un tejado. Las golondrinas entran y salen, chillando como locas, en el zaguán, que está lleno de nidos. Las puertas del parador no se cierran jamás.

El viajero entra en el comedor, una habitación cuadrada con el techo muy alto, y en el techo, las desnudas vigas de castaño al aire. Decoran los muros media docena de cromos con pajaritos vivos y multicolores, grises conejos muertos colgados de las patas, rojos cangrejos cocidos y truchas de color de plata, con el ojo vidriado. A la mesa sirve una criada guapa, de luto, con las carnes prietas y la color tostada. Tiene los negros ojos profundos y pensativos, la boca grande y sensual, la nariz fina y dibujada, los dientes blancos. La criada del parador de Gárgoles es hermética y displicente, no habla, ni sonríe, ni mira. Parece una dama mora.

Un galgo negro ronda al viajero mientras el viajero come sus sopas de ajo y su tortilla de escabeche; es un perro respetuoso, un perro ponderado que ni molesta ni pide, un perro que lleva su pobreza con dignidad, que come cuando le dan y, cuando no le dan, disimula. A su sombra ha entrado también en el comedor un perro rufo y peludo, con algo de lobo, que mira entre cariñoso y extrañado. Es un perro vulgar, sin espíritu, que gruñe y enseña los colmillos cuando no le dan. Está hambriento y, cuando el viajero le tira un pedazo de pan duro, lo coge al vuelo, se va a un rincón, se acuesta y lo devora. El galgo negro lo mira con atención y ni se mueve.

El viajero, después de comer, enciende un pitillo, se levanta y lee, en las enjalbegadas paredes, algunos letreros escritos a lápiz, como los de los retretes de los Institutos de Segunda Enseñanza. Los hay para todos los gustos y de todos los colores. Uno de ellos, escrito en bien perfilada letra de molde, dice: "Compañía de Teatro y Variedades. Compañía Olivares. Dos funciones, 600 pesetas. Exitazo. 13-3-45." Es un letrero satisfecho, optimista, un letrero lleno de euforia. Hay también una cabeza de mujer, con larga melena, firmada por Fermín González, de Cuenca, hombre que tiene una rúbrica hermosa, pomposa, elegante, una rúbrica notarial y desafiadora.

El viajero se suelta las botas, pone el morral por almohada, se emboza en su manta y se echa a dormir en el suelo, en un rincón. A su lado, el galgo negro se ha echado también, como para vigilar su sueño. El perro rufo se marchó a la calle; era un perro sin carácter, un perro al que le faltaba sabiduría y que no aguantaba estar mano sobre mano, durante una hora o una hora y media, sin hacer nada.

Desde Gárgoles sale una carretera que va directamente a Sacedón y que corre varias leguas a orillas del Tajo. El viajero duda entre salir a Trillo, siguiendo el Cifuentes, como pensaba, y enterrando el río que vió nacer, o tomar el nuevo camino y desviarse un poco, a la noche, para dormir en Gualda.

A la salida de Gárgoles, hacia Trillo, un hombre apalea a un burro grande y negro, que tira unas coces tremendas y levanta el labio de arriba, enseñando los dientes. Una mujer explica al viajero que el burro parece de

Hita. Los burros de Hita, por lo visto, tienen mala fama en la región; les pasa como a las mujeres de Fraguas.

Poco más abajo, dos hombres cambian la rueda pinchada de un camión cargado hasta los topes. El viajero se pasa el día en el camino, y no suele cruzarse con más de dos o tres coches de línea y algún turismo o alguna camioneta, de cuando en cuando.

Gárgoles, que ya queda a la espalda, ha desflecado su gente por las huertas. La gente de Gárgoles es trabajadora, decidida, quizá algunos un poco huraños. Según cuenta al viajero un comerciante de tejidos que va de un lado para otro en su carrito, uno de Gárgoles, que quería hacerse rico en dos años, se vino en bicicleta desde La Puerta, unas cinco leguas sobre poco más o menos, cargado con trece cabritos encima. Al llegar a Gárgoles murió reventado; se le había despegado el hígado y el corazón.

—Ya ve usted lo que son las cosas —dice el comerciante al viajero—, la avaricia rompe el saco. ¡Y después llaman brutos a los de Alcocer porque tiraron el Cristo al río! *

Al llegar a Trillo el paisaje es aún más feraz. La vegetación crece al apoyo del agua, y los árboles suben, airosos como en Brihuega. Esta tierra, con agua, parece una tierra muy buena; hasta se ve algún que otro castaño, de vez en cuando. A la entrada del pueblo hay una casa muy arreglada, toda cubierta de flores; en ella vive, ya viejo y retirado, cultivando sus rosales y sus

---

* *N. del E.*—El autor nos ha aclarado que por la Alcarria suelen cantar esta copla:

> No he visto gente más bruta
> que la gente de Alcocer
> que echaron el Cristo al río
> porque no quiso llover.

claveles y trabajando su huerta, un veterano alpinista que se llama Schmidt. Schmidt, que piensa en construir una casa enfrente de la cascada de Cifuentes, poco antes de caer en el Tajo, fué un montañero famoso; en la Sierra de Guadarrama hay un camino que lleva su nombre.

La cascada de Cifuentes es una hermosa cola de caballo, de unos quince o veinte metros de altura, de agua espumeante y rugidora. Sus márgenes están rodeadas de pájaros que se pasan el día silbando. El sitio para hacer una casa es muy bonito, incluso demasiado bonito.

El viajero busca un sitio para pasar la noche, deja su equipaje y se va a dar una vuelta por el pueblo. Desde el puente ve correr el Tajo, sucio, terroso, con las márgenes imprecisas. En sus orillas, unos pescadores de caña con aire de campesinos o de muleros, con traje de pana, faja negra y camisa con botón en el cuello, esperan pacientemente a que pique alguna trucha. Poco más abajo, unas mujeres lavan la ropa.

Sobre la cascada
canta el ruiseñor.

A orillas del Tajo
pesca el pescador.

En la tierna huerta
labra el labrador.

Granan los geranios
sobre albo verdor.

Los árboles tienen
aire de señor.

Desde Trillo huele
el mundo a otro olor.

El viajero se toma unas yemas y unos pastelitos de hojaldre en una tienda que hay al lado del puente y después se fuma un pitillo, a la puerta, con algunos hombres que han vuelto ya de trabajar. El grupo llega a hacerse grande y el viajero habla de que le gustaría ver el pueblo. Le acompañan tres o cuatro hombres de su edad. Las tabernas de Trillo tienen un aire jaranero, alegre, siempre un poco al borde del tumulto. El viajero encuentra a la gente amable, obsequiosa, con deseos de agradar. Así se lo dice a sus amigos, y uno de ellos le responde, sonriendo:

—Pues por ahí nos llaman la gente mala, ya ve usted.

A la salida de una taberna, el grupo se encuentra con un hombre joven. Uno de los acompañantes del viajero le dice:

—Le voy a presentar a usted al señor alcalde.

El viajero y el alcalde se saludan.

—Mucho gusto.

—El gusto es mío.

—¿Qué? ¿Anda usted viendo esto?

—Pues, sí... Dándome una vuelta.

El viajero y el alcalde no saben lo que decirse.

—¿Necesita usted algo?

—No, muchas gracias.

El alcalde de Trillo representa andar por los treinta o los treinta y tantos años y es sastre, de oficio. Tiene también una tienda de tejidos y de confecciones.

Caminando por el pueblo de un lado para otro pronto surge en la conversación el tema de la leprosería.

—Al principio andábamos un poco escamados con esto de la lepra; ahora ya nos vamos haciendo.

Un hombre viejo tercia:

—La pena fué que se perdieron las baños de Carlos III, que eran famosos en toda España. Ya sabrá usted lo que decía el refrán: que Trillo todo lo cura, menos gálico y locura.

—¿Pero ustedes no tienen miedo a que les peguen la lepra?

Los hombres se miran antes de responder:

—Pues no, eso no. Vamos, unos tendrán y otros no tendrán...

Antes de volver a la posada el viajero va apuntando apellidos, los apellidos de la Alcarria. Por todos estos pueblos se ha ido encontrando con los Batanero, los Gamo, los Ochaíta, los Bachiller, los Arbeteta, los Bermejo, los Rodrigo, los Alvaro, los Laina, los Romo y los Poyatos.

—Unos son de un lado y otros son de otro, no vaya a creer que están todos mezclados.

—No, no, ya me figuro.

Ya en la posada, esperando la cena, el viajero lee lo que dice de las aguas de Trillo, en el libro que le regaló Julio Vacas en Brihuega, don Ramón Tomé, traductor del *Tratado práctico de la gota* y autor del *Tratado de Baños y Fuentes de Aguas Minerales* que va al final. Don Ramón Tomé explica brevemente la situación de la villa —a dos leguas de Cifuentes, a orillas del Tajo, en la provincia de Guadalajara y obispado de Sigüenza—, y repite el testimonio de don Eugenio Antonio Peñafiel, médico de Trillo, ya reseñado en la relación de las aguas escrita por don Casimiro Ortega, sobre el curioso caso del Barón de Mesnis, primer teniente de Reales Guardias Walonas, hombre que, por lo visto, llegó baldado a Trillo, y después de algunos días de tomar las aguas mezcladas con suero de cabra, empezó a mejorar y pudo retirarse a la Corte, según dice el cronista, lleno de consuelo. Esto sucedía en 1768.

El viajero, cuando lo llamaron a cenar, ciento setenta y tantos años más tarde, iba pensando en lo contento que se habría puesto el Barón de Mesnis después de su visita a las termas de Trillo.

En el comedor había dos hombres, viajantes de comercio, según averiguó después, tomando café. Estaban ya cenados, pero preferían dejar pasar un rato antes de irse a la cama. Uno de los viajantes, el más viejo, leía un periódico que se llama *Nueva Alcarria*. El otro, el joven, apuntaba sus cuentas en un cuaderno. El viajero se sentó delante de su plato de huevos fritos con chorizo.

—Buenas noches.

—Que aproveche, buenas noches.

—¿Ustedes gustan?

—Gracias, ya hemos cenado.

Los viajantes dejaron, uno, la lectura, y el otro, su escritura, y miraron para el viajero. Los dos tenían ganas de preguntar, sobre todo el joven, pero al principio, esa es la verdad, no se decidieron. El viejo tenía un aire taciturno, sombrío, preocupado. El joven, por el contrario, era un hombre locuaz, bajito de estatura, servicial, que procuraba hacerse simpático. Se llamaba Martín y era representante de una fábrica de alpargatas con piso de cáñamo o de goma, a elegir. El viajero supo más tarde que el viajante de más edad solía trasladarse de un lado a otro en coche de línea y, cuando no podía, a pie. Martín, en cambio, andaba siempre en bicicleta y tenía un concepto deportivo de la existencia.

—Con mi corcel de acero en buenas condiciones —llegó a decirle al viajero— soy capaz de ir a vender alpargatas al fin del mundo.

El viajero no lo había dudado ni un solo momento.

—Y para correr cualquier artículo, hay que echarle simpatía y aguantar; mucha simpatía y mucho aguante, si no, no hay nada que hacer.

—¿Y usted no vende más que alpargatas?

—No, señor, yo vendo todo lo que falta. ¿Que en

un pueblo no tienen botones, o algodón de zurcir, o papel de cartas? Pues yo voy, escribo una tarjetita postal a la casa, y a otra cosa. Corriendo un solo artículo no sacaría uno para los gastos.

Al comedor se entra por la cocina. En la cocina cenaban, cuando entró el viajero, la posadera y los suyos.

—En estos pueblos son muy zorros, ¿sabe usted?

El viajante, mientras hablaba, estaba liando un pitillo de la petaca del viajero.

—En cuanto que uno se duerme en las pajas ya le están haciendo la cusca. Pero eso no viene mal, así se va uno espabilando.

El viajante chupa del pitillo y ladea la cabeza. El otro viajante dobló ya su periódico y mira en silencio.

—Porque España es un pueblo muy inculto, aquí no hay cultura, hay mucho analfabeto. Yo, aquí donde usted me ve, tengo tres años del bachiller. Pero no me quejo; voy viviendo, y con eso ya me conformo. Ya me haré rico alguna vez si puedo, y si no, pues mire... ¡de tal día en un año! Ahora procuro hacer vida sana y tomar bien el aire, ya sabe usted lo que se decía antiguamente: para tener la mente sana hay que tener el cuerpo sano. Yo me eduqué en los Salesianos; algunos compañeros míos son ahora médicos o aparejadores y viven como príncipes. No los trato porque no me da la gana; cuando los salude quiero ser tanto como ellos y tener mi casa como Dios manda, yo soy muy orgulloso.

—Es verdad.

—Pues claro que sí, una gran verdad. De los mismos materiales nos han hecho a todos.

El viajante, después de su confesión, pregunta al viajero, como quien no quiere la cosa:

—¿Y usted?

—Pues yo, ¡ya ve!

—Cuando me dijeron que había un señor nuevo, pensé si sería de la Fiscalía.

—Pues no, gracias a Dios no soy de la Fiscalía.

El viajante está algo desorientado.

—Porque viajante no será, vamos, digo yo. Nos hubiéramos encontrado en otras partes.

—Claro.

Asoma la posadera con unos plátanos de postre y una taza de café, y el viajero le pregunta por un guía que lo lleve a través de las Tetas de Viana, por cualquier mozo que sepa el camino y ponga una caballería para cargar el equipaje. La posadera piensa un momento.

—¡Como no quiera llevarse a mi Quico!

—¿Quién es su Quico?

—Mi hijo mayor; tiene ya dieciocho años.

Después de llegar a un acuerdo con la posadera, el viajero se va a dormir. Con él sube Martín, las dos camas están en la misma alcoba.

—¿A dónde va a ir usted?

—Pues no lo sé fijo. A lo mejor voy a Budia, a lo mejor a Pareja.

Ya en la cama y con la luz apagada, el viajante pregunta:

—¿Y le es igual ir a un sitio que a otro?

—Pues, la verdad, sí. ¿Qué más me da?

Al cabo de un rato, después de dar la última vuelta antes de cerrar los ojos, el viajante vuelve a preguntar:

—Oiga usted, perdone la curiosidad, ¿usted cuando come huevos fritos toma siempre cinco?

El viajero no contesta, hace que está dormido. Fuera, en medio de un silencio impresionante, ruge monótona la cascada de Cifuentes.

A Pastrana llega el viajero con las últimas luces de la tarde. El autobús lo descarga a la entrada del pueblo, en lo alto de una cuesta larga y pronunciada que no quiere bajar, quizá para no tener que subirla a la mañana siguiente, cargado de hombres y de mujeres, de militares y paisanos, de baúles, de cestas, de cajones, de morrales y de sombrereras.

Es mala hora para entrar en el pueblo y el viajero decide buscarse un alojamiento, cenar, echarse a dormir y dejarlo todo para el día siguiente. La luz de la mañana es mejor, más propicia para esto de andar vagando por los pueblos, hablando con la gente, mirando para las cosas, apuntando de cuando en cuando alguna nota o alguna impresión en un cuadernito. Por las mañanas parece, incluso, como que la gente mira al forastero con mejores ojos, recela menos, se confía antes, se muestra más dispuesta a facilitarle algún dato que busca, un vaso de agua que pide, un papel de fumar que precisa. La gente, por la noche, está cansada, y la oscuridad, además, la vuelve recelosa, desconfiada, precavida. A la mañana, en cambio, sobre todo cuando el verano está ya cerca, y los días son más largos, la luz más clara y la temperatura más benigna, la gente parece como si fuera más bondadosa y más acogedora, y los pueblos tienen otra cara más alegre, más optimista, más jovial.

La noche parece haber sido hecha para robar sigilosamente, con paso de lobo, el saquito de peluconas que cada familia guarda en el fondo del arca, entre las sábanas de holanda, los membrillos y los mantones de Manila, y la mañana, por el contrario, parece haber sido dispuesta para pedir limosna cordialmente, descaradamente, con la sonrisa en los labios y las manos en los bolsillos del pantalón.

—¿Me da usted una perra?
—Dios le ampare, hermano.
—Es lo mismo, otro me la dará.

Es malo entrar por primera vez en un pueblo, o en una casa, por la noche: el viajero, sobre esto, tiene su experiencia y sabe que siempre le fué mejor en los pueblos en los que entró con luz.

Pensando en esto baja, sin mirar demasiado para los lados, hasta la plaza. Busca una posada y en la plaza, sin duda, podrán darle razón. Lo que quiere no es mucho y lujos no necesita. Pastrana es un pueblo grande y probablemente con media docena, entre fondas, posadas y paradores, de sitios donde elegir.

En la plaza se ven grupos de hombres que charlan y de muchachas que pasean rodeadas de guardias civiles jóvenes que las requiebran y les hacen el amor. Pastrana es un pueblo que aloja un destacamento grande de la Guardia Civil. Unos niños juegan al balón en una esquina y unas niñas, en la otra, saltan a la comba. Se ve algún pollo de corbata y alguna tobillera de tacón. Las luces eléctricas han empezado a encenderse y de un balcón próximo sale el estentóreo ronquido de una radio.

El viajero se acerca a un grupo.

—Buenas tardes.
—Muy buenas.

El interpelado es el alcalde. El viajero y el alcalde, al cabo de un rato de conversación, se dan cuenta de que son amigos. Nadie los ha presentado, pero no importa. Tampoco saben cómo se llaman, aunque piensan que la cuestión tiene fácil arreglo. El viajero da su nombre y el alcalde el suyo: el alcalde se llama don Mónico Fernández Toledano, y es abogado y administrador del conde. El conde, naturalmente, es el conde de Romanones.

Don Mónico es un hombre inteligente y cordial, más bien grueso, algo bajo, lector empedernido, conversador ameno y, según propia confesión, poco aficionado a escribir cartas. Don Mónico es un alcalde antiguo, que rige al pueblo en padre de familia y que tiene un sentido clásico y práctico de la hospitalidad y de la autoridad. El viajero piensa que así como es don Mónico, debieron haber sido los corregidores de tiempos atrás, que no sabe si fueron buenos o malos, pero que a todos se los imagina rectos, enamorados y patriarcales.

Don Mónico quiere enseñar algo del pueblo al viajero, pero el viajero, que siente como una remota superstición, se resiste.

—Mañana lo vemos, ahora estoy algo cansado.

—Como quiera. Entonces nos acercaremos a tomar un vermú.

En el casino, que está en la plaza, el alcalde y el viajero se sientan solos en una mesa. El viajero deja su morral en el suelo y el alcalde llama al conserje, le pide dos vermús y unas aceitunas, le ordena que lleve el equipaje a la fonda y que diga que preparen cama para uno y cena para tres, y le dice que mande a buscar a don Paco.

La gente que está jugando su partida saluda con la cabeza al alcalde y mira, de paso, para el viajero.

Los vermús y las aceitunas no se hacen esperar, y don Paco llega con presteza. Don Paco es un hombre joven, atildado, de sana color y ademán elegante, pensativo y con una sonrisa veladamente, levemente, lejanamente triste.

—¿Me llamabas?

—Sí, te quiero presentar: aquí, un amigo que anda haciendo un viaje por estas tierras; aquí, don Francisco Cortijo Ayuso, mi teniente-alcalde.

Don Paco es médico, su conversar es discreto, su mirada llena de profundidad, sus juicios serenos y atinados.

—¿Y qué le parece esto?

—Aún no lo he visto. Prefiero verlo mañana por la mañana, con la luz del día.

—Sí, yo también pienso que así es mejor.

Don Mónico, don Paco y el viajero hablaron largamente de muchas cosas, de todo lo que se les ocurrió, y se tomaron juntos muchos vermús y muchas aceitunas con tripa de pimiento. Cuando se levantaron ya no quedaba nadie en el casino, y cuando se sentaron a cenar, en la fonda, ya casi no tenía ganas de comer...

* * *

A la mañana siguiente, cuando el viajero se asomó a la plaza de la Hora, y entró, de verdad y para su uso, en Pastrana, la primera sensación que tuvo fué la de encontrarse en una ciudad medieval, en una gran ciudad medieval. La plaza de la Hora es una plaza cuadrada, grande, despejada, con mucho aire. Es también una plaza curiosa, una plaza con sólo tres fachadas, una plaza abierta a uno de sus lados por un largo balcón que cae sobre la vega, sobre una de las dos vegas del Arlés. En la plaza de la Hora está el palacio de los duques, donde estuvo encerrada y donde murió la princesa de Eboli. El palacio da pena verlo. La fachada aún se conserva, más o menos, pero por dentro está hecho una ruina. En la habitación donde murió la Eboli —una celda con una artística reja, situada en la planta principal, en el ala derecha del edificio— sentó sus reales el Servicio Nacional del Trigo; en el suelo se ven montones de cereal y una báscula para pesar los sacos. La habitación tiene un friso de azulejos bellísimos, de históricos azulejos que vieron morir a la princesa, pero ya faltan muchos y cada día que pase faltarán más; los arrieros y los campesinos, en las largas esperas para presentar las declaraciones juradas, se entretienen en despegarlos con la navaja. En la habitación de al lado, que es inmensa y que coge toda la parte media de la fachada, se ven aún los restos de un noble artesonado que amenaza con venirse abajo de un día para otro.

En el patio cargan un carro de mula; unas gallinas pican la tierra y otras escarban en un montón de estiércol; dos niños juegan con unos palitos, y un perro está tumbado, con gesto aburrido, al sol.

El viajero no sabe de quién será hoy este palacio —unos le dicen que de la familia de los duques, otros que del Estado, otros que de los jesuítas—, pero piensa que será de alguien que debe tener escasa simpatía por Pastrana, por el palacio, por la Eboli o por todos juntos.

En este palacio fué donde quiso hacer un museo de Pastrana el que fué párroco de la villa don Eustoquio García Merchante. Material para el museo había suficiente y, además, ya se seguiría buscando algún otro. La base del museo la formaría la famosa colección de tapices de Alfonso V de Portugal.

La idea de don Eustoquio no tuvo la acogida que mereciera, el proyecto no prosperó, y Pastrana se quedó sin museo, se está quedando sin palacio y vió volar los tapices, que hoy están en Madrid. Don Eustoquio dejó constancia de su tentativa en un libro titulado *Los tapices de Alfonso V de Portugal que se guardan en la extinguida Colegiata de Pastrana*. Establecimiento tipográfico "Editorial Católica Toledana. Calle de Juan Labrador, número 6. 1929".

Ahora, como decimos, los tapices ya no están en la extinguida Colegiata de Pastrana. Los pastraneros los reclaman, un día y otro, pero sus voces caen en el vacío. Su argumento no tiene vuelta de hoja —devuélvannos lo que es nuestro—, pero se les contesta con que en Pastrana no hay un buen sitio donde tenerlos y que en la sacristía donde se mostraban se estaban echando a perder.

El viajero piensa que este es un pleito en el que nadie le ha llamado, pero piensa también que con esto de meter todas las cosas de mérito en los museos de Madrid, se está matando a la provincia que, en definitiva, es el país. Las cosas están siempre mejor un poco revueltas, un poco en desorden; el frío orden administrativo de los museos, de los ficheros, de la estadística y de los cementerios, es un orden inhumano, un orden antinatural; es, en definitiva, un desorden. El orden es el de la Naturaleza, que todavía no ha dado dos árboles o dos montes o dos caballos iguales. Haber sacado de Pastrana los tapices para traerlos a la capital ha sido, además, un error: es mucho más grato encontrarse las cosas como por casualidad, que ir a buscarlas ya a tiro hecho y sin posible riesgo de fraude. En fin...

De la plaza de la Hora se sale por dos puertas. La de la izquierda, dando la espalda a la fachada del palacio, lleva al barrio morisco del Albaicín; la de la derecha da paso al barrio cristiano de San Francisco.

El viajero sale a caminar la ciudad y anda por las calles de los viejos nombres, por las calles alfombradas de guijarrillos menudos, ante las casas de puertas claveteadas de gruesos hierros y de balcones adornados con macetas de geranios, de claveles, de esparraguera y de albahaca. Pastrana es una ciudad con calles de nombres hermosos, llenos de sugerencias: calle de las Damas, del Toro, de las Chimeneas, calle de Santa María, del Altozano, del Regachal, calle del Higueral, del Heruelo, de Moratín.

Moratín escribió en Pastrana *El sí de las niñas,* y se casó en segundas nupcias; de su casa también se hubiera podido conservar alguna cosa.

El viajero, en la plaza de los Cuatro Caños, se encuentra con una fuente esbelta, en forma de copa, cubierta por una losa hendida por los años y rematada por un peón de ajedrez. De la fuente no mana el agua y en las grietas de la losa nacen unos hierbajos desgarbados. Para que se pueda sacar una fotografía, el alcalde ordena que se dé agua a los caños y el alguacil, entonces, va a buscar un hierro y los desatasca. Algunas mujeres aprovechan para llenar sus cántaros y sus botijos.

El pórtico de la iglesia de Nuestra Señora de la Asunción tiene una orla de rosas de té. La iglesia está cerrada y el cura no aparece en su casa, ha salido a darse un paseíto. Después de mucho buscar y mucho preguntar, se encuentra al sacristán. El sacristán y el viajero recorren la iglesia, que debió tener su importancia. El sacristán es muy erudito y va explicando al viajero una porción de cosas que pronto se le olvidan. En la iglesia está enterrado el ermitaño Juan de Buenavida y Buencuchillo, que debió ser todo un personaje y a quien se dice que van a beatificar; el viajero piensa que el ermitaño gastaba un nombre sobrecogedor de romance de ciego, un nombre más propio de un bandolero o de un señor de horca y cuchillo que de un presunto beato.

La iglesia es muy histórica y está cargada de recuerdos de pasadas grandezas, pero al viajero se le ocurre que, sin duda, lo más hermoso que tiene es su pórtico y su rosal de rosas de té. En tiempos tuvo un coro de cuarenta y tantos canónigos y racioneros, y hoy, quién sabe si por no haber sabido guardar, el coro está vacío, sin un solo hombre.

Pastrana recuerda, de una manera imprecisa, a Toledo y, algunas veces, a Santiago de Compostela. Con Toledo tiene puntos de contacto ciertos, evidentes: una callecita, un portal, una esquina, el color de una fachada, unas nubes. Con Santiago de Compostela tiene cierta vaga semejanza en el sentir. El viajero no sabe explicarlo de otra manera.

Pastrana, que fué una ciudad de gran tradición eclesiástica, está hoy casi despoblada de clérigos. Su cabildo, según dicen, sólo tuvo igual en el de Toledo, y su convento de carmelitas descalzos fué fundado por Santa Teresa y tuvo de huésped a San Juan de la Cruz.

Hoy, el cabildo desapareció y el convento no tiene ninguna importancia.

El convento se ve desde la plaza de la Hora, en la confluencia de las dos vegas del Arlés, en un alto. El viajero, con sus dos amigos, baja por la carretera y tira después por un senderillo a coger al convento por el lado contrario. Hay que subir una rampa muy escarpada y, para criar fuerzas, el grupo se sienta a la puerta de una casa, una antigua fábrica de papel de tina, a la sombra de una añosa noguera. Pocos pasos más allá, un mendigo pintoresco se despioja al sol. En cuanto divisa a los tres hombres, se levanta y se acerca a pedir limosna. Se toca con una boina a la que los años han hecho una visera, y lleva los pantalones y la chaqueta colocados directamente sobre el curtido y duro cuero. Con la chaqueta suelta y el pecho al aire, el tío Remolinos parece un viejo guerrero en desgracia, un derrotado capitán que ya nada cree, ni nada espera, ni a nada, ni aun al frío, teme. Va sucio y sin afeitar, pero en su cara se adivina aún cierta noble y escéptica socarronería. El tío Remolinos es un mendigo antiguo, lleno de empaque y de conformidad, un mendigo que sabe su papel, que jamás se apuró, jamás trabajó y jamás puso mala cara a la vida.

Al convento del Carmen se sube por la cuesta que lleva a la ermita de San Pedro de Alcántara; debajo queda la gruta de San Juan de la Cruz, y a la derecha, como una proa, la ermita de Santa Teresa. Todos estos lugares son muy literarios y están adornados con huesos de persona, con relojes de la vida y con inscripciones alusivas a la brevedad de nuestras horas y a la que nos espera. Verdaderamente, para una persona un poco aprensiva o un poco nerviosa, una visita a estos lugares no debe tener lo que se suele decir efectos terapéuticos. La gruta de San Juan está medio hundida y su boca aparece casi cubierta por la maleza; dejarla como la usara el santo, es cosa que se arreglaba con dos vigas; a las hierbas se las raía con fuego en media hora.

El convento aparece a cien pasos, o aún menos, de las ermitas. Hoy pertenece a los franciscanos. Al viajero y a sus amigos les acompaña un fraile sano y de buen color, que fuma cigarrillos de noventa.

El viajero, que tiene su pequeña historia familiar relacionada con la Orden, habla con el fraile.

—Yo tengo un tío abuelo o bisabuelo que fué franciscano, que martirizaron los infieles en Damasco. Hoy es ya beato, hace ya muchos años que lo es.

—¿Cómo se llamaba?

—Fray Juan Jacobo Fernández.

—No lo conozco.

Al fraile no parece importarle mucho el tío beato del viajero.

—Ahora tenemos que poner tejas nuevas, y para el año, si Dios quiere, arreglaremos un poco la galería.

El fraile, el viajero y sus amigos recorren el convento y llegan a la biblioteca.

—Aquí tenemos cuatro o cinco incunables; para evitar que se estropeen los hemos mandado encuadernar.

El fraile muestra al viajero los incunables, con las márgenes de las páginas comidas, un dedo por cada lado, por la guillotina del encuadernador.

—Tenemos también un museo de Historia Natural, luego lo verá usted. Está muy desordenado; cuando estuvieron aquí los rojos lo desbarataron todo.

Desde la terminación de la guerra habían transcurrido ya siete años.

La comitiva, camino del museo de Historia Natural, entra en una clase. Los educandos se ponen en pie. Es curioso observarlos: los hay de todos los pelos, de todas las cataduras y de todas las edades.

—Aquí, de donde tenemos más animales es de las islas Filipinas.

En el museo está todo revuelto y cubierto de polvo. Es una tristeza, pero una tristeza que, probablemente, se podría arreglar en un mes metiendo allí a un perito que fuese colocando las cosas en su sitio, y a una criada con una escoba en la mano.

El fraile habla de las desdichas del convento con cierta indiferencia, un poco como sin darse cuenta de que son realmente desdichas y, lo que es peor, desdichas que fácilmente podrían dejar de serlo.

El convento es un convento hermoso y lleno de tradición, y al viajero se le ocurre pensar que es una pena que, como Pastrana, no levante cabeza.

En el libro de don Eustoquio, que está escrito en una bella prosa gramatical, se entona la lamentación de las glorias perdidas y se canta la loa de los tiempos pasados, de los tiempos que, para don Eustoquio, cualesquiera que hayan sido, fueron mejores.

"Pastrana es hoy un pueblo desmedrado.

Sí; ya no rechinan sobre sus goznes las puertas de la fortaleza que en otros tiempos custodiara desde la ronda de palacio el vigía nocturno; ni el aire marcial de apuestos soldados enciende en himnos belicosos el espíritu guerrero de los siglos medievales."

El viajero cree que don Eustoquio exagera. Pastrana, sin vigías, ni aires marciales, ni espíritu guerrero, ni Edad Media, es una ciudad como todas las ciudades, bella como pocas, y que sube y baja, crece o se depaupera, según los hados se le muestren propicios o se le vuelvan de espaldas. En Pastrana podría encontrarse quizás la clave de algo que sucede en España con más frecuencia de la necesaria. El pasado esplendor agobia y, para colmo, agosta las voluntades; y sin voluntad, a lo que se ve, y dedicándose a contemplar las pretéritas grandezas, mal se atiende al problema de todos los días. Con la panza vacía y la cabeza poblada de dorados recuerdos, los dorados recuerdos se van cada vez más lejos y al final, y sin que nadie llegue a confesárselo, ya se duda hasta de que hayan sido ciertos alguna vez, ya son como un caritativo e inútil valor entendido.

Hay quien dice que las Hilanderas de Velázquez representan un telar de Pastrana. Es muy probable que sea así, pero el viajero piensa que a Pastrana le hubiera venido mejor conservar su telar que un cuadro extraordinario de su telar que, para colmo, tampoco está en Pastrana.

Frente al convento, en el cerro La Cuesta de Valdeanguix, están las cuevas del Moro, largas y profundas, alguna hasta de sesenta metros. El viajero ni sube al cerro ni desciende a las cuevas. Pastrana es mucho pueblo para pateárselo entero en un solo día, y el viajero no se encuentra con ánimo para dar ni un paso más.

Ya en la posada de la plaza, extiende el mapa sobre la mesa del comedor, grande como una mesa de consejos, y se pone a pensar. Al sur, en una revuelta del Tajo, está Zorita de los Canes, la que Alvar Fáñez mandó.

Don Mónico ha salido ya y don Paco está asomado al balcón, mirando para la vega. El viajero se levanta, bebe un traguito de coñac, enciende un pitillo y se asoma también al balcón de la plaza, sobre la que se columpia un aire transparente y un poco cansado. Mira para la derecha, para la fachada del palacio, que está en línea con la de la fonda y ve, casi al alcance de la mano, la reja que guardó a la Princesa de Eboli. El viajero, que es también español, como cualquier pastranero, se estremece al pensar que al otro lado del tabique también vivió las malas horas y acabó muriendo aquella dama enigmática, bella, tuerta y, al parecer, cachonda, que tanta influencia tuvo y tan de cabeza trajo a los poderosos. El pueblo, en Pastrana, la llama, desgarradoramente, la puta; el pueblo de Castilla es institucional y sacramental y hay dos cosas que no perdona ni por error: el que los ricos se salten los mandamientos de la Ley de Dios, y el deleite de llamar siempre, con toda crueldad, al pan, pan, y al vino, vino.

—¿Le ha gustado la villa?

—Mucho. Pastrana es una gran ciudad, quizá un poco dormida.

Don Paco sonríe, pensativo. Está un breve rato en silencio y vuelve la cabeza hacia el viajero.

—Tenemos aún tres horas de luz. ¿Quiere que saque el coche y nos acerquemos a Zorita?

—Sí, ¡ya lo creo que quiero!

La excursión a Zorita es breve y deleitosa. Al viajero se le hace extraño viajar descansadamente y con rapidez. Sobre el mapa, se había acostumbrado a medir las distancias en horas de andar y el camino hasta Zorita, calculado según ese uso, le hubiera llevado un día entero caminando a orillas del Arlés hasta su desembocadura en el Tajo, sin toparse con un solo pueblo.

> Pasa el Tajo por Zorita,
> como un sultán.
>
> El campo, una señorita
> que brinda el pan.
>
> El cielo va de levita
> o de mackferlán.

Ya no hay ley de la gravitación sideral:

El castillo de Zorita
aún no dió el tantarantán;

un duendecillo lo habita...
El sexto, larán, larán.

Zorita de los Canes está situada en una curva del Tajo, al lado de los inútiles pilares de un puente que nunca se construyó, rodeada de campos de cáñamo y echada a la sombra de las ruinas del castillo de la Orden de Calatrava. Del castillo quedan en pie algún muro, dos o tres arcos y un par de bóvedas. Está estratégicamente situado sobre un cerrillo rocoso difícil de subir. En su ladera, por la parte de atrás, dos pastorcitos guardan un rebaño de cabras; uno de los pastorcillos, sentado sobre una piedra, graba una cayada de fresno a punta de navaja, mientras el otro, sentado sobre la verde hierba, se ensaya en sacar silbos de una flauta de caña.

El castillo debió ser una verdadera fortaleza. Ahora, los arcos y las bóvedas aparecen desaplomados y amenazan venirse al suelo de un día para otro.

La gente de Zorita es amable y lista. Según le dice don Paco al viajero, Zorita es un pueblo donde la vacunación no es problema; se les anuncia que se les va a vacunar, se les habla de las excelencias de hacerlo y de los peligros de dejarlo, se les marca una fecha, y el pueblo, cuando llega el momento, se presenta en masa. Con un médico y un practicante, el pueblo queda vacunado entre una mañana y una tarde. ¡Así da gusto!

Los habitantes de Zorita de los Canes son de raza rubia, como los alemanes o los ingleses. Tienen el pelo rubio y los ojos azules, y son altos y bien proporcionados. Las muchachas se peinan con raya al medio y el pelo recogido en dos trenzas; van muy limpias y relucientes y, sobre la piel blanca, les resalta el sonrosado color de las mejillas.

Zorita es un pueblo que vive en familia y en paz y en gracia de Dios.

Enfrente de Zorita, al otro lado del río, se ven los restos de la ciudad visigoda de Recópolis, y en sentido contrario, sobre la carretera que va a Albalate, se adivina Almonacid de Zorita, el pueblo donde, hace ya un cuarto de siglo, estuvo de boticario el poeta León Felipe.

Don Paco y el viajero salen de Zorita casi de noche; han merendado en una taberna donde no querían cobrarles más que el vino —porque lo otro era de la despensa— y se han entretenido hablando con la gente.

En el viaje de regreso el viajero, sentado junto a don Paco, va pensando que su excursión por la Alcarria ha terminado. La idea le produce alegría, por un lado, y tristeza, por otro. Ha aprendido muchas cosas y, sin duda, le han quedado otras muchas por aprender. Caminó por donde quiso y, por donde no quiso pasar, dió la vuelta...

El traqueteo del coche le produce sueño. Da dos cabezadas y reclina su cabeza sobre el hombro de don Paco, el médico, el hombre que sonríe siempre con una sonrisa velada, levemente, lejanamente triste.

Al llegar a la plaza de la Hora, el viajero se despierta.

—¿Ha descabezado usted un sueñecito?

—Sí, señor; usted perdone que me haya apoyado en su hombro.

En la plaza los hombres charlan en grupo y las chicas pasean rodeadas de guardiaciviles con gorrito cuartelero, de guardiaciviles jóvenes que las piropean y las enamoran. Unos niños juegan a pídola en una esquina, y unas niñas, en la esquina contraria, saltan a la pata coja. Cruza algún señorito de corbata, y ríe una muchacha airosa, muy mona, calzada con fino zapatito de tacón alto.

Por el monte del Calvario cae la noche sobre Pastrana.

Por la plaza de la Hora,
se pone el sol.

Enlutada, una señora
vela al Señor.

Suena triste una campana,
con suave amor.

Por el cielo de Pastrana,
vuela el azor.

Empiezan a encenderse las luces eléctricas, y el altavoz de un bar suelta contra las piedras antiguas el ritmo de un bugui-bugui.

Don Mónico, don Paco y el viajero se meten en el casino a tomarse un vermú con aceitunas con tripa de anchoas...

Madrid, 1947.

DEL MIÑO AL BIDASOA

En Del Miño al Bidasoa *publiqué la siguiente* Introducción:

«He aquí, lector amigo, otro libro de viajes, otras páginas nómadas, otras visiones y otras andanzas a través de los paisajes españoles, de los inagotables y eternos y proteicos paisajes españoles.

Del Miño al Bidasoa, dando vueltas, revueltas y contrarrevueltas, el vagabundo —servidor— se fué entreteniendo, como un viejo fotógrafo de romería, en sacar clisés al minuto de aquello que le divirtió y que confía en que podrá divertirle a usted.

Si la técnica que usó fué buena o mala, es cosa que ignora. En esto de las técnicas literarias no hay norte, ni sur, ni este, ni oeste, y la aguja de la brújula de cada cual señala a donde mejor le parece.

De lo que se trata es de que esa aguja no llegue a marcar el cuadrante sin remisión del hastío, esa tristezza senza amore *de que se nos hablaba en el XIX italiano, eso tan desesperador y tan huérfano.»*

* * *

El libro va dividido en veinte capítulos, que comprenden cincuenta y nueve epígrafes o capitulillos. Aquí incluyo siempre capitulillos completos, a título de muestrario de lo que hice. Los capitulillos 32 y 33 forman el Capítulo Duodécimo, y los 57, 58 y 59, el Capítulo Vigésimo; los números 15 y 16 son parte del Capítulo Quinto.

CAPITULO QUINTO

PASA DON RAMON DE CAMPOAMOR, POETA, Y SE PRESENTA DUPONT, ARTIFICE DE MOLINILLOS DE PAPEL

15. ¡QUIÉN SUPIERA ESCRIBIR!

EN la plaza de Navia, don Ramón de Campoamor, sentado y con las piernas abiertas, como suele ser costumbre representarlo por los escultores, mira, con cierta curiosidad, para el jardinillo que le pusieron alrededor.

—¡Quién supiera escribir!

Don Ramón de Campoamor, que quiso ser jesuíta, médico y filósofo, y se quedó en poeta, diputado y gobernador civil, tiene cara de buena persona, quizá un poco cazurra.

Los niños que juegan a policías y ladrones a su sombra ni miran para don Ramón de Campoamor.

—¡Quién supiera escribir!

Los niños, que son unos niños pequeños que lo más probable es que todavía no vayan a la escuela ni sepan escribir, se sienten felices fingiendo feroces batallas y cruentas persecuciones.

—¡Quién supiera escribir!

El vagabundo, ante el poco caso que le hacen a don Ramón de Campoamor, se le acerca a darle un poco de charla.

—¡Quién supiera escribir!

—Bueno, don Ramón, hablemos de otra cosa.

Don Ramón de Campoamor ladeó un poco la cabeza.

—Sí, hijo, ¡más vale!

El vagabundo se sentó al lado de don Ramón, lió un pitillo y lo encendió. Don Ramón de Campoamor le miró con simpatía.

—¿Sabes lo que es una humorada?

—Pues...

—No lo pienses, no merece la pena que te esfuerces, yo ya las tengo definidas. Una humorada es un rasgo intencionado.

—¡Ah!

—¿Y una dolora?

—Pues...

—Déjalo, una dolora es una humorada convertida en drama.

—¡Ah!

—¿Ves qué fácil es todo? Vamos a ver, ¿y un pequeño poema, sabes, por casualidad, lo que es?

—Pues...

—No sigas. Un pequeño poema es una dolora amplificada.

—Ya.

El vagabundo, después del baño que le dieron, pensó que lo mejor sería despedirse de don Ramón.

—Bueno, don Ramón, que usted siga bien y tan ocurrente; yo me voy a dar una vueltecita por el pueblo.

—Adiós, hijo, que te vaya bien y no olvides que todo es según el color del cristal con que se mira.

—Sí, señor.

El vagabundo, de espaldas ya a don Ramón, creyó escuchar, tenue como un vagoroso lamento:

—¡Quién supiera escribir!

El vagabundo se volvió y supuso una breve lágrima en el cansado mirar de don Ramón.

—¡Pero hombre, don Ramón, no se ponga usted así!

—No, hijo, son los años...

—Ya.

—Y los sinsabores...

—Ya.

—¿Tú sabes, hijo mío, que aquí en Navia tenemos

ahora tres poetas surrealistas? ¡A lo que hemos llegado! ¿Tú sabías eso?

—No, señor, no lo sabía.

—Pues, sí, hijo mío, ¡tres! ¡Qué horror! ¡No sé adónde vamos a parar!

—Ya, ya...

—¡Y tanto, hijo mío, y tanto! ¡Pobre España!

El vagabundo procuró consolar como mejor pudo a don Ramón. El vagabundo, tanto se aplicó a su caridad, que cuando quiso darse cuenta ya era la atardecida. Las parejas de novios se decían ternezas a la incierta luz del crepúsculo. Don Ramón, al principio dolidamente sonriente, fué pronto quedándose dormido poco a poco, como un pajarito viejo.

Los labios de don Ramón, con un casi imperceptible movimiento, parecían como querer decir algo. El vagabundo se subió al pedestal para poder escucharle mejor. Don Ramón, con un hilo de voz, suspiraba:

—¡Quién supiera escribir!

Don Ramón estaba soñando como un querubín.

El vagabundo, cuando lo dejó dormido y bien dormido, se metió en el pueblo, a buscarse un figón donde le dieran algo de cenar.

16. El río Navia, que nace en el Cebrero

Allá donde los hombres viven, y aman, y pastorean sus ganados, y carbonean sus bosques, y se gobiernan, y mueren como en el principio de los siglos, allá en la tierra vieja de Lugo, en el anciano monte del Cebrero, nace un Navia cantarín y niño que engorda y crece por Navia de Suarna y por las sierras del Busto, de Piedras Apañadas y de San Roque, para regar, ya de caída, la villa de Navia y beberse, de un soplo, al montaraz Polea, que viene dando saltos desde las peñas del Baradón.

El vagabundo, brujuleando por la banda de estribor de la ría, banda sobre la que se asienta el pueblo, encuentra posada de balde en un patache de matrícula villagarciana que se llama "Cortegada IV" y que manda el cuñado de los primos de un amigo, pariente al fin, un hombre que se llama Mamed Togiza, tañedor de flauta y ducho en las industrias y combinaciones de la calceta, que lo recibe lleno de los mejores deseos de que no duerma en tierra firme.

—La tierra es muy húmeda y traicionera y da calenturas y achaques malignos. Tírate ahí, en ese monte de cabos, y duerme hasta que te dé la gana o hasta que Dios amanezca.

—Sí, señor.

Mamed Togiza, como es patrón, tutea a todo el mundo. El vagabundo, como jamás pasó de caporal de infantería, trata de usted a la gente.

El vagabundo, sobre su monte de cabos chorreantes, se olvida de la humedad de la tierra, y duerme, a pierna suelta, hasta que lo despierta el trajín del dos palos.

—¡Eh! ¡Arriba, hermano, que hay que arrimar el hombro! ¡Muy señorito me estás saliendo tú!

—¡Voy, voy!

El vagabundo —¡en mala hora tuvo la idea de venirse a dormir a flote!— se pasa la mañana estibando fardos pringosos y pesados como demonios.

A las doce, Mamed Togiza dejó de gritar y bajó un poco la voz.

—¡A comer! ¡Aquí se come de regalo, como en las bodas!

El vagabundo, quizá por lo mucho que sudó, come como un león de la caldeirada que le dan. Después, y para evitar que lo enganchasen de nuevo, se despide de Mamed Togiza.

—Bueno, yo me voy.

Mamed Togiza lo encuentra lo más natural.

—Bueno, adiós.

Navia es un pueblo bien cuidado, con hermosas tiendas de bisutería y bares donde se toca la radio y se juega al dominó. Por las calles de Navia se ven algunas niñeras con uniformes limpios y bien cortados, que van empujando lujosos y brillantes cochecillos con un niño bien vestido dentro.

Un vendedor de molinillos de papel, de misteriosos y airosos molinillos de papel azules, amarillos, verdes y colorados, se acerca por derecho al vagabundo.

—¿No se acuerda usted de mí?

Al vagabundo le suena la cara del vendedor de molinillos, pero no llega a recordar quién es ni de dónde le conoce. A veces, pasa.

—Pues, no. Y el caso es que...

El hombre de los molinillos lo miró con un gesto de amigo, con un gesto que algo quería recordarle.

—Sí, hombre. ¿Usted no anduvo por el valle del Tiétar, hará cosa de un par de años?

—Sí...

—Pues eso. Yo le conocí a usted en La Adrada, ¿se acuerda? En cuanto lo vi, en seguida me di cuenta de que era usted.

—Sí, sí...

—¡Pues claro, hombre, pues claro que sí! Yo tengo buena memoria para estas cosas y, en cuanto que veo una cara, ya no se me escapa ni se me borra para jamás de los jamases.

El vagabundo no acababa de ordenar sus tiempos de dos años atrás.

—Sí, sí...

El vendedor de molinillos hizo un último esfuerzo por ayudarle.

—Yo iba en una compañía de títeres. Veníamos de Toledo...

El vagabundo, de repente, vió una lucecita que le alumbraba la cabeza por dentro.

—¡Ah, sí! Usted es Dupont, el equilibrista.

El vendedor de molinillos puso un gesto resignado.

—Era, era.

—¿Era?

—Sí, hermano, que en Arévalo me di con los lomos en las losas del pueblo, y, desde entonces, ya no volví a subirme al alambre. ¡Menos mal que pudo quedarme cuerda para contarlo!

—¡Vaya!

—Sí. ¡Y menos mal, también, que me agarré a estas artes, y con ellas voy viviendo!

—¿Y se le da bien?

—¡Vaya, no hay queja! Cambiando de sitio, se va sacando para que no se lo coman a uno los perros ni los municipales.

El vagabundo, que guardaba unos cuartos, invitó a Dupont a una jarra de vino. Después, como estaban contentos, pactaron hacer juntos algunas leguas. Si estas leguas vinieron a resultar, al final, más de las pensadas, fué cosa que ya nada tenía que ver ni con Dupont ni con el vagabundo. Esas cosas son más bien del destino.

CAPITULO DUODECIMO

TRISTAN BALMASEDA, TABERNERO, CELIBE Y HOMBRE DE ACCION

32. El camino de Torrelavega

Atrás ya Cabezón, en el camino de Torrelavega, Dupont, que va sentimental, y el vagabundo, que marcha como mejor puede y sus recuerdos le dejan, ganan una hora para su corazón en Caranceja, a orillas del río Zaja, en el mirar de las gentiles tejedoras del lino, oficio antiguo como el mundo, noble como los árboles frutales y apañadito y hermético igual que las leyendas de las que no se entiende más que la mitad y tampoco demasiado bien.

Poco más adelante, y en el camino que a la siniestra mano lleva, mirando hacia el norte, hasta la punta Carrastrada, otra vez en la mar, queda San Esteban, en la vía del trenillo.

En Quijas, Dupont y el vagabundo rezan un padrenuestro por el alma del arquitecto del hospital de Afuera de Toledo, el jesuíta fray Bartolomé, que fué cura de Carabaña y secretario del cardenal Taverna y que vivió, según las historias, sin salirse del siglo XVI.

Los dos amigos, que, aunque miserables y errabundos, tienen sus raras culturas, se sienten casi felices al evocar los recuerdos de los indígenas que los indígenas ignoran, y que los bachilleres y los licenciados, que suelen ser gentes desocupadas, estudian con afán y buena aplicación y, a veces, hasta con aprovechamiento.

En Veguilla, Dupont y el vagabundo cruzan la puente de piedra que se tiende por encima del río de la Gándara y hablan, tanto por instruirse como por entretenerse, con los veguillanos, segadores en Soria y vendimiadores en La Rioja, que han hecho de la arriería un arte y del trabajo casi un culto fructífero y pagano.

En San Miguel, y a la vista ya de Torrelavega, Dupont y el vagabundo se sientan a sosegar los bofes al frescor de una fuente que nace en un robledalillo y piensan, no muy precisamente, en los azares y las vicisitudes del hombre que marcha empujado por la fuerza de sus pies y en las comodidades y las esclavitudes de quienes, anclados donde Dios se lo permite, igual que una gabarra que aguarda, y ya sin esperanza, las herramientas del calafate, sólo tienen por horizonte la sopita caliente, el camposanto y el cumplido funeral.

Dupont y el vagabundo, que apoyan su querencia en las suertes que consiguen borrar toda sombra de posibles previsiones, prefieren marchar por el camino que los dioses abren ante sus ojos, quizá con su secreta razón y con su fe cierta y misteriosa como el tornasolado amor de las tiernas medusas de la mar.

Por el camino, y arreando dos vacas ubérrimas y de noble *pedigree*, pasa una moza que canta, por el mal ejemplo de los inventos, un lánguido bolero que en el paisaje santanderino huele, entre otras cosas peores, a cuerno quemado.

La moza tiene, en sus pocos años, una firme pujanza que le presta descaro a las carnes y firmeza al poderoso y alado andar. Dupont, que en tiempos, y según cuentan, fué perito en las ciencias del diagnóstico moceril, se le quedó mirando con la viva atención del entendido.

—¿Le gusta?

Dupont, casi absorto, respondió lleno de pesadumbre:

—¡Más me hubiera gustado hace quince años, cuando, en vez de molinillos, que siempre es vil mercancía que se vende y se compra, regalaba sonrisas y dobles saltos mortales y vivía como los mismos ángeles del cielo!

Por el cielo cruzó, como un molinillo multicolor con cuerda para muchos días, un pintacilgo colorado y verde, azul y de color de oro.

Dupont y el vagabundo, ahogados por un presentimiento sin nombre, no se atrevieron a mirarse.

—¿Y los pájaros?

—¿Los pájaros?

—Sí, esos pájaros que vuelan y vuelan para que usted y yo, que no podemos volar, los miremos marcharse por entre las más altas copas de los árboles.

Dupont, casi herido de ala en el ala del alma, igual que un pájaro viejo y sin amor, respondió en un suspiro:

—Pues los pájaros, hermano, fueron inventados por el Creador de todos los mundos para que usted y yo, como dos ciegos topos del camino, los miremos volar hasta, si me apura, con desprecio.

El vagabundo no se atrevió a mostrarse tan riguroso.

—O para que nos muriésemos de envidia y de preocupación.

—¡También pudiera ser!

En la enramada, celosamente fiero como un adolescente enamorado y viudo, el jilguero, haciéndose sangre en las más hondas cuerdas de la garganta del alma, rompió a cantar un aria desesperada.

Dupont y el vagabundo, con la cabeza caída sobre el pecho y el mirar entornado, se complacieron en escucharlo.

—¡Parece un ángel!

33. El tasquero de Torrelavega

Barajando los nombres gentiles de los Garcilasos y del rey don Enrique, de doña Leonor de la Vega, del almirante Hurtado de Mendoza, del Marqués de Santillana, del Duque del Infantado, de los Calderón de la Barca y de los cien próceres que la historia escribe con letras de oro, sale, y ya no por arte de magia, Torrelavega.

Con aires de ciudad de buena planta, limpia y dada a la industria y al señorío, Torrelavega, sobre el río Besaya, es villa solemne a la que Dupont y el vagabundo entran por una amplia avenida de chalets, todos bien trazados y algunos magníficos.

En la plaza, subida en su quiosco, la banda de música, ¡quién sabe si en homenaje a Dupont y al vagabundo!, toca el ajetreado preludio de "La boda de Luis Alonso".

Una niñera bien vestida y con cara de liebre está arreando una tunda soberana a un niño pequeño, mejor vestido aún y con cara de ardilla. El niño es rubio y saltarín y la tremenda niñera, como para compensar, es bravíamente honda y morena.

Contemplando la entretenida escena están colocados, incluso con cierta y bien calculada sabiduría, tres o cuatro niños más con gesto de domésticos y estúpidos pavipollos.

Si la banda de música no estuviera tocando, con un profundo entusiasmo, con un entusiasmo heroico, "La boda de Luis Alonso", los gritos del niño, probablemente, se oirían en su casa y aun mucho más lejos todavía.

—¿Ha visto usted?

—Ya, ya.

Torrelavega es villa que guarda en su término fuentes de buenas aguas y aun mejores nombres, fuentes que se llaman de la Indiana, del Pradejón, de la Ribera, del Rey, del Zapatón, como si todavía se acercasen a beber sus claras aguas los caballeros de los altos designios y los sonoros y nobles apellidos.

Por los caminos del monte de la Aguilera, donde el ganado pace sosegadamente, crecen el tierno aliso y el heráldico quejigo, se crían el maíz y las peludillas y aterciopeladas frutas de hueso y se cazan, cuando el campo se empieza a vestir con la retama del montecillo, la liebre y la codorniz, el conejo y la paloma zurita.

Como es jueves y mientras el vagabundo, que no se rige por los calendarios, trota, de arriba para abajo y con un trotecillo que no le cansa, las calles de Torrelavega en pos de lo que quiera caer, Dupont, que es más habilidoso y, de cuando en cuando, no se niega a trabajar, se gana el jornal sirviendo para un roto en el mercado de puercos de la Quebrantada y para un descosido en el de granos de la plaza de la Iglesia.

El vagabundo, cuando se sienta a verlo hacer y trajinar, se enorgullece de tan dispuesto e industrioso amigo y, para no cansarse por si llega el momento de echarle una mano, decide quedarse como está.

Dupont, el desconocido Dupont de Torrelavega, que está desconocido y rejuvenecido, bulle de un lado para otro como un ratón, salta como un gamo, se hace preciso, sonríe, sube, baja y gira sobre sus talones igual que una mona bien amaestrada, arrea a un puerco, riega con buenas palabras el ánimo del comprador y da un ejemplo a los siglos venideros de los afanes que no suele sacar a flote más que en muy determinadas y difíciles fases de la luna.

En una taberna que hay detrás de la calle de Consolación, con sus galerías de cristal, sus señoritas casaderas y de buenas costumbres, sus ferreterías y sus pastelerías, Dupont y el vagabundo se entran a gastarse las voluntades de Dupont, que hoy es el rico y el poderoso, y transforman algo más de tres duros para los dos en calorías sólidas y líquidas con las que atender a su mejor gobierno.

Con treinta y tantos reales de calorías pegados, con una fijeza y un cariño muy de agradecer, al hígado de cada cual, Dupont y el vagabundo se sienten y se encuentran, al menos durante el tiempo de la digestión, felices y optimistas como indianos con billete de retorno y talonario de cheques, automóvil brillador y diente de oro.

El tabernero, que es un mozarrón ya talludito, un mozarrón que andaría por los cincuenta, un mozarrón del caserío de Bermudo, bien dispuesto por el gasto que Dupont y el vagabundo hicieron en un santiamén y que él cobró, casi sin figurárselo, en menos que canta un gallo, los invitó a café y a copita, como en los bautizos de rumbo.

Los taberneros de por estas latitudes, de cara hosca y fiera y ademán sobrecogedor y como patibulario, son, en el fondo, tiernos y sentimentales y agradecen de corazón el que se les pague a tiempo. Después de todo, cada cual tiene sus manías y sus costumbres y no iban a ser Dupont y el vagabundo quienes trataran de hacérselas cambiar a nadie.

—¿Un café?

—¡Pues, hombre!

—Yo les invito, ¿hace?

—Hace, sí, señor, ¡ya lo creo que hace!, ¡pero que mucho bien es lo que hace!

—¿Y una copita?

—Bueno, ¡si es empeño!

—No es empeño, es que tengo mucho gusto en hacerlo. ¿Anís o coñac?

—Pues, hombre, ya que da a elegir, traiga coñac.

El tabernero, después de disponer todo, explicó que se llamaba Tristán Balmaseda y había sido turuta en el regimiento de infantería de Zamora, 29, en La Coruña.

El Tristán Balmaseda estaba picado de viruela y movía con dificultad uno de los remos.

—¿Un paralís?

—No, señor, un camión de pescado.

—¡Vaya!

Después de unos instantes de silencio, Tristán Balmaseda, entornando la puertecilla de su establecimiento, vió cómo la sonrisa se le pintaba en la cara y empezaba a brincarle en los ojillos.

Tristán Balmaseda vió su propio y alegre sonreír en el caduco espejo que, como un desmonte calvo y hollado por la digestión de cien generaciones de moscas, tenía colgado de la pared, entre las botellas de anís, la menta y la zarzaparrilla.

Tristán Balmaseda estaba muy contento con su suerte.

"¡Esto sí que es suerte! —se dijo Tristán Balmaseda—. ¡Tener a quien poder contarle uno las cosas!"

Tristán Balmaseda arrimó una banqueta, se sentó entre Dupont y el vagabundo, puso la petaca y el chisquero encima de la mesa y se arrancó con el bonito cuento de su vida.

—Un servidor de ustedes, señores, vino al mundo, a este valle de lágrimas como dicen algunos, aún no hace tantos años como para que no queden testigos del suceso, en un hogar que hubiera sido tranquilo si mis padres se llevaran mejor, pero que, por esas cosas que pasan y que ya se sabe que nadie puede evitar, era talmente un infierno en el que había que tener tantas ganas de vivir como yo tenía para no irse para el otro mundo muertecito de miedo o, a partes iguales, mitad de asco y la otra mitad de aburrimiento. Como he tenido buenos maestros y me gusta ser ejemplarizador, y como tampoco quiero llevar la tristeza al ánimo de ustedes, que ninguna culpa tienen en todo lo que me sucedió, paso por alto la pintura de aquel tiempo y de aquel antro en el que, por eso de los designios de la Providencia, hube de venir al congreso de los vivos. ¿Me permiten ustedes esta licencia?

Dupont y el vagabundo le dijeron que sí, que se la permitían, que no faltaría más, que naturalmente, que para eso estaba en su casa, y Tristán Balmaseda se permitió continuar.

—Muchas gracias. Oiganme ustedes, antes de seguir adelante, ¿verdad que es bonito eso que les dije del congreso de los vivos?

—¡Ya lo creo, la mar de bonito! ¿Verdad, usted?

A Dupont también le había gustado lo del congreso de los vivos.

Tristán Balmaseda escanció y siguió adelante.

—Pues, sí, como les decía. Ya de mozo, y a un servidor, la mocedad le llegó antes que el bozo y el sorteo para servir al rey; me fuí hasta Valladolid, país de amplios horizontes y de mucha industria y muy saneado comercio, y allí entré al servicio de una dama que, horra de amor, fomentaba, quizá por caridad, el amor de los demás, no importándole que las malas lenguas la llamaran alcahueta. En su casa nunca faltaba un bocado que llevarse a la boca y no era culpa de ella, y tampoco se lo echo en cara, que en vez de un bocado no hubiera habido dos para que yo me aprovechase del segundo. ¿Otra copita?

—Bueno.

Tristán Balmaseda, después de poner las copitas, continuó como si no se hubiera interrumpido.

—Con las hambres que pasé en casa de la tal dama, pegué semejante estirón que me puse largo como una caña y, lo que es peor, encorvado como una caña verde mecida por el viento. Como las ropas, que ya de por sí no me estaban muy propias, se me desajustaron y todo lo que llevaba encima me venía tan corto como la dicha en casa del pobre, debía hacer, a buen seguro, tan rara figura, que un petimetre lenguaraz me llamó una tarde "ridículo" en medio del Campo Grande, y tal impresión me hizo la palabra y tanta decisión dió a mis voluntades que aquella misma noche, en casa de mi protectora, hice un hatillo con lo poco que encontré y me despedí a la francesa. ¿Ustedes creen que obré mal?

Dupont y el vagabundo le dijeron que no, que qué va, que en esos casos eso era lo menos que se hacía, y Tristán Balmaseda, ya más tranquilo, pudo continuar.

—Muchas gracias otra vez, son ustedes muy buenos conmigo.

Tristán Balmaseda, ya sin preguntar lo que sabía, sirvió otras dos copitas.

—Les ruego que me las acepten.

Dupont y el vagabundo le dijeron que no faltaría más y que se las aceptaban muy gustosos.

—Pues, sí, como les iba diciendo. Con lo que allí aprendí y con lo que allí crecí, y también, ¿por qué no decirlo?, con lo que allí hube de randar, me hice un hombre o, por lo menos, así me lo creía, y me fuí acercando por etapas hasta Torrelavega, y digo por etapas porque si no no iban a entenderme ustedes que tardara en llegar hasta aquí siete años largos. ¡Caray, cómo soplan ustedes, hermanos! ¿Quieren ustedes cambiar a vino?

Dupont y el vagabundo le dijeron que bueno y Tristán Balmaseda trajo una jarra del mostrador.

—Pues bien, por donde iba. Contarles a ustedes esos siete años de viaje es algo que me llevaría muy lejos o, si ustedes se iban de la lengua con la guardia civil, incluso más cerca, al Dueso, que está como quien dice a la vuelta de la esquina. Un servidor sabe que ustedes son dos hombres de bien y que no lo habían de denunciar, pero, ¿qué quieren ustedes?, ¡por si acaso!

Tristán Balmaseda se quedó un momento silencioso y llenó con su tinto espeso los vasos de Dupont y del vagabundo. Cuando lo hubo hecho, tomó otra vez aliento.

—Aquí en Torrelavega hubo, en mi vida, de todo como en la viña del Señor, y a los tiempos buenos sucedieron los tiempos malos, que se marchaban después para que volviesen a venir los buenos y así, dando vueltas, hasta hoy. Como mi vocación era la de ser propietario de un establecimiento, que para eso había nacido, según notaba, y como con el jornalillo de peón no había manera de salir de pobre y mucho menos de ahorrar, arbitré hacer de todo un poco y no dejar pasar una peseta por delante de mis ojos sin, por lo menos, ponerle los puntos, pensando que para escaparse, si esa era su voluntad, siempre tendría tiempo.

Tristán Balmaseda, de repente, se sintió condescendiente anfitrión.

—¿Les parece a ustedes que, mientras hago memoria de todo, hablemos un poco de ustedes?

Dupont y el vagabundo se miraron y Dupont habló.

—Como usted guste, aunque aquí mi compañero y yo preferiríamos saber todo lo que a usted se le antojase irnos contando.

Tristán Balmaseda volvió a sonreír.

—No se preocupen por eso, que todo ha de llegar y yo muy complacido en que me hagan caso y me presten su atención. ¿Para qué mentir?

Tristán Balmaseda, Dupont y el vagabundo liaron un pitillo.

—Bueno. Con mis propósitos, como les digo, de no dejar levantar cabeza a ninguna peseta que se me pusiera a mis alcances, me apliqué a perseguirlas y, como pienso que se alcanza todo lo que se intenta, llegué a reunir un buen lote de ellas, que manejadas con más suerte que tiempo, fueron creciéndose y multiplicándose, como las criaturas del Señor, hasta que llegaron a ser las bastantes para poder establecerme conforme mandan las leyes del comercio, con dos duros en la mano, seis en la memoria y quince o veinte en el aire.

Dupont y el vagabundo, que ninguno de los dos, aunque ninguno de los dos se perdiera, tenía patente de perito en las herméticas ciencias de la trajinería, escuchaban como embobados el incesante parlar de Tristán Balmaseda e intentaban aprender, por amor al arte, la lección que no había de servirles para nada.

—¿Y ya todo fué coser y cantar?

Tristán Balmaseda clavó sus ojos en el vagabundo con cierto tolerante desprecio.

—No, señor; sino que fué más bien coser cuidando de que no se partiera el hilo y cantar a grito pelado para que el prójimo fuese cobrando confianzas que, como ustedes saben, son las columnas del oficio y sin ellas no hay comercio posible.

Tristán Balmaseda volvió a llenar otra vez los vasos sin fondo de sus invitados.

—Pero vayamos a lo que íbamos. Entonces fué cuando se me ocurrió el pensamiento, el bienhadado pensamiento que nunca bendeciré bastante, de permanecer célibe, como suele decirse, porque no encontraba que tuviese sentido común el que, si célibe había llegado a tabernero, hubiera de compartir el establecimiento y sus beneficios con una moza que, a lo mejor, no venía por mis huesos sino por los vapores y los aromas de mis tinajas. ¿No les parece a ustedes que pensé bien y con la cabeza?

Dupont y el vagabundo, no queriendo tomar partido por una vez, le dijeron que a ellos la cosa ni les parecía ni les dejaba de parecer y que, en estos casos, más sabía el loco en su casa que el cuerdo en la ajena, según se decía por Castilla.

Dupont, que era algo más redicho, le argumentó con más hermosas y mejor medidas palabras:

—Mire usted, señor Tristán, que éstos son asuntos muy delicados y en los que las amistades no debemos entrar porque, a lo mejor, se entienden mal las cosas, se acaba tomando el rábano por las hojas y después todos son líos y complicaciones.

Tristán Balmaseda, que era un tabernero ecuánime, siguió explicándoles, sobre la marcha, un montón de cautelas, avatares y peripecias de su vida y de su oficio, pero, como Dupont y el vagabundo tenían ya un interés menor, se confiaron al vino que se les regalaba y, al final, escuchaban al orador ya como quien oye, sobre poco más o menos, llover en un descampado.

—¿Y qué les parece?

Dupont y el vagabundo entraron desacordadamente y a destiempo.

—¿Eh?

Tristán Balmaseda se amoscó.

—Decía que qué les iba pareciendo.

Dupont y el vagabundo, que ya llevaban juntos algún tiempo, tuvieron bastante con mirarse.

—¡Ah! A nosotros, aquí a mi amigo y también a un servidor, nos parece muy bien todo lo que usted nos viene diciendo y, como pensamos que su amabilidad es tan grande y oportuna como bueno y abundante es su vino, le deseamos, en su celibato, toda suerte de dichas y prosperidades, y aun que las vea aumentadas con prodigalidad.

Tristán Balmaseda se quedó como sobrecogido.

—¡Habla usted muy bien!

Dupont se hinchó como un palomo.

—Sí, señor, bastante bien, no se lo voy a negar a usted, ¡todo el mundo lo dice!

El vagabundo estaba admirado del aplomo de su compañero Dupont y en aquellos momentos llegó a cogerle todavía más admiración que la mucha que ya le tenía.

Cuando, saliendo ya de Torrelavega, otra vez con todo el mundo por delante, Dupont y el vagabundo pudieron hablar sin más testigos que los robles y los castaños del bosque y las avecicas que volaban por los aires, el vagabundo le preguntó a Dupont:

—Oiga, hermano, ¿usted hizo estudios para el grado?

Y Dupont, rebosante de una contenida felicidad, le puso una mano en el hombro y le respondió:

—No, hermano, que jamás los hice; esto que a mí me pasa es tan sólo producto de mi inteligencia natural y de los dones que Dios me dió. Todo es cuestión de adiestrarse en ejercitarlos un poco, que para eso los tenemos, para que no se oxiden ni enmohezcan.

El vagabundo se quedó meditativo.

—Sí, sí...

Y Dupont, en torno a cuyas sienes se adivinaban ya las sombras del mirto y del laurel, sonrió condescendientemente, igual que un héroe olímpico e imbatible.

—Pues, claro, hermano, pues claro...

CAPITULO VIGESIMO

Y POR AQUI SE LLEGA A LA RAYA DE FRANCIA, SE DICE ADIOS A DUPONT Y SE TERMINA EL CUENTO

57. La raya de Francia

Dupont y el vagabundo, como habían prometido, se fueron de casa del poeta al alba del día siguiente.

Por el camino de la raya de Francia el tránsito es bullicioso e ininterrumpido como el fluir de las torrenteras y las casas se suceden, una tras otra, a ambos lados de la carretera.

Como la mañana es fresquita, Dupont y el vagabundo marchan bien y descansadamente. A la izquierda, entre viejos mástiles y cascos que han conocido los siete mares, queda Pasajes de San Juan, y a la derecha, poblado de sentimentales recuerdos del vagabundo, se esconde Oyarzun, más acá de la peña de Aya, el monte Urdaburu y las cuevas de Laurdarasu.

Irún, con su caserío remozado, aparece ante Dupont y el vagabundo a las tres leguas de andar. Irún está situado entre el monte Jaizquíbel y la peña de Aya, que los franceses dicen de las Tres Coronas, y al pie de la colina de San Marcial, con la ermita de su nombre y la romería del día del santo, en el que los mozos y las mozas marchan en tropel para tomar parte en el "alarde".

Irún está a orillas del Bidasoa, que cae al mar poco más adelante, por Fuenterrabía. Desde Fuenterrabía salen dos caminos que llevan, uno al cabo Higuer, donde dobla la costa cantábrica, y otro a la ermita de Nuestra Señora de Guadalupe, casi al borde de la punta Turulla.

En el Bidasoa de Irún está, cada día más canija, destartalada y fea, la famosa isla de los Faisanes, que tiene un nombre desproporcionadamente bello para su pobre y ruinosa presencia. Los franceses a la isla de los Faisanes, la llaman isla de las Conferencias. En esta isla de los Faisanes o de las Conferencias se pactó la paz de los Pirineos y se trató de la boda del francés Luis XIV con la infanta española doña María Teresa.

En el puente Internacional, adonde Dupont y el vagabundo se acercaron a fisgar un poco, un guardia civil les salió al paso.

—¡Atrás o a la derecha, que eso es Francia!

—¿Eso?

—Sí.

—¡Caray!

Dupont, como era francés, estaba algo emocionado.

—¡Qué bonita! ¿Verdad?

El vagabundo le dijo que sí, que muy bonita. Al vagabundo le parecía igual una orilla que otra pero se explicaba que a Dupont le gustase más la de allá. Los franceses, en esto, son muy especiales.

Como Dupont y el vagabundo tenían que buscarse su porqué para seguir viviendo y en dos pies, se dedicaron a recorrer los barrios de Irún —Alchigor, Meaca, Ergoyen, Lapitze, Anaca— en busca del sustento que no les faltó.

En el sitio que dicen, ¡y vaya por Dios!, Arramastequicoerrota, Dupont y el vagabundo pudieron ganarse unas perras, las bastantes para salvar el día y aun para guardar unos ahorros, limpiando de broza y de malas hierbas un prado bastante sucio que el amo, que se conoce que era caprichoso, quería convertir en jardín.

—¿Se cansa?

—No, ¡por un día!

Irún, según los geógrafos, es ciudad de ilustre vejez. Quienes saben de esto citan a Estrabón y a Casaubón, a Puteano y a Ptolomeo y hablan de los vascones y de los romanos, de Idanusa, de Uranzu, de Iranzu y de Iturisa. Después, como era de suponer, no se ponen de acuerdo.

—¿Usted qué piensa de todo esto?

—No, no, yo de todo esto no pienso nada, a mí todo esto me es más bien igual, se lo aseguro.

En España, en cuanto hay una guerra, esa guerra pasa por Irún. En la de la Independencia, Irún se portó tan bien y tan heroicamente que el rey la mandó nombrar de "muy benemérita y generosa"; antes ya era "muy noble y muy leal".

Dupont y el vagabundo, a medio trabajo en el prado, se sentaron a tomar aliento y a echar un pitillo.

Dupont, mirándose para la punta de los pies, habló con voz que casi no se le escuchaba.

—Hermano, en cuanto lleguemos un poco más abajo me voy a mi país... Desde el pico Mondarrain hasta Cambo-les-Bains hay un camino que conozco bien... Desde Cambo-les-Bains hasta Espelette Itxassou ya podré meterme por la carretera... En Espelette Itxassou tengo una novia desde hace ya muchos años... Usted sabrá perdonarme...

El vagabundo notó que un frío le subía por el brazo,

parecía como si se le hubiera colado un lagarto por la manga. El vagabundo, antes de contestar, carraspeó.

—Como usted guste.

Y Dupont, levantándose, le dió la mano.

—No, no me voy todavía. Me iré por Echalar, con las palomas, o por Zugarramurdi, con las brujas.

58. Un amigo de Vera

Dupont, saliendo de Irún por el camino de Navarra, le puso al vagabundo una mano en el hombro para decirle:

—Yo voy a remontar el Bidasoa hasta su fuente, en los montes de Otsondo, cuando todavía se llama Baztanzubi, ¡si usted quiere acompañarme!

—Bueno, ya veremos dónde me aparto.

El río Bidasoa, en término de Fuenterrabía y poco antes de morir en la mar, recibe las aguas del Amute y, por Irún, las de los arroyos Aranzate, Olaberria, Alzubide y Primaut. Todas estas aguas le vienen de la margen izquierda; a la derecha está Francia.

—Y desde allí, ya veremos; quizá vaya todo seguido hasta el pico Mondarrain, quizá cruce al otro lado para pasar por la gruta de Alquerdi y las cuevas de la Grotte de Saro, en el camino de Zugarramurdi.

La carretera por la que van Dupont y el vagabundo marcha, sirviendo de linde con Francia, entre árboles frondosos y carabineros con bigotito; antes, los carabineros solían llevar unos fieros mostachos.

La isla de los Faisanes aun guarda el recuerdo del proyecto de duelo que tuvieron Carlos V y Francisco I.

En Endarlaza, por donde se pasa a Navarra, el Bidasoa deja de ser frontera. En este pueblo se le junta el regato Endaraerreca. La carretera, rodeada de montañas y siempre a orilla del río, llega hasta Vera, de donde sale un camino que también lleva a Francia.

El vagabundo tiene un amigo en Vera que se llama don Ricardo. Don Ricardo vive en el camino de Urrugne, en su casa de Itzea, en el barrio de Alzate. Por el camino de Urrugne se esconden, entre los montes, los caseríos de Chistorme y Uztegui. El Bidasoa, en Vera, recibe el agua clara del riachuelo Lamisin.

—¿Vamos a ver a su amigo?

—Sí, ¿a usted le parece bien?

—¡Hombre, sí!

Vera tiene, además del que le da el nombre y del de Alzate, tres barrios más, los de Garaitarcos, Surpela y Zalacaín. Don Ricardo es hermano de don Pío, otro amigo que tiene el vagabundo. Don Pío vive en Madrid y es escritor, ha escrito ya más de cien libros. Don Ricardo también es escritor, pero ha publicado menos. Don Ricardo tiene algunos libros muy nombrados: "La nao capitana", "El pedigree", "Clavijo", "Gente del 98". Don Ricardo también escribió muchos artículos en los papeles.

En Vera fué donde se frustró la expedición de Mina, en el año 1830. Don Ricardo, además de escritor, es dibujante, grabador, pintor, inventor, actor y tuerto del ojo derecho. Don Ricardo trabajó en el cine, en la película "Zalacaín el aventurero". Don Ricardo inventó un tipo nuevo de velero y un estabilizador de aviones. Sobre este invento, don Ricardo, que es un humorista, escribió unas palabras que no se sabe si son escépticas, amargas o crueles: "Consistía en cierto dispositivo tan perfectamente aplicado al aparato volador, que si éste, por cualquier causa exterior, se colocaba en posición peligrosa, continuaba en ella hasta conseguir que el aeroplano y tripulantes se estrellasen contra el suelo".

Cuando Dupont y el vagabundo llegaron a Itzea, don

Ricardo estaba trabajando en un cuadro que representaba unos caminantes en medio de una ventisca de nieve.

—Lo pasan mal, ¿eh?

—Sí, señor, no parece que lo pasen muy bien.

Vera está rodeada de montes de robles y de castaños, los montes Larún, Acozpe, Labiaga y Santa Bárbara. Don Ricardo, que es un hombre amable y que ya anda por encima de los ochenta años, mandó que diesen de comer y de beber a Dupont y al vagabundo.

—Aquí uno se va arreglando.

—Sí, señor.

En Itzea se guarda la biblioteca de don Pío, grande y curiosa y con muchos manuscritos y libros de viajes.

—Todo esto es de mi hermano; ahora, desde hace ya algunos años, viene poco por aquí.

La leyenda dice que Vera fué fundada por don Carlos y don Luis, hijos del rey Ramiro I de Aragón. La historia no dice nada.

—¡Vaya usted a saber!

Don Ricardo, con su ojo de menos, sus años y sus energías, semeja un magro capitán de barco que se ha venido a la tierra adentro para vivir en paz sus últimos años.

—¿Usted se interesa por la historia?

El vagabundo no sabía bien qué responder.

—¡Hombre, según!

Don Ricardo lo miró con un gesto casi compasivo.

—Ande, échese otro vasito.

y 59. Adiós en la montaña

Saliendo de Vera hacia el sur y siempre al lado del Bidasoa, entre los montes de Santa Bárbara y de San Antón, Dupont y el vagabundo pronto llegan al cruce de

Lesaca, pueblo que queda a poniente, una de las Cinco Villas de la Montaña.

Poco más abajo y a la mano contraria, Dupont y el vagabundo dejan a Echalar, otra de las Cinco Villas, a la sombra de la peña Aitzena.

Echalar tiene fama entre los cazadores por ser uno de los pasos preferidos por las palomas que van y vienen a Francia.

Dupont y el vagabundo, a estas alturas del Bidasoa, ven a unos soldados bañándose en sus aguas.

—¡Nadan bien!

—Sí, se conoce que le tienen afición. Si fuesen tan partidarios del agua como usted o como yo, nadarían peor, ¿no le parece?

Entre las peñas Aitzena y Beberte, al este, y los montes Apaola y Mendicaez, al otro lado, el camino y el río se meten en Sumbilla, un pueblecito pequeño y de pocas casas pero todas sólidas y con sus tres plantas bien construídas, como es uso por la región.

En el valle de Santesteban de Lerín, se cultiva el maíz, la remolacha y el tabaco. Santesteban es pueblo bonito y bien situado, con un frontón donde no para jamás de sonar la pelota y unos canutillos de confitería, los canutillos de la Joshepa, que son tan capaces de levantar a un muerto como de espabilar a un lelo.

En el término de Santesteban se pierde el nombre del Bidasoa y las aguas, que doblan a levante, empiezan a hacerse múltiples y confusas.

Más allá del palacio de Reparazea, el Bidasoa se llama Baztanzubi y se junta con los arroyos Ezpelara y Elgorriaga.

En la venta de Mugaire, junto al puente de Zaraya, caen al Baztanzubi los regatos Arcesi, Ernazábal y Velate.

Como Dupont y el vagabundo van agotando ya sus

horas y sus minutos de compañía, no saben lo que decirse.

—A lo mejor volvemos a encontrarnos algún día, ¡todo pudiera ser!, en el sitio que menos vayamos a pensarlo.

—¡Quién sabe!

—¿Usted se alegraría?

—Hombre, ¡yo, sí! Puede usted estar seguro.

El Baztanzubi, después de cruzar Oronoz, se estrecha por la garganta de Ascape, y más tarde lame los muros de Elizondo y se cuela, hacia el norte, por el valle del Baztán, que es uno de los más hermosos panoramas del mundo entero.

Siempre en el camino de Francia, el vagabundo se para al llegar a Malla, al pie del puerto de Otsondo.

—De aquí no sigo. Que Dios le bendiga, hermano, y que todos los compañeros de camino con los que haya de encontrarse en sus días no le resulten peor de lo que yo le resulté.

El vagabundo dijo sus palabras emocionada y temblorosamente. Dupont le miró a los ojos.

—Adiós. Yo también le deseo a usted mucha ventura, toda la ventura que pueda caberle en el cuerpo a un hombre.

Dupont siguió adelante y el vagabundo, como clavado en medio del camino, le dijo adiós mientras se fué perdiendo por las cuestas arriba que le llevaban al nacimiento del Baztanzubi, a los montes de Otamburdi y de Itzpegui y, más allá, a su país.

Dupont, parándose de trecho en trecho, también se volvía para decir adiós con la mano.

Una bandada de palomas cruzó por los aires y un jilguerillo cantor silbó en la zarza del camino.

El vagabundo, otra vez solo como siempre andara, no supo si llegó a sentirse desgraciado, acongojadamente desgraciado, o feliz, inmensamente, luminosamente feliz.

El día —un día cualquiera para todos los hombres—, escapando por el monte de Alcurrunz y la sierra de Achueta, cobró, en aquella hora de la tarde, unos tibios cariños impensados.

El conejo del monte saltó, tan libre como el vagabundo, por entre las retamas, y la confiada mosca del campo abierto revolaba la sangre que una espina saltara en la mano del vagabundo.

El vagabundo, cuando perdió a Dupont de vista en un repecho del camino, se sentó en la cuneta.

—Fueron muchas leguas juntos... Muchas leguas sin una mala palabra... Sin un mal gesto...

Entre cinco hormigas afanosas se llevaban una avispa muerta, una avispa que había envejecido de repente, como sin darse cuenta, a la media tarde, aun con el sol columpiándose en el medio del cielo.

—Fueron muchas fuentes las que a los dos nos quitaron la sed al mismo tiempo... y muchos vasos de vino bebidos en la compañía...

Escondido entre la hierba o agachado detrás del cristalito de cuarzo, un grillo afinaba su laúd.

—Sí...

Cuando cayó la noche, el vagabundo no quiso entrar en poblado. Se lo impedían unos inconcretos y remotos remordimientos de conciencia.

Los Cerrillos, Sierra del Guadarrama, 1952.

ESAS NUBES QUE PASAN

En Esas nubes que pasan *recojo los primeros cuentos que escribí.* Marcelo Brito *fué, exactamente, el tercero salido de mi pluma.*

MARCELO BRITO

DURANTE muchos meses no se habló de otra cosa por el pueblo.

Marcelo Brito, el mulato portugués, cantor de fados y analfabeto, sentimental y soplador de vidrio, con su terno color café con leche, su sempiterna y amarga sonrisa y su mirar cansino de bestia familiar y entrañable, había salido de presidio. Tenía por entonces alrededor de cuarenta años, y allá —como él decía— se habían quedado sus diez anteriores, mustios, monótonos, reducidos a una reproducción de la carabela *Santa María,* metida inverosímilmente dentro de una botella de vidrio verde, que había regalado —sabrá Dios por qué—, con una dedicatoria cadenciosa que tardó once meses en copiar de la muestra que le hiciera vaya usted a saber qué ignorado calígrafo presidiario, a don Alejandro, su abogado, el mismo que no consiguió convencer al juez de su inocencia. Porque Marcelo Brito, para que usted lo sepa, era inocente; no fué él quien le pegó con el hacha en mitad de la cabeza a Marta, su mujer; no fué él, que fué la señora Justina, su suegra, la madre de Marta; pero como parecía que había sido él, y como —después de todo— al juez le era lo mismo que hubiera sido como que no, lo mandaron a presidio, y allá lo tuvieron casi diez años, metiendo las largas pinzas —con las jarcias y los obenques, y los foques de la *Santa María*— por el cuello de la botella. Sobre el camastro tenía una fotografía de Marta, su difunta mujer, de traje negro y con un ramo de azahar en la mano, y según me contó José Martínez Calvet— su compañero de celda, a quien hube de conocer andando el tiempo en Betanzos, en la romería *D'os caneiros*—, algunas veces su exaltación al verla llegaba a tal extremo, que había que esconderle la botella, con su carabelita dentro, porque no echase a perder toda su labor estragando lo que —cuando no le daba por pensar— era lo único que le entretenía. Después volvía el retrato de su mujer de cara a la pared, y así lo tenía tres o cuatro días, hasta que se le pasaba el arrechucho y lo volvía a poner del derecho. Cuando esto hacía, la cubría materialmente de besos con tal frenesí que acababa derrumbándose sobre el jergón, boca abajo, postura en la que quedaba a lo mejor hasta tres o cuatro horas seguidas, llorando como un niño. Una vez fueron por la penitenciaría, en viaje de estudios, unos abogadetes recién salidos de la Facultad, sentenciosos y presumidillos como seminaristas de último año de la carrera, que hablaban enfáticamente de la *Patología Criminal* y que no encontraban una cosa a derechas; quiso la Divina Providencia que fueran testigos de una de las crisis de Marcelo, y como si se hubieran puesto de acuerdo, tuvieron a bien opinar —sin que nadie les preguntase nada— sobre lo que ellos llamaban "caracteres específicos del criminal nato", sentando como incontrastable la teoría de que esos arrebatos del mulato no eran sino expresión del arrepentimiento que experimentaba por haber *segado en flor* —la frase es de uno de los letrados visitantes— la vida de la mujer a quien en otro tiempo había amado. Los abogadetes se marcharon con su sonrisa satisfecha y su aire triunfal, y yo muchas veces me he preguntado qué habrán dicho si es que llegaron a enterarse de lo que más tarde hemos sabido todos: que la pobre Marta se fué para el Purgatorio con la cabeza atada con unos cordeles, puestos para enmendar lo que su marido ni hizo ni probablemente se le ocurrió jamás hacer.

La interpretación de los sentimientos es complicada porque no queremos hacerla sencilla. Sin su complicación mucha gente a quien saludamos con orgullo —y con un poco de envidia y otro poco de temor también— y a quien dejamos respetuosamente la derecha cuando nos cruzamos con ella por la calle, no tendría con qué comprar automóviles, ni radios, ni pendientes para sus mujeres, y nosotros, los que somos sencillos y no tenemos automóvil, ni radio, ni pendientes que regalar, ni —en última instancia— mujer a quien regalárselos, ¿para qué queremos complicar las cosas si en cuanto dejan de ser sencillas ya no las entendemos? Usted se preguntará por qué sonrío cuando digo esto. Usted se pregunta eso porque no interpreta los sentimientos del prójimo —los míos en este caso— con sencillez. Usted piensa que yo sonrío para hacerme enigmático, para llevar a su alma una sombra de duda sobre mi sencillez; pero yo le podría jurar por lo que quisiera que si sonrío no es más que porque me asusta el convencerme de que no entiendo las cosas en cuanto han dado más de dos vueltas por mi cabeza. Mi sonrisa no es ni más ni menos de lo que creería un niño que me viese sonreír y entendiese lo que digo; mi sonrisa no es sino el escudo de mi impotencia, de esta impotencia que amo, por mía y por sencilla, y que me hace llorar y rabiar sin avergonzarme de ello, aunque los abogados crean que si lloro y rabio es porque he dejado de ser sencillo, porque he matado —¡quién sabe si de un hachazo en la cabeza!— mi sencillez y mi candor recobrados, ahora que ya soy viejo, como un primer tesoro...

Lo que sí puedo asegurarles es que el llanto del desgraciado portugués no estaba provocado por arrepentimiento de ninguna clase, porque de ninguna clase podía ser un arrepentimiento producido por una cosa de la que uno no puede arrepentirse porque no la hizo: el llanto de Marcelo no era ni más ni menos —¡y qué sencillo es!— que por haber perdido lo que no quiso nunca perder y lo que quería más en el mundo: más que a su madre, más que a Portugal, más que a los fados, más que a la varilla de soplar que le había traído don Wolf la vez que fué a Jena de viaje... El llanto de Marcelo era por Marta, por no poder tenerla, por no poder hablarla y besarla como antes, por no poder cantar con ella —parsimoniosamente, a dos voces y a la guitarra— aquellas tristes canciones que cantara años atrás...

¡Voy muy desordenado, don Camilo José, y usted me lo perdonará! Pero cuando hablo de todas estas cosas es como cuando miro jugar a los niños, ¡que no importa a dónde van a parar, como no importa mirar si es más hondo o menos hondo el agujero que hacen las criaturas en la arena de la playa!...

Habíamos quedado en que no fuera él, sino la señora Justina, su suegra, la que diera fin a los veintitrés años de Marta; el caso es que tardó en averiguarse la verdad tanto como la vieja tardó en morir, porque la muy bruja —que debía de tener miedo a la muerte— tuvo buen cuidado de callar siempre, aun cuando más comprometido veía al yerno, y menos mal que cuando se la llevó Satanás tuvo la ocurrencia de dejar una carta escrita diciendo la verdad, que si no a estas alturas el pobre Marcelo seguía añadiéndole detallitos a la *Santa María*... Tal maldad tenía la vieja, que para mí que no dijo la verdad, ni aun en trance de muerte, al confesor ni a nadie, porque, aunque, según cuentan, pedía confesión a gritos, me cuesta trabajo creer que no fuese hereje. El caso es que, como digo, dejó una carta escrita diciendo lo que había y al inocente lo sacaron de la cárcel —con tanto, por lo menos, papel de oficio como cuando lo metieron— y como era buen soplador y don Wolf lo estimaba, volvió a colocarse en la fábrica —que por entonces tenía dos pabellones más— y a trabajar, si no feliz, por lo menos descansado.

Transcurrieron dos años sin que ocurriera novedad, y al cabo de ese tiempo nos vimos sorprendidos con la noticia de que Marcelo Brito, temeroso de la soledad, se casaba de nuevo.

La soledad, con Marcelo tan al margen, tan a la parte de fuera de lo que le rodeaba, como tiempos atrás lo estuviera de su compañero José Martínez Calvet, era dura y desabrida y tan pesada y tan difícil de llevar que Marcelo Brito —quizás un poco por miedo y otro poco por egoísmo, aunque él es posible que no se diese mucha cuenta de este segundo supuesto y que incluso lo rechazara si llegase a percatarse de su verdad— se decidió a dar el paso, a arreglar una vez más sus papeles (aumentados ahora con el certificado de defunción de Marta) y a *erigir un nuevo hogar*, como don Raimundo, el cura, hubo de decir con motivo de la boda.

Esta vez fué Dolores, la hija del guarda del paso a nivel, la escogida; Marcelo lo pensó mucho antes de decidirse, y su previsión, para que la triste historia no se repitiese, la llevó hasta tal extremo, que, según cuentan, sometió durante meses a su nueva suegra a las más extrañas y difíciles pruebas; la señora Jacinta, la madre de Dolores, era tonta e incauta como una oveja, y fueron precisamente su tontería y su falta de cautela las que le hicieron salir victoriosa —la inocencia, al cabo, siempre triunfa— de las zancadillas y los baches que por probarla, no por mala intención, le preparara su yerno.

Dolores era joven y guapa, aunque viuda ya de un marinero a quien la mar quiso tragarse, y el único hijo que había tenido —de unos cuatro años por entonces— había sido muerto, diez u once meses atrás, por un mercancías que pasó sin avisar... Los trenes —no sé si usted sabrá—, cuando van a ser seguidos de otro cuyo paso no ha sido comunicado a los guardabarreras, llevan colgado del vagón de cola un farolillo verde para avisar. El mixto de Santiago, que era el que precedió al mercancías, no llevaba farol, y si lo llevaba, iría apagado, porque nadie lo vió. El caso es que Dolores no tomó cuidado del chiquillo y que el mercancías —con treinta y dos unidades— le pasó por encima y le dejó la cabecita como una hoja de bacalao... Al principio hubo el consiguiente revuelo; pero después —como, desgraciadamente, siempre ocurre— no pasó más sino que a la víctima le hicieron la autopsia, lo metieron en una cajita blanca, que, eso sí, regaló la Compañía, y lo enterraron.

El gerente le echó la culpa al jefe de Servicios; el jefe de Servicios, al jefe de la estación de La Esclavitud; el jefe de la estación de La Esclavitud, al jefe de tren; el jefe de tren, al viento. El viento —permítame que me ría— es irresponsable.

La boda se celebró, y aunque los dos eran viudos, no hubo cencerrada, porque el pueblo, ya sabe usted, es cariñoso y afectivo como los niños, y tanto Marcelo como Dolores eran más dignos de afecto y de cariño —por todo lo que habían pasado— que de otra cosa. Transcurrieron los meses, y al año y pico de casarse tuvieron un niño, a quien llamaron Marcelo, y que daba gozo verlo de sano y colorado como era. Marcelo, padre, estaba radiante de alegría; cuando vino el verano y ya el chiquillo tenía unos meses, iba todos los días, después del vidrio, al río con la mujer y con el hijo; al niño lo ponían sobre una manta, y Marcelo y la mujer, por entretenerse, jugaban a la brisca. Los domingos llevaban además chorizo y vino para merendar, y la guitarra (mejor dicho, otra guitarra, porque la otra se desfondó una mañana que la señora Justina se sentó encima de ella) para cantar fados.

La vida en el matrimonio era feliz. No andaban boyantes, pero tampoco apurados, y como al jornal de Marcelo hubo de unirse el de Dolores, que empezó a trabajar en una serrería que estaba por Bastabales, llegaron a reunir entre los dos la cantidad bastante para no tener que sentir agobios de dinero. El niño crecía poquito a poco, como crecen los niños, pero sano y seguro, como si quisiera darse prisa para apurar la poca vida que había de restarle.

Primero echó un diente; después rompió a dar carreritas de dos o tres pasos; después empezó a hablar... A los cinco años, Marcelo, hijo, era un rapaz moreno y plantado, con los labios rojos y un poco abultados, las piernas, rectas y duras... No había pasado el sarampión; no había tenido la tos ferina; no había sufrido lo más mínimo para echar la dentadura...

Los padres seguían yendo con él —y con el chorizo, el vino y la guitarra— a sentarse en la yerbita del río los domingos por la tarde. Cuando se cansaban de cantar, sacaban las cartas y se ponían a jugar —como cinco años atrás— a la brisca. Marcelo seguía gastándole a su mujer la broma de siempre —dejarse ganar—, y Dolores seguía correspondiendo al marido con la seriedad de siempre: una seriedad un poco cómica que a Marcelo —un sentimental en el fondo— le resultaba encantadora.

Al niño le quitaban las alpargatas y correteaba sobre el verde, o bajaba hasta la arena de la orilla, o metía los pies en el agua, remangándose los pantaloncillos de pana hasta por encima de las rodillas...

Hasta que un día— la fatalidad se ensañaba con el desgraciado Brito— sucedió lo que todo el mundo (después de que sucedió, que antes nadie lo dijo) salió diciendo con que tenía que suceder: el niño —nadie, sino Dios, que está en lo Alto, supo nunca exactamente cómo fué— debió caerse, o resbalar, o perder pie, o marearse; el caso es que se lo llevó la corriente y se ahogó.

¡Sabe Dios lo que habrá sufrido el angelito! Don Anselmo, que conocía bien los horrores de verse rodeado de agua por completo, que sabía bien el pobre —tres naufragios, uno de ellos gravísimo, hubo de soportar— de los miedos que se han de pasar al luchar, impotentes, contra el elemento, comentaba siempre con escalofrío la desgracia de Marcelo, hijo.

No se oyó ni un grito ni un quejido; si la criaturita gritó, bien sabe Dios que por nadie fué oído... Le habrían oído sólo los peces, los helechos de la orilla, las moléculas del agua..., ¡lo que no podía salvarle! Le habrían sólo oído Dios y sus santos, los ángeles, niños a lo mejor como él, y quién sabe si por la voluntad divina, parados en sus cinco años inocentes, aunque en sus alas hubieran soplado ya vendavales de tantos siglos...

El cadáver fué a aparecer preso en la reja del molino, al lado de una gallina muerta que llevaría allí vaya usted a saber los días, y a quien nadie hubiera encontrado jamás, si no se hubiera ahogado el niño del portugués; la gallina se hubiera ido medio consumiendo, medio disolviendo, lentamente, y a la dueña siempre le habría quedado la sospecha de que se la había robado cualquier vecina, o aquel caminante de la barba y el morral que se llevaba la culpa de todo...

Si el molino no hubiera tenido reja, al niño no lo habría encontrado nadie. ¡Quién sabe si se hubiera molido, poquito a poco; si se hubiera convertido en polvo fino como si fuese maíz, y nos lo hubiéramos comido entre todos! El juez se daría por vencido, y doña Julia —que tenía un paladar muy delicado— quizá hubiera dicho:

—¡Qué raro sabe este pan!

Pero nadie le hubiera hecho caso, porque todos habríamos creído que eran rarezas de doña Julia...

Madrid, 1941.

MESA REVUELTA

Mesa revuelta *—¡y menos mal que se llama así!— es un libro sin pies ni cabeza, o con muchos pies y casi ninguna cabeza.* La Navidad de los golfos, *la narración aquí espigada, pertenece a la sección que titulé* Ensueños y figuraciones, *de la que más tarde se hizo una edición aparte («Ediciones G. P.», Barcelona, 1954).* La Navidad de los golfos *es quizás uno de mis primeros apuntes carpetovetónicos, no obstante su paisaje urbano. Aún no había decidido, por el tiempo en que publiqué esta página, el bautismo que habría de llevar este género de esperpentos y chafarrinón que con tanto mimo cultivé luego.*

La Navidad de los golfos

El *Sagasta* bajó arreando por la calle del Amparo y se perdió de vista al doblar la calle de Provisiones. Empujó la puerta de una casucha baja que hay a la derecha, conforme se va hacia la Fábrica de Tabacos, y subió de dos en dos la estrecha escalera. Había llegado.

En la calle el frío era grande. Un aguanieve pertinaz azotaba los rostros de los escasos trotones que escucharon, como si escucharan campanas, los necios "¡A ése! ¡A ése!" de la señora Dolores, la tía gorda de la prendería de la calle de Caravaca.

El Sagasta llamó flojo sobre la puerta, y Pepa *la Sortijita* le salió a abrir.

—Creí que no llegabas.

—Ya ves.

—¿Te ha pasado algo?

—No. Aquí te traigo esto. ¿No es Nochebuena?

El Sagasta dejó un bolso sobre la camilla.

—¿Cuánto hay?

—Poco. Tres duros.

—¿Dará tres pesetas don Sebastián por la *pápira*?

—No creo.

—Pues al fuego con ella. Con tres duros aun nos han de sobrar cuartos. ¿Has avisado al *Rata Posturas*?

—Sí; ha bajado a comprar una cajetilla de noventa.

—¿Y de dónde sacó las seis pesetas?

—No sé; le habrán dado la *astilla*. ¿Quedó en venir Paquito *la Fotógrafa*?

—No me ha dado la gana de invitarle. En tu casa no quiero *pajubiques*, ¿me entiendes? Nosotros..., nosotros somos más honrados. A ver qué nos pueden echar en cara.

El Sagasta se arrepintió en seguida de ponerse serio.

—Oye, *Sortija*, no me has dado un beso.

—Si no es más que eso...

Llamaron a la puerta. Era *Posturas*.

—Aquí traigo esto. Tabaco, vino, gaseosa, chorizo y pan.

—¡Muy rico andas!

—Ya ves. ¿Y tú? ¿Has hecho algo?

—Poca cosa, tres duros. ¿Va a venir la Genoveva?

—La voy a buscar. Me espera a las nueve en la tasca de la calle del Carnero.

Posturas se trajo a la Genoveva, a *la Sastra*, como la llamaban en el barrio, y la cena empezó.

—Oye, el año pasado sí que lo pasamos bien, ¿te acuerdas?

—¡Hombre!

—Menuda *cogorza* enganchó el Marianito, ¿te acuerdas?

—¡Hombre!

—¿Y aquel gitanito de Cuenca que se trajo *el Sacristán* y que decía que se lo había regalado el alcalde?

—¡Aquello sí que era bueno!

—Menudos lapos le arreaba.

—En cuanto que le salía mal una cosa. Oye, eso de tener a quien sacudir debe ser cosa buena.

Intervino *la Sastra*.

—Míralo tú... ¡Parecía bobo!

—Anda, nena, que no lo digo por ti.

—¡Sería bueno!

La Pepa era el poder moderador.

—Anda ya, dejarlo, que hoy es Nochebuena. Oye, Ramón, ¿te acuerdas de cuando eras chaval y andabas por ahí con la zambomba:

Esta noche es Nochebuena
y mañana es Navidad?

—Ya lo creo.

—Yo te conocí una Nochebuena. Era una peque...

La Sortija se quedó pensativa, la mirada fija en la camilla, el chorizo en una mano y el trozo de pan en la otra.

—Anda, bebe. ¡Mira que si ahora vas y te pones romántica!

—No...

Si la Pepa hubiera podido hubiera llorado. A veces se llora sin tener ganas, como sin saber por qué.

* * *

El Sagasta, Pepa *la Sortija*, el *Rata Posturas* y Genoveva *la Sastra* pasaron una Nochebuena feliz. Bebieron vino blanco con gaseosa, comieron pan y chorizo, fumaron tabaco de noventa...

En la calle, bajo el pertinaz aguanieve que azotaba los rostros, bandas de muchachos cantaban al son amargo y melancólico de las zambombas:

> Esta noche es Nochebuena
> y mañana es Navidad.

El reloj de la Inclusa dió una hora. Le contestó, casi sin dejarlo acabar, el del convento de Santa Catalina.

Los chicos incluseros pensarían, desvelados, en la libertad que les gritaban las zambombas casi al oído mismo, debajo de las ventanas.

Las monjas de Santa Catalina rezarían bisbiseantes, ateridas de frío, los primeros Avemarías de la mañana.

Había en la ciudad gentes que dormían en sus camas con dos mantas, un abrigo y una botella de agua caliente.

Había borrachos que dormían en el suelo, con la boca abierta.

La Nochebuena se había marchado hasta el año que viene...

Madrid, 1944.

EL BONITO CRIMEN DEL CARABINERO

Bajo el título de uno de ellos, El bonito crimen del carabinero, *reuní en 1947 una nueva colección de cuentos perdidos aquí y allá. El libro lo divido en tres partes: I.* Cuentos entre desgarrados y humorísticos. *II.* Cuentos al natural. *III.* Cuentos entre tiernos y tristes. *A esta última parte pertenece* Un niño piensa.

UN NIÑO PIENSA

DA gusto estar metido en la cama, cuando ya es de día. Las rendijas del balcón brillan como si fueran de plata, de fría plata, tan fría como el hierro de la verja o como el chorro del grifo, pero en la cama se está caliente, todo muy tapado, a veces hasta la cabeza también. En la habitación hay ya un poco de luz y las cosas se ven bien, con todo detalle, mejor aún que a pleno día, porque la vista está acostumbrada a la penumbra, que es igual todas las mañanas, durante media hora; la ropa está doblada sobre el respaldo de la silla; la cartera —con los libros, la regla y la aplastada cajita de cigarrillos donde se guardan los lápices, las plumas y la goma de borrar— está colgada de los dos palitos que salen de encima de la silla, como si fueran dos hombros; el abrigo está echado a los pies de la cama, bien estirado, para taparle a uno mejor. Las mangas del abrigo adoptan caprichosas posturas y, a veces, parecen los brazos de un fantasma muerto encima de la cama, de un fantasma a quien hubiera matado la luz del día al sorprenderle, distraído, mirando para nuestro sueño... Se ve también el vaso de agua que queda siempre sobre la mesa de noche, por si me despierto; es alto y está sobre un platito que tiene dibujos azules; en el fondo se le ve como un dedo de azúcar que ha perdido ya casi todo su blanco color. Si se le agita, el azúcar empieza a subir como si no pesase, como si le atrajese un imán... Entonces uno ladea la cabeza, para verlo mejor, y del borde del vaso sale un destello con todos los colores del arco iris que brilla, unas veces más, otras veces menos, como si fuera un faro; es el mismo todas las mañanas pero yo no me canso nunca de mirarlo. Si un pintor pintase un vaso de agua hasta la mitad y un reflejo redondo en el borde con todos los colores, un reflejo que pareciese una luz y que saliese del cristal como si realmente fuera algo que pudiéramos coger con la mano, estoy seguro que nadie le creería.

Volvemos a dejar caer la cabeza sobre la almohada y tiramos del abrigo hacia arriba; notamos fresco en los pies, pero no nos apura, ya sabemos lo que es; sacamos un pie por abajo y nos ponemos a mirar para él. Es gracioso pensar en los pies; los pies son feos y, mirándolos detenidamente, tienen una forma tan rara que no se parecen a nada; miro para el dedo gordo, pienso en él, y lo muevo; miro entonces para el de al lado, pienso en él y no lo puedo mover. Hago un esfuerzo, pero sigo sin poderlo mover; me pongo nervioso y me da la risa. Los cuatro dedos pequeños hay que moverlos al mismo tiempo, como si estuvieran pegados con goma; los dedos de la mano, en cambio, se mueven cada uno por su cuenta. Si no no se podría tocar el piano, la cosa es clara; en cambio con los pies no se toca el piano; se juega al fútbol y para jugar al fútbol no hay que mover los dedos para nada... Entonces desearía ardientemente estar ya en el recreo jugando al fútbol; miro otra vez para el pie y ya no me parece tan raro. A lo mejor, con ese pie, saco de apuros al equipo, cuando el partido está en lo más emocionante y se ve al P. Ortiz que cruza el patio para tocar la campana. Después, en clase, todos me mirarían agradecidos... ¡Ah! Pero, a veces, ese pie no me sirve para nada; me cogen hablando y me ponen debajo de la campana, mirando para la pared; la pared es de cal y con el pie me entretengo en irle quitando pedazos, poco a poco. Pero eso tampoco es divertido...

Vuelvo a tapar el pie, rápidamente; de buena gana me pondría a llorar...

Pienso: a las botas les pasa como a las violetas o a las azules hortensias... Es curioso: se van a dormir al office porque nadie se atreve a dejarlas de noche dentro de la habitación... Cuando pienso unos instantes en las violetas me invaden unas violentas ganas de llorar. Después lloro, lloro con avidez unos minutos, y llego a sentirme tan feliz al ser desgraciado que de buena gana me pasaría la vida en la cama, sin ir al colegio, sin salir a jugar a ningún lado, sólo llorando, llorando sin descanso...

Me disgusta no ser constante, pero cuando lloro por las mañanas acabo siempre por quedarme dormido. Duermo no sé cuánto tiempo, pero, cuando me despierta mi madre, que es rubia y que tiene los ojos azules y que es, sin duda alguna, la mujer más hermosa que existe, el sol está ya muy alto, inundándolo todo con su luz.

Me despierta con cuidado, pasándome una mano por la frente como para quitarme los pelos de la cara. Yo me voy dando cuenta poco a poco, pero no abro los ojos; me cuesta mucho trabajo no sonreír... Me dejo acariciar durante un rato, y después le beso la mano; me gusta mucho la sortija que tiene con dos brillantes. Después me siento en la cama de golpe y los dos nos echamos a reír. Soy tan feliz...

Me visten y después viene lo peor. Me llevan de la mano al cuarto de baño; yo voy tan preocupado que no puedo pensar en nada. Mi madre se quita la sortija para no hacerme daño y la pone en el estantito de cristal donde están los cepillos de los dientes y las cosas de afeitarse de mi padre; después me sube a una silla, abre el grifo y empieza a frotarme la cara como si no me hubiera lavado en un mes. ¡Es horrible! Yo grito, pego patadas a la silla, lloro sin ganas pero con una rabia terrible, me defiendo como puedo... Es inútil: mi madre tiene una fuerza enorme. Después, cuando me seca, con una toalla que está caliente que da gusto, me sonríe y me dice que debiera darme vergüenza dar esos gritos; nos damos otro beso.

Si el desayuno está muy frío, me lo calientan otra vez; si está muy caliente, me lo enfrían cambiándolo de taza muchas veces...

Después me ponen la boina y el impermeable. Mi madre me besa de nuevo porque ya no me volverá a ver hasta la hora de la comida.

Madrid, 1946.

EL GALLEGO Y SU CUADRILLA

En la Nueva edición corregida y aumentada *de este libro* («*Destino*», *1955*), *publico el siguiente* Prólogo, *que pienso que deja bastante claros mis puntos de vista:*

«Todas las cosas —ya es sabido— requieren su tiempo. También lo quiso la ordenación, con un cierto sentido común, de este libro. Nunca he sido demasiado partidario de andar de prisa —porque lo que se hace de prisa, de prisa se aja y aún más de prisa muere— y, de otra parte, en la enmarañada selva de mis apuntes carpetovetónicos, he tardado incluso varios años en ver con claridad. Lo primero que necesité fué hacerme a la idea de que un apunte carpetovetónico no es un artículo; al apunte carpetovetónico le viene ancha, por innecesaria, toda posible articulación*; el apunte carpetovetónico puede ser rígido como un palo y no precisa* articularse *en pos de demostrar ni esto ni aquello otro; el apunte carpetovetónico, a diferencia del artículo, no nace ni muere, sino que, simplemente, brota y desaparece, igual que un venero de agua clara: el apunte carpetovetónico puede muy bien no tener ni principio ni fin —cosa que al artículo, por definición, no le está permitido— y, como ejemplo de lo que digo, remito al lector al que titulo, sin duda tópicamente,* El cuento de la buena pipa. *Tampoco el apunte carpetovetónico es un cuento; el cuento puede permitirse una abstracción que el apunte carpetovetónico se niega; también se premia, a veces, con un subjetivismo que al apunte carpetovetónico le está vedado. En realidad, el apunte carpetovetónico no es necesario que sea ni literatura, si bien es cierto que, hasta hoy, no han aparecido apuntes carpetovetónicos fuera de la literatura o de la pintura y el dibujo: ni en la escultura (¿y los verracos ibéricos?, ¿y los toricos de Guisando?, ¿y los Cristos de Montañés?), ni en la arquitectura, ni en la música. El apunte carpetovetónico pudiera ser algo así como un agri-*

dulce bosquejo, entre caricatura y aguafuerte, narrado, dibujado o pintado, de un tipo o de un trozo de vida peculiares de un determinado mundo: lo que los geógrafos llaman, casi poéticamente, la España árida. Fuera de ella no puede darse el apunte carpetovetónico, por la misma razón que no se pueden dar porcelanas chinas en el Japón o en la India. Pero pueden crecer y desarrollarse géneros paralelos, géneros parientes próximos de este nuestro de hoy: Alfonso Castelao, con el lápiz, y José Plá, con la pluma, nos reflejaron certeramente los cordiales planetas gallego y ampurdanés. Más lejos y con idéntico sentido, Lautrec pintó al París de su tiempo. Y más cerca —más cerca en la distancia, aunque no, quizá, en la intención— Goya, y Lucas, y Regoyos, y Solana, y Zuloaga, nos retrataron, mojando los pinceles en la más pura tinta carpetovetónica, el militante carpetovetonismo que les tocó mirar.

Como género literario, el apunte carpetovetónico, aunque siga vivito y coleando, tampoco es ninguna novedad. En España es viejo como su misma literatura. ¿Qué eran, sino puro apunte carpetovetónico, aquellos versos de las Coplas de la panadera *en los que el poeta nos narra el ímpetu ventoseador de aquel hidalgo o clérigo toledano que*

pedos tan grandes tiraba
que se oían en Talavera?

¿Qué otra cosa fueron muchas de las páginas maestras y amargas de Torres Villarroel o de Quevedo? Y remontando el calendario, ¿qué son las escenas —Madrid. Escenas y costumbres, Madrid pintoresco, La España negra, *etcétera— del pintor Solana? ¿Y las andanzas del errabundo don Ciro Bayo? ¿Y las estremecidas manchas* —Las capeas, España, nervio a nervio— *de Eugenio Noel, el atrabiliario gran escritor tan injustamente olvidado? Nos llevaría a todos muy lejos de mi modesto propósito de hoy —que no es otro que el de presentar, con la mayor sencillez posible, las páginas que siguen— el intento de desarrollar, aunque muy someramente, la idea de que la literatura española (en cierto modo como la rusa, por ejemplo, y a diferencia, en cierto modo también, de la italiana) ignora el equilibrio y pendula, violentamente, de la mística a la escatología, del tránsito que diviniza —San Juan, fray Luis, Santa Teresa— al bajo mundo, al más bajo y concreto de todos los mundos, del pus y la carroña y, rematándolo, la calavera monda y lironda de todos los silencios, todos los arrepentimientos y todos los*

castigos —el vicario Delicado, en las letras; Valdés Leal, en la pintura; Felipe II, en la política; Torquemada, en la lucha religiosa, etc. Pero me basta con dejar constancia de que en uno de esos pendulares extremos —ni más ni menos importante, desde el punto de vista de su autenticidad— habita el apunte carpetovetónico: como un pajarraco sarnoso, acosado y fieramente ibérico. Y que no puede morir, por más vueltas que todos le demos, hasta que España muera.

Otra cosa que precisé para llegar a este trance de hoy fué, por un lado, publicar la primera edición de El Gallego y su cuadrilla, *las ediciones cuarta y quinta de las* Nuevas andanzas y desventuras de Lazarillo de Tormes *y la primera edición de* Baraja de invenciones *y, por el otro, ensayar pacientemente, en los diarios en que habitualmente colaboro y en la revista* Destino, *toda una suerte de títulos y antetítulos que me ayudaron, a fuerza de borrar y de volver a empezar, a entender lo que hasta ahora había venido viendo confuso.*

El Gallego y su cuadrilla, *en su primera edición, fué un librillo breve y humilde, impreso en Toledo y plagado de erratas, en rústica y generosamente prologado por el investigador Rodríguez-Moñino, que reunía veintiún apuntes y que se vendió al asequible precio de tres duros. En el lomo marca la fecha de 1951, pero en la portada interior, en la que presume de madrileño, es dos años más viejo. ¡Misterios del mundo editorial! Los veintiún apuntes de que hablo los recojo, íntegros, en esta edición: catorce en la primera parte, a la que titulo* La descansada vida campestre *y en la que figura uno nuevo, el tercero,* Doña Concha; *dos en la segunda, a la que nombro* Las bellas artes; *uno en la tercera, a la que llamo* El gran pañuelo del mundo; *los tres únicos que aparecen en la quinta,* Análisis de sangre, *y, por último,* El coleccionista de apodos, *que tiene extensión suficiente y es lo bastante distinto de todos los demás para que pueda caminar aparte, como va. Del prólogo he prescindido porque no abarca, en su amistoso comentario, toda la extensión del libro que hoy doy a las prensas y que, con el anterior, no tiene más de común que el título y menos de la mitad del texto.*

En las ediciones cuarta y quinta de El nuevo Lazarillo, *los editores, que encontraron algo flaca la novela* [1], *arbitraron hin-*

---

[1] Debo aclarar que no he contado las palabras, pero que pienso

char el perro añadiéndole, al final, los apuntes carpetovetónicos necesarios para llegar a las trescientas páginas. En la cuarta pasó —en la portada, en la portadilla, en la paginación y en el índice— una errata de pronóstico, por la que llaman «puntos» a mis apuntes [2], *confusión que heredó la quinta* [3] *y que, si hizo desaparecer de la portada, conservó en la portadilla, en la paginación y en el índice. De los siete apuntes que aparecen en la cuarta de* El Lazarillo (*ninguno de los cuales recoge* El Gallego y su cuadrilla), *cuatro van en nuestra segunda parte de hoy, y tres, en la tercera. De los diez que incluye la quinta edición —el índice habla de siete, pero lo que pasa es que echaron mal la cuenta—, los siete últimos son los mismos que da la edición anterior y los otros tres figuraban ya en* El Gallego y su cuadrilla.

En Baraja de invenciones [4], *partes quinta y sexta* —Gran guiñol y archivo de insensateces *y* Se prohibe el paso a toda persona ajena a la empresa—, *se dan veinte nuevos apuntes carpetovetónicos, hasta entonces no recogidos en volumen; aquí reproduzco diecinueve y prescindo del titulado* Dos butacas se trasladan de habitación, *porque no me parece que sea, realmente, un apunte carpetovetónico. De las cuatro primeras partes del libro, no he seleccionado ni una sola línea: todas caen muy lejos de lo que vengo explicando que puede ser un apunte carpetovetónico.*

No incluídos en libro, figuran en el volumen de hoy diecisiete apuntes: uno publicado en el diario Arriba, *de Madrid, antes, naturalmente, de que me echasen a la calle* —¡Quién me compra la dama y el niño!, *metido en la tercera parte*—; *uno, también de esta tercera parte, recortado de la prensa de*

---

que anda, más o menos, por la extensión de *La familia de Pascual Duarte* o de *Pabellón de reposo.*

[2] *Nuevas andanzas y desventuras de Lazarillo de Tormes y siete puntos carpetovetónicos,* «Selecciones Airón, C. L., S. A.», Madrid, 1952.

[3] *Nuevas andanzas y desventuras de Lazarillo de Tormes, El Gallego y su cuadrilla y otros relatos extraordinarios,* prólogo y notas de Juan Uribe Echevarría, «Editorial Nascimiento», Santiago de Chile, 1953.

[4] *Baraja de invenciones,* «Colección Prosistas Contemporáneos», dirigida por Antonio Rodríguez Moñino, «Editorial Castalia», Valencia, 1953.

provincias —Vicisitudes de un barbero psicólogo— *cuando, ¡felices tiempos!, aún mantenía aquella colaboración, de la que me pusieron fuera sin agradecerme los servicios prestados; dos, asimismo colados en la tercera parte, de* Informaciones, *de Madrid* —El fin de las apuestas de don Adolfito y Sebastián Panadero, marcas y patentes—, *y trece de la revista* Destino: *el ya citado* Doña Concha *y los doce que integro en la cuarta parte del libro y que publiqué, en octubre y noviembre del 52 y en enero, febrero y marzo del 53, bajo el lema de* Doce fotografías al minuto *y que a mí me parecen bastante divertidos.*

Y ya están ahí, si no he trabucado la cuenta, los sesenta y cuatro apuntes carpetovetónicos del libro. Si éste se reedita, lo seguiré manteniendo con el mismo título, en sus límites de hoy. Si escribo más apuntes carpetovetónicos, haré con ellos un nuevo libro, para el que buscaré un título nuevo. Ambas cosas son posibles. Y fijar este texto de hoy es, amén de posible, necesario. Si no, se confunde al lector y todos salimos perdiendo.

También me hizo falta —como antes decía—, para llegar hasta aquí, inventar y olvidar y reinventar y abandonar, en los diarios y en las revistas, todos los antetítulos que se me fueron ocurriendo. Siempre he sido partidario de los antetítulos, teoría que no sé si será muy periodística —quizá no—, pero que a mí se me antoja bonita, y de ellos llegué a tener una buena colección. En Informaciones, *de Madrid, usé varios:* La sangre hasta el río..., *en el que metí los apuntes del hombre-lobo, de las damas bravas y del verdugo de Burgos, Gregorio Mayoral, artesano del garrote;* Baedeker de secano, *que agrupó algunos apuntes del tipo de* Unos juegos florales *y* Orquesta en el local; Gran guiñol *y* El gran guiñol *—sin artículo y con él—, donde incluí, entre otros, los apuntes* Matías Martí, tres generaciones, Purificación de Sancha y Guasp, pedicura-manicura *y* La casa de enfrente; Jugar con fuego, quemarse, etc., *que adornó a* El fin de las apuestas de don Adolfito; El gran pañuelo del mundo, *que amparó a* El cuento de la buena pipa; La cabeza a pájaros, *donde cupo* Sebastián Panadero, marcas y patentes, etc. *El* Gran guiñol, *en* Baraja de invenciones, *se complicó hasta convertirse, como ya expliqué, en* Gran guiñol y archivo de insensateces. *En* Arriba, *que fué donde empecé a publicarlos, solía usar el epígrafe de* Apuntes carpetovetónicos, *que es el que más me gusta, quizás porque es el más sencillo; en* Destino *empleé este mismo antetítulo el año 51, para presentar a* Doña Concha; *también en* Arriba *—con motivo de* Senén, el cantor de los músicos, *por ejemplo—* *di* Los genios incomprendidos. *Otros epígrafes* —Geografía del barbecho, Retablo de marionetas, Balada del vagabundo sin suerte— *se refirieron más bien a trozos que no fueron, exactamente, apuntes carpetovetónicos.*

Después de tener a mano los tres o cuatro elementos de que más arriba hablo —saber lo que es un apunte carpetovetónico, haber publicado los libros que publiqué y probar y experimentar los antetítulos— el camino quedó ya sensiblemente desbrozado y mi labor, sobre fácil, vino a resultar entretenida. Ojalá que el lector, al pasear la vista por estas páginas, piense algo parecido.

En este volumen de ahora uso, para el bautismo de sus partes, que son seis, tres títulos viejos y tres nuevos: La descansada vida campestre, Las bellas artes y Análisis de sangre. *Si mi orden redunda en un mejor servicio del que leyere, mi propósito se habrá visto cumplido. En caso contrario, habré perdido el tiempo. Y, cuando se pierde el tiempo, como cuando se pierden los cuartos en la timba, ya es sabido, ¡paciencia y barajar!»*

La romería

La romería era muy tradicional; la gente se hacía lenguas de lo bien que se pasaba en la romería, adonde llegaban todos los años visitantes de muchas leguas a la redonda. Unos venían a caballo y otros en unos autobuses adornados con ramas; pero lo realmente típico era ir en carro de bueyes; a los bueyes les pintaban los cuernos con albayalde o blanco de España y les adornaban la testuz con margaritas y amapolas...

El cabeza de familia vino todo el tiempo pensando en la romería; en el tren, la gente no hablaba de otra cosa.

—¿Te acuerdas cuando Paquito, el de la de Telégrafos, le saltó el ojo a la doña Pura?

—Sí que me acuerdo; aquella sí que fué sonada. Un guardia civil decía que tenía que venir el señor juez a levantar el ojo.

—¿Y te acuerdas de cuando aquel señorito se cayó, con pantalón blanco y todo, en la sartén del churrero?

—También me acuerdo. ¡Qué voces pegaba el condenado! ¡En seguida se echaba de ver que eso de estar frito debe dar mucha rabia!

El cabeza de familia iba los sábados al pueblo, a ver a los suyos, y regresaba a la capital el lunes muy de mañana para que le diese tiempo de llegar a buena hora a la oficina. Los suyos, como él decía, eran siete: su señora, cinco niños y la mamá de su señora. Su señora se llamaba doña Encarnación y era gorda y desconsiderada; los niños eran todos largos y delgaditos, y se llamaban: Luis (diez años), Encarnita (ocho años), José María (seis años), Laurentino (cuatro años) y Adelita (dos años). Por los veranos se les pegaba un poco el sol y tomaban un color algo bueno, pero al mes de estar de vuelta en la capital, estaban otra vez pálidos y ojerosos como agonizantes. La mamá de su señora se llamaba doña Adela y, además de gorda y desconsiderada, era coqueta y exigente. ¡A la vejez, viruelas! La tal doña Adela era un vejestorio repipio que tenía alma de gusano comemuertos.

El cabeza de familia estaba encantado de ver lo bien que había caído su proyecto de ir todos juntos a merendar a la romería. Lo dijo a la hora de la cena y todos se acostaron pronto para estar bien frescos y descansados al día siguiente.

El cabeza de familia, después de cenar, se sentó en el jardín en mangas de camisa, como hacía todos los sábados por la noche, a fumarse un cigarrillo y pensar en la fiesta. A veces, sin embargo, se distraía y pensaba en otra cosa: en la oficina, por ejemplo, o en el plan Marshall, o en el Campeonato de Copa.

Y llegó el día siguiente. Doña Adela dispuso que, para no andarse con apuros de última hora, lo mejor era ir a misa de siete en vez de a misa de diez. Levantaron a los niños media hora antes, les dieron el desayuno y los prepararon de domingo; hubo sus prisas y sus carreras, porque media hora es tiempo que pronto pasa, pero al final se llegó a tiempo.

Al cabeza de familia lo despertó su señora.

—¡Arriba, Carlitos; vamos a misa!

—Pero, ¿qué hora es?

—Son las siete menos veinte.

El cabeza de familia adoptó un aire suplicante.

—Pero, mujer, Encarna, déjame dormir, que estoy muy cansado; ya iré a misa más tarde.

—Nada. ¡Haberte acostado antes! Lo que tú quieres es ir a misa de doce.

—Pues, sí. ¿Qué ves de malo?

—¡Claro! ¡Para que después te quedes a tomar un vermut con los amigos! ¡Estás tú muy visto!

A la vuelta de misa, a eso de las ocho menos cuarto, el cabeza de familia y los cinco niños se encontraron con que no sabían lo que hacer. Los niños se sentaron en la escalerita del jardín, pero doña Encarna les dijo que iban a coger frío, así, sin hacer nada. Al padre se le ocurrió que diesen todos juntos, con él a la cabeza, un paseíto por unos desmontes que había detrás de la casa, pero la madre dijo que eso no se le hubiera ocurrido ni al que asó la manteca, y que los niños lo que necesitaban era estar descansados para por la tarde. El cabeza de familia, en vista de su poco éxito, subió hasta la alcoba, a ver si podía echarse un rato, un poco a traición, pero se encontró con que a la cama ya le habían quitado las ropas. Los niños anduvieron vagando como almas en pena hasta eso de las diez, en que los niños del jardín de al lado se levantaron y el día empezó a tomar, poco más o menos, el aire de todos los días.

A las diez también, o quizá un poco más tarde, el cabeza de familia compró el periódico de la tarde anterior y una revista taurina, con lo que, administrándola bien, tuvo lectura casi hasta el mediodía. Los niños, que no se hacían cargo de las cosas, se portaron muy mal y se pusieron perdidos de tierra; de todos ellos, la única que se portó un poco bien fué Encarnita —que llevaba un trajecito azulina y un gran lazo malva en el pelo—, pero la pobre tuvo mala suerte, porque le picó una avispa en un carrillo, y doña Adela, su abuelita, que la oyó gritar, salió hecha un basilisco, la llamó mañosa y antojadiza y le dió media docena de tortas, dos de ellas bastante fuertes. Después, cuando doña Adela se dió cuenta de que a la nieta lo que le pasaba era que le había picado una avispa, le empezó a hacer arrumacos y a compadecerla, y se pasó el resto de la mañana apretándole una perra gorda contra la picadura.

—Esto es lo mejor. Ya verás como esta moneda pronto te alivia.

La niña decía que sí, no muy convencida, porque sabía que a la abuelita lo mejor era no contradecirla y decirle a todo amén.

Mientras tanto, la madre, doña Encarna, daba órdenes a las criadas como un general en plena batalla. El cabeza de familia leía, por aquellos momentos, la reseña de una faena de Paquito Muñoz. Según el revistero, el chico había estado muy bien...

Y el tiempo, que es lento, pero seguro, fué pasando, hasta que llegó la hora de comer. La comida tardó algo más que de costumbre, porque con eso de haber madrugado tanto, ya se sabe: la gente se confía y, al final, los unos por los otros, la casa sin barrer.

A eso de las tres o tres y cuarto, el cabeza de familia y los suyos se sentaron a la mesa. Tomaron de primer plato fabada asturiana; al cabeza de familia, en verano, le gustaban mucho las ensaladas y los gazpachos y, en general, los platos en crudo. Después tomaron filetes y de postre, un plátano. A la niña de la avispa le dieron, además, un caramelo de menta; el angelito tenía el carrillo como un volcán. Su padre, para consolarla, le explicó que peor había quedado la avispa, insecto que se caracteriza, entre otras cosas, porque, para herir, sacrifica su vida. La niña decía "¿Sí?", pero no tenía un gran aire de estar oyendo eso que se llama una verdad como una casa, ni denotaba, tampoco, un interés excesivo, digámoslo así.

Después de comer, los niños recibieron la orden de ir a dormir la siesta, porque como los días eran tan largos, lo mejor sería salir hacia eso de las seis. A Encarnita la dejaron que no se echase, porque para eso le había picado una avispa.

Doña Adela y doña Encarnación se metieron en la cocina a dar los últimos toques a la cesta con la tortilla de patatas, los filetes empanados y la botella de Vichy Catalán para la vieja, que andaba nada más que regular de las vías digestivas; los niños se acostaron, por eso de que a la fuerza ahorcan, y el cabeza de familia y la Encarnita se fueron a dar un paseíto para hacer la digestión y contemplar un poco la naturaleza, que es tan varia.

El reloj marcaba las cuatro. Cuando el minutero diese dos vueltas completas, a las seis, la familia se pondría en marcha, carretera adelante, camino de la romería.

Todos los años había una romería...

Contra lo que en un principio se había pensado, doña Encarnación y doña Adela levantaron a los niños de la siesta a las cuatro y media. Acabada de preparar la cesta con las vituallas de la merienda, nada justificaba ya esperar una hora larga sin hacer nada, mano sobre mano como unos tontos.

Además el día era bueno y hermoso, incluso demasiado bueno y hermoso, y convenía aprovechar un poco el sol y el aire.

Dicho y hecho; no más dadas las cinco, la familia se puso en marcha camino de la romería. Delante iban el cabeza de familia y los dos hijos mayores: Luis, que estaba ya hecho un pollo, y Encarnita, la niña a quien le había picado la avispa; les seguían doña Adela con José María y Laurentino, uno de cada mano, y cerraba la comitiva doña Encarnación, con Adelita en brazos. Entre la cabeza y la cola de la comitiva, al principio no había más que unos pasos; pero a medida que fueron andando, la distancia fué haciéndose mayor, y, al final, estaban separados casi por un kilómetro; ésta es una de las cosas que más preocupan a los sargentos cuando tienen que llevar tropa por el monte: que los soldados se les van sembrando por el camino.

La cesta de la merienda, que pesaba bastante, la llevaba Luis en la sillita de ruedas de su hermana pequeña. A las criadas, la Nico y la Estrella, les habían dado suelta, porque, en realidad, no hacían más que molestar, todo el día por el medio, metiéndose donde no las llamaban.

Durante el trayecto pasaron las cosas de siempre, poco más o menos: un niño tuvo sed y le dieron un capón porque no había agua por ningún lado; otro niño quiso hacer una cosa y le dijeron a gritos que eso se pedía antes de salir de casa; otro niño se cansaba y le preguntaron, con un tono de desprecio profundo, que de qué le servía respirar el aire de la Sierra. Novedades gordas, ésa es la verdad, no hubo ninguna digna de mención.

Por el camino, al principio, no había nadie —algún pastorcito, quizá, sentado sobre una piedra y con las ovejas muy lejos—, pero al irse acercando a la romería fueron apareciendo mendigos aparatosos, romeros muy repeinados que llegaban por otros atajos, algún buhonero tuerto o barbudo con la bandeja de baratijas colgada del cuello, guardias civiles de servicio, parejas de enamorados que estaban esperando a que se pusiese el sol, chicos de la colonia ya mayorcitos —de catorce a quince años— que decían que estaban cazando ardillas, y soldados, muchos soldados, que formaban grupos y cantaban asturianadas, jotas y el mariachi con un acento muy en su punto.

A la vista ya de la romería —así como a unos quinientos metros de la romería—, el cabeza de familia y Luis y Encarnita, que estaba ya mejor de la picadura, se sentaron a esperar al resto de la familia. El pinar ya había empezado y, bajo la copa de los pinos, el calor era aún más sofocante que a pleno sol. El cabeza de familia, nada más salir de casa, había echado la americana en la silla de Adelita y se había remangado la camisa y ahora los brazos los tenía todos colorados y le escocían bastante; Luis le explicaba que eso le sucedía por falta de costumbre, y que don Saturnino, el padre de un amigo suyo, lo pasó muy mal hasta que mudó la piel. Encarnita decía que sí, que claro; sentada en una piedra un poco alta, con su trajecito azulina y su gran lazo, la niña estaba muy mona, ésa es la verdad; parecía uno de esos angelitos que van en las procesiones.

Cuando llegaron la abuela y los dos nietos y, al cabo de un rato, la madre con la niña pequeña en brazos, se sentaron también a reponer fuerzas, y dijeron que el paisaje era muy hermoso y que era una bendición de Dios poder tomarse un descanso todos los años para coger fuerzas para el invierno.

—Es muy tonificador —decía doña Adela echando un trago de la botella de Vichy Catalán—, lo que se dice muy tonificador.

Los demás tenían bastante sed, pero se la tuvieron que aguantar porque la botella de la vieja era tabú

—igual que una vaca sagrada— y fuente no había ninguna en dos leguas a la redonda. En realidad, habían sido poco precavidos, porque cada cual podía haberse traído su botella; pero, claro está, a lo hecho, pecho: aquello ya no tenía remedio y, además, a burro muerto, cebada al rabo.

La familia, sentada a la sombra del pinar, con la boca seca, los pies algo cansados y toda la ropa llena de polvo, hacía verdaderos esfuerzos por sentirse feliz. La abuela, que era la que había bebido, era la única que hablaba:

—¡Ay, en mis tiempos! ¡Aquéllas sí que eran romerías!

El cabeza de familia, su señora y los niños, ni la escuchaban; el tema era ya muy conocido, y además la vieja no admitía interrupciones. Una vez en que, a eso de "¡Ay, en mis tiempos!", el yerno le contestó, en un rapto de valor: "¿Se refiere usted a cuando don Amadeo?", se armó un cisco tremendo, que más vale no recordar. Desde entonces el cabeza de familia, cuando contaba el incidente a su primo y compañero de oficina Jaime Collado, que era así como su confidente y su paño de lágrimas, decía siempre "el pronunciamiento".

Al cabo de un rato de estar todos descansando y casi en silencio, el niño mayor se levantó de golpe y dijo:

—¡Ay!

El hubiera querido decir:

—¡Mirad por dónde viene un vendedor de gaseosas!

Pero lo cierto fué que sólo se le escapó un quejido. La piedra donde se había sentado estaba llena de resina y el chiquillo, al levantarse, se había cogido un pellizco. Los demás, menos doña Adela, se fueron también levantando; todos estaban perdidos de resina.

Doña Encarnación se encaró con su marido:

—¡Pues sí que has elegido un buen sitio! Esto me pasa a mí por dejaros ir delante, ¡nada más que por eso!

El cabeza de familia procuraba templar gaitas:

—Bueno, mujer, no te pongas así; ya mandaremos la ropa al tinte.

—¡Qué tinte ni qué niño muerto! ¡Esto no hay tinte que lo arregle!

Doña Adela, sentada todavía, decía que su hija tenía razón, que eso no lo arreglaba ningún tinte y que el sitio no podía estar peor elegido.

—Debajo de un pino —decía—, ¿qué va a haber? ¡Pues resina!

Mientras tanto, el vendedor de gaseosas se había acercado a la familia.

—¡Hay gaseosas, tengo gaseosas! Señora —le dijo a doña Adela—, ahí se va a poner usted buena de resina.

El cabeza de familia, para recuperar el favor perdido, le preguntó al hombre:

—¿Están frescas?

—¡Psché! Más bien del tiempo.

—Bueno, déme cuatro.

Las gaseosas estaban calientes como caldo y sabían a pasta de los dientes. Menos mal que la romería ya estaba, como quien dice, al alcance de la mano.

La familia llegó a la romería con la boca dulce; entre la gaseosa y el polvo se suele formar en el paladar un sabor muy dulce, un sabor que casi se puede masticar como la mantequilla.

La romería estaba llena de soldados; llevaban un mes haciendo prácticas por aquellos terrenos, y los jefes, el día de la romería, les habían dado suelta.

—Hoy, después de teórica —había dicho cada sargento—, tienen ustedes permiso hasta la puesta del sol. Se prohibe la embriaguez y el armar bronca con los paisanos. La vigilancia tiene órdenes muy severas sobre el mantenimiento de la compostura. Orden del coronel. Rompan filas, ¡arm...!

Los soldados, efectivamente, eran muchos; pero por lo que se veía, se portaban bastante bien. Unos bailaban con las criadas, otros daban conversación a alguna familia con buena merienda y otros cantaban, aunque fuese con acento andaluz, una canción que era así:

> Adiós, Pamplona,
> Pamplona de mi querer,
> mi querer.
> Adiós, Pamplona,
> cuándo te volveré a ver.

Eran las viejas canciones de la guerra, que ellos no hicieran porque cuando lo de la guerra tenían once o doce años, que se habían ido transmitiendo, de quinta en quinta, como los apellidos de padres a hijos. La segunda parte decía:

> No me marcho por las chicas,
> que las chicas guapas son,
> guapas son.
> Me marcho porque me llaman
> a defender la Nación.

Los soldados no estaban borrachos, y a lo más que llegaban, algunos que otros, era a dar algún traspiés, como si lo estuvieran.

La familia se sentó a pocos metros de la carretera, detrás de unos puestos de churros y rodeada de otras familias que cantaban a gritos y se reían a carcajadas. Los niños jugaban todos juntos revolcándose sobre la tierra, y de vez en cuando alguno se levantaba llorando, con un rasponazo en la rodilla o una pequeña descalabradura en la cabeza.

Los niños de doña Encarnación miraban a los otros niños con envidia. Verdaderamente, los niños del montón, los niños a quienes sus familias les dejaban revolcarse por el suelo, eran unos niños felices, triscadores como cabras, libres como los pájaros del cielo, que hacían lo que les daba la gana y a nadie le parecía mal.

Luisito, después de mucho pensarlo, se acercó a su madre, zalamero como un perro cuando menea la cola:

—Mamá, ¿me dejas jugar con esos niños?

La madre miró para el grupo y frunció el ceño:

—¿Con esos bárbaros? ¡Ni hablar! Son todos una partida de cafres.

Después, doña Encarnación infló el papo y continuó:

—Y además, no sé cómo te atreves ni a abrir la boca después de cómo te has puesto el pantalón de resina. ¡Vergüenza debiera darte!

El niño, entre la alegría de los demás, se azaró de estar triste y se puso colorado hasta las orejas. En aquellos momentos sentía hacia su madre un odio infinito.

La madre volvió a la carga:

—Ya te compró tu padre una gaseosa. ¡Eres insaciable!

El niño empezó a llorar por dentro con una amargura infinita. Los ojos le escocían como si los tuviese quemados, la boca se le quedó seca y nada faltó para que empezase a llorar, también por fuera, lleno de rabia y de desconsuelo.

Algunas familias precavidas habían ido a la romería con la mesa de comedor y seis sillas a cuestas. Sudaron mucho para traer todos los bártulos y no perder a los niños por el camino, pero ahora tenían su compensación y estaban cómodamente sentados en torno a la mesa, merendando o jugando a la brisca como en su propia casa.

Luisito se distrajo mirando para una de aquellas familias y, al final, todo se le fué pasando. El chico tenía buen fondo y no era vengativo ni rencoroso.

Un cojo, que enseñaba a la caridad de las gentes un muñón bastante asqueroso, pedía limosna a gritos al lado de un tenderete de rosquillas; de vez en vez caía alguna perra y entonces el cojo se la tiraba a la rosquillera.

—¡Eh! —le gritaba—. ¡De las blancas!

Y la rosquillera, que era una tía gorda, picada de viruela, con los ojos pitañosos y las carnes blandengues y mal sujetas, le echaba por los aires una rosquilla blanca como la nieve vieja, sabrosa como el buen pan del hambre y dura como el pedernal. Los dos tenían bastante buen tino.

Un ciego salmodiaba preces a Santa Lucía en un rincón del toldo del tiro al blanco, y una gitana joven, bella y descalza, con un niño de días al pecho y otro, barrigoncete, colgado de la violenta saya de lunares, ofrecía la buenaventura por los corros.

Un niño de seis o siete años cantaba flamenco acompañándose con sus propias palmas, y un vendedor de pitos atronaba la romería tocando el no me mates con tomate, mátame con bacalao.

—Oiga, señor, ¿también se puede tocar una copita de ojén?

Doña Encarnación se volvió hacia el hijo hecha un basilisco:

—¡Cállate, bobo! ¡Que pareces tonto! Naturalmente que se puede tocar; ese señor puede tocar todo lo que le dé la real gana.

El hombre de los pitos sonrió, hizo una reverencia y siguió paseando, parsimoniosamente, para arriba y para abajo, tocando ahora lo de la copita de ojén para tomar con café.

El cabeza de familia y su suegra, doña Adela, decidieron que un día era un día y que lo mejor sería comprar unos churros a las criaturas.

—¿Cómo se les va a pedir que tengan sentido a estas criaturitas? —decía doña Adela en un rapto de ternura y de comprensión.

—Claro, claro...

Luisito se puso contento por lo de los churros, aunque cada vez entendía menos todo lo que pasaba. Los demás niños también se pusieron muy alegres.

Unos soldados pasaron cantando:

> Y si no se le quitan bailando
> los dolores a la tabernera,
> y si no se le quitan bailando,
> dejáila, dejáila que se muera.

Unos borrachos andaban a patadas con una bota vacía, y un corro de flacos veraneantes de ambos sexos cantaba a coro la siguiente canción:

> Si soy como soy y no como tú quieres
> qué culpa tengo yo de ser así.

Daba pena ver con qué seriedad se aplicaban a su gilipollez.

Cuando la familia se puso en marcha, en el camino de vuelta al pueblo, el astro rey se complacía en teñir de color de sangre unas nubecitas alargadas que había allá lejos, en el horizonte.

La familia, en el fondo más hondo de su conciencia, se daba cuenta de que en la romería no lo había pasado demasiado bien. Por la carretera abajo, con la romería ya a la espalda, la familia iba desinflada y triste como un viejo acordeón mojado. Se había levantado un gris fresquito, un airecillo serrano que se colaba por la piel, y la familia, que formaba ahora una piña compacta, caminaba en silencio, con los pies cansados, la memoria vacía, el pelo y las ropas llenos de polvo, la ilusión defraudada, la garganta seca y las carnes llenas de un frío inexplicable.

A los pocos centenares de pasos se cerró la noche sobre el camino: una noche oscura, sin luna, una noche solitaria y medrosa como una mujer loca y vestida de luto que vagase por los montes. Un buho silbaba, pesadamente, desde el bosquecillo de pinos, y los murciélagos volaban, como atontados, a dos palmos de las cabezas de los caminantes. Alguna bicicleta o algún caballo adelantaban, de trecho en trecho, a la familia, y al sordo y difuso rumor de la romería había sucedido un silencio tendido, tan sólo roto, a veces, por unas voces lejanas de bronca o de jolgorio.

Luisito, el niño mayor, se armó de valentía y habló:

—Mamá.

—¿Qué?

—Me canso.

—¡Aguántate! ¡También nos cansamos los demás y nos aguantamos! ¡Pues estaría bueno!

El niño, que iba de la mano del padre, se calló como se calló su padre. Los niños, en esa edad en que toda la fuerza se les va en crecer, son susceptibles y románticos; quieren, confusamente, un mundo bueno, y no entienden nada de todo lo que pasa a su alrededor.

El padre le apretó la mano.

—Oye, Encarna, que me parece que este niño quiere hacer sus cosas.

El niño sintió en aquellos momentos un inmenso cariño hacia su padre.

—Que se espere a que lleguemos a casa; éste no es sitio. No le pasará nada por aguantarse un poco; ya verás cómo no revienta. ¡No sé quién me habrá metido a mí a venir a esta romería, a cansarnos y a ponernos perdidos!

El silencio volvió de nuevo a envolver al grupo. Luisito, aprovechándose de la oscuridad, dejó que dos gruesos y amargos lagrimones le rodasen por las mejillas. Iba triste, muy triste y se tenía por uno de los niños más desgraciados del mundo y por el más infeliz y desdichado, sin duda alguna, de toda la colonia.

Sus hermanos, arrastrando cansinamente los pies por la polvorienta carretera, notaban una vaga e imprecisa sensación de bienestar, mezcla de crueldad y de compasión, de alegría y de dolor.

La familia, aunque iba despacio, adelantó a una pareja de enamorados, que iba aún más despacio todavía.

Doña Adela se puso a rezongar en voz baja diciendo que aquello no era más que frescura, desvergüenza y falta de principios. Para la señora era recusable todo lo que no fuera el nirvana o la murmuración, sus dos ocupaciones favoritas.

Un perro aullaba, desde muy lejos, prolongadamente, mientras los grillos cantaban, sin demasiado entusiasmo, entre los sembrados.

A fuerza de andar y andar, la familia, al tomar una curva que se llamaba el Recodo del Cura, se encontró cerca ya de las primeras luces del pueblo. Un suspiro de alivio sonó, muy bajo, dentro de cada espíritu. Todos, hasta el cabeza de familia, que al día siguiente, muy temprano, tendría que coger el tren camino de la capital y de la oficina, notaron una alegría inconfesable al encontrarse ya tan cerca de casa; después de todo, la excursión podía darse por bien empleada sólo por sentir ahora que ya no faltaban sino minutos para terminarla. El cabeza de familia se acordó de un chiste que sabía y se sonrió. El chiste lo había leído en el periódico, en una sección titulada, con mucho ingenio, "El humor de los demás": un señor estaba de pie en una habitación pegándose martillazos en la cabeza y otro señor que estaba sentado le preguntaba: "Pero, hombre, Peters, ¿por qué se pega usted esos martillazos?", y Peters, con un gesto beatífico, le respondía: "¡Ah, si viese usted lo a gusto que quedo cuando paro!"

En la casa, cuando la familia llegó, estaban ya las dos criadas, la Nico y la Estrella, preparando la cena y trajinando de un lado para otro.

—¡Hola, señorita! ¿Lo han pasado bien?

Doña Encarnación hizo un esfuerzo.

—Sí, hija; muy bien. Los niños la han gozado mucho. ¡A ver, niños! —cambió—, ¡quitaos los pantalones, que así vais a ponerlo todo perdido de resina!

La Estrella, que era la niñera —una chica peripuesta y pizpireta, con los labios y las uñas pintados y todo el aire de una señorita de conjunto sin contrato que quiso veranear y reponerse un poco—, se encargó de que los niños obedecieran.

Los niños, en pijama y bata, cenaron y se acostaron. Como estaban rendidos se durmieron en seguida. A la niña de la avispa, a la Encarnita, ya le había pasado el dolor; ya casi ni tenía hinchada la picadura.

El cabeza de familia, su mujer y su suegra cenaron a renglón seguido de acostarse los niños. Al principio de la cena hubo cierto embarazoso silencio; nadie se atrevía a ser quien primero hablase: la excursión a la romería estaba demasiado fija en la memoria de los tres. El cabeza de familia, para distraerse, pensaba en la oficina; tenía entre manos un expediente para instalación de nueva industria, muy entretenido: era un caso bonito, incluso de cierta dificultad, en torno al que giraban intereses muy considerables. Su señora servía platos y fruncía el ceño para que todos se diesen cuenta de su mal humor. La suegra suspiraba profundamente entre sorbo y sorbo de Vichy.

—¿Quieres más?

—No, muchas gracias; estoy muy satisfecho.

—¡Qué fino te has vuelto!

—No, mujer; como siempre...

Tras otro silencio prolongado, la suegra echó su cuarto a espadas:

—Yo no quiero meterme en nada, allá vosotros; pero yo siempre os dije que me parecía una barbaridad grandísima meter a los niños semejante caminata en el cuerpo.

La hija levantó la cabeza y la miró; no pensaba en nada. El yerno bajó la cabeza y miró para el plato, para la rueda de pescadilla frita; empezó a pensar, procurando fijar bien la atención, en aquel interesante expediente de instalación de nueva industria.

Sobre las tres cabezas se mecía un vago presentimiento de tormenta...

El tonto del pueblo

El tonto de aquel pueblo se llamaba Blas. Blas Herrero Martínez. Antes, cuando aún no se había muerto Perejilondo, el tonto anterior, el hombre que llegó a olvidarse de que se llamaba Hermenegildo, Blas no era sino un muchachito algo alelado, ladrón de peras y blanco de todas las iras y de todas las bofetadas perdidas, pálido y zanquilargo, solitario y temblón. El pueblo no admitía más que un tonto, no daba de sí más que para un tonto porque era un pueblo pequeño, y Blas Herrero Martínez, que lo sabía y era respetuoso con la costumbre, merodeaba por el pinar o por la dehesa, siempre sin acercarse demasiado, mientras esperaba con paciencia a que a Perejilondo, que ya era muy viejo, se lo llevasen, metido en la petaca de tabla, con los pies para delante y los curas detrás. La costumbre era la costumbre y había que respetarla; por el contorno decían los ancianos que la costumbre valía más que el Rey y tanto como la ley, y Blas Herrero Martínez, que husmeaba la vida como el can cazador la rastrojera y que, como el buen can, jamás marraba, sabía que aún no era su hora, hacía de tripas corazón y se estaba quieto. Verdaderamente, aunque parezca que no, en esta vida hay siempre tiempo para todo.

Blas Herrero Martínez tenía la cabeza pequeñita y muy apepinada y era bisojo y algo dentón, calvoroto y pechihundido, babosillo, pecoso y patiseco. El hombre era un tonto conspicuo, cuidadosamente caracterizado de tonto; bien mirado, como había que mirarle, el Blas era un tonto en su papel, un tonto como Dios manda y no un tonto cualquiera de esos que hace falta un médico para saber que son tontos.

Era bondadoso y de tiernas inclinaciones y sonreía siempre, con una sonrisa suplicante de buey enfermo, aunque le acabasen de arrear un cantazo, cosa frecuente, ya que los vecinos del pueblo no eran lo que se suele decir unos sensitivos. Blas Herrero Martínez, con su carilla de hurón, movía las orejas —una de sus habilidades— y se lamía el golpe de turno, sangrante con una sangrecita aguada, de feble color de rosa, mientras sonreía de una manera inexplicable, quizá suplicando no recibir la segunda pedrada sobre la matadura de la primera.

En tiempos de Perejilondo, los domingos, que eran los únicos días en que Blas se consideraba con cierto derecho para caminar por las calles del pueblo, nuestro tonto, después de la misa cantada, se sentaba a la puerta del café de la Luisita y esperaba dos o tres horas a que la gente, después del vermut, se marchase a sus casas a comer. Cuando el café de la Luisita se quedaba solo o casi solo, Blas entraba, sonreía y se colaba debajo de las mesas a recoger colillas. Había días afortunados; el día de la función de hacía dos años, que hubo una animación enorme, Blas llegó a echar en su lata cerca de setecientas colillas. La lata, que era uno de los orgullos de Blas Herrero Martínez, era una lata hermosa, honda, de reluciente color amarillo con una concha pintada y unas palabras en inglés.

Cuando Blas acababa su recolección, se marchaba corriendo con la lengua fuera a casa de Perejilondo, que era ya muy viejo y casi no podía andar, y le decía:

—Perejilondo, mira lo que te traigo. ¿Estás contento?

Perejilondo sacaba su mejor voz de grillo y respondía:

—Sí..., sí...

Después amasaba las colillas con una risita de avaro, apartaba media docena al buen tuntún y se las daba a Blas.

—¿Me porté bien? ¿Te pones contento?

—Sí..., sí...

Blas Herrero Martínez cogía sus colillas, las desliaba y hacía un pitillo a lo que saliese. A veces salía un cigarro algo gordo y a veces, en cambio, salía una pajita que casi ni tiraba. ¡Mala suerte! Blas daba siempre las colillas que cogía en el café de la Luisita a Perejilondo, porque Perejilondo, para eso era el tonto antiguo, era el dueño de todas las colillas del pueblo. Cuando a Blas le llegase el turno de disponer como amo de todas las colillas, tampoco iba a permitir que otro nuevo le sisase. ¡Pues estaría bueno! En el fondo de su conciencia, Blas Herrero Martínez era un conservador, muy respetuoso con lo establecido, y sabía que Perejilondo era el tonto titular.

El día que murió Perejilondo, sin embargo, Blas no pudo reprimir un primer impulso de alegría y empezó a dar saltos mortales y vueltas de carnero en un prado adonde solía ir a beber. Después se dió cuenta de que eso había estado mal hecho y se llegó hasta el cementerio, a llorar un poco y a hacer penitencia sobre los restos de Perejilondo, el hombre sobre cuyos restos, ni nadie había hecho penitencia, ni nadie había llorado, ni nadie había de llorar. Durante varios domingos le estuvo llevando las colillas al camposanto; cogía su media docena y el resto las enterraba con cuidado sobre la fosa del decano. Más tarde lo fué dejando poco a poco y, al final, ya ni recogía todas las colillas; cogía las que necesitaba y el resto las dejaba para que se las llevase quien quisiese, quien llegase detrás. Se olvidó de Perejilondo y notó que algo raro le pasaba: era una sensación extraña la de agacharse a coger una colilla y no tener dudas de que esa colilla era, precisamente, de uno...

"El Gallego" y su cuadrilla

En la provincia de Toledo, en el mes de agosto, se pueden asar las chuletas sobre las piedras del campo o sobre las losas del empedrado, en los pueblos.

La plaza está en cuesta y en el medio tiene un árbol y un pilón. Por un lado está cerrada con carros, y por el otro con talanqueras. Hace calor y la gente se agolpa donde puede; los guardias tienen que andar bajando mozos del árbol y del pilón. Son las cinco y media de la tarde y la corrida va a empezar. *El Gallego* dará muerte a estoque a un hermoso novillo-toro de don Luis González, de Ciudad Real.

El Gallego, que saldrá de un momento a otro por una puertecilla que hay al lado de los chiqueros, está blanco como la cal. Sus tres peones miran para el suelo, en silencio. Llega el alcalde al balcón del Ayuntamiento y el alguacil, al verle, se acerca a los toreros.

—Que salgáis.

En la plaza no hay música; los toreros, que no torean

de luces, se estiran la chaquetilla y salen. Delante van tres, *el Gallego, el Chicha* y *Cascorro*. Detrás va Jesús Martín, de Segovia.

Después del paseíllo, *el Gallego* pide permiso y se queda en camiseta. En camiseta torea mejor, aunque la camiseta sea a franjas azules y blancas, de marinero.

El Chicha se llama Adolfo Dios, también le llaman Adolfito. Representa tener unos cuarenta años y es algo bizco, grasiento y no muy largo. Lleva ya muchos años rodando por las plazuelas de los pueblos, y una vez, antes de la guerra, un toro le pegó semejante cornada, en Collado Mediano, que no le destripó de milagro. Desde entonces, *el Chicha* se anduvo siempre con más ojo.

Cascorro es natural de Chapinería, en la provincia de Madrid, y se llama Valentín Cebolleda. Estuvo una temporada, por esas cosas que pasan, encerrado en Ceuta, y de allí volvió con un tatuaje que le ocupa todo el pecho y que representa una señorita peinándose su larga cabellera y debajo un letrero que dice: "Lolita García, la mujer más hermosa de Marruecos. ¡Viva España!" *Cascorro* es pequeño y duro y muy sabio en el oficio. Cuando el marrajo de turno se pone a molestar y a empujar más de lo debido, *Cascorro* lo encela cambiándole los terrenos, y al final siempre se las arregla para que el toro acabe pegándose contra la pared o contra el pilón o contra algo.

—Así se ablanda—dice.

Jesús Martín, de Segovia, es el puntillero. Es largo y flaco y con cara de pocos amigos. Tiene una cicatriz que le cruza la cara de lado a lado, y al hablar se ve que es algo tartamudo.

El Chicha, Cascorro y Jesús Martín andan siempre juntos, y cuando se enteraron de que al *Gallego* le había salido una corrida, se le fueron a ofrecer. *El Gallego* se llama Camilo, que es un nombre que abunda algo en su país. Los de la cuadrilla, cuando lo fueron a ver, le decían:

—Usted no se preocupe, don Camilo, nosotros estaremos siempre a lo que usted mande.

El Chicha, Cascorro y Jesús Martín trataban de usted al matador y no le apeaban el tratamiento: *el Gallego* andaba siempre de corbata y, de mozo, estuvo varios años estudiando Farmacia.

Cuando los toreros terminaron el paseíllo, el alcalde miró para el alguacil y el alguacil le dijo al de los chiqueros:

—Que le abras.

Se hubiera podido oír el vuelo de un pájaro. La gente se calló y por la puerta del chiquero salió un toro colorao, viejo, escurrido, corniveleto. La gente, en cuanto el toro estuvo en la plaza, volvió de nuevo a los rugidos. El toro salió despacio, oliendo la tierra, como sin gana de pelea. Valentín lo espabiló desde lejos y el toro dió dos vueltas a la plaza, trotando como un borrico.

El Gallego desdobló la capa y le dió tres o cuatro mantazos como pudo. Una voz se levantó sobre el tendido:

—¡Que te arrimes, *esgraciao*!

El Chicha se acercó al *Gallego* y le dijo:

—No haga usted caso, don Camilo, que se arrime su padre. ¡Qué sabrán! Este es el toreo antiguo, el que vale.

El toro se fué al pilón y se puso a beber. El alguacil llamó al *Gallego* al burladero y le dijo:

—Que le pongáis las banderillas.

El Chicha y *Cascorro* le pusieron al toro, a fuerza de sudores, dos pares cada uno. El toro, al principio, daba un saltito y después se quedaba como si tal cosa. *El Gallego* se fué al alcalde y le dijo:

—Señor alcalde, el toro está muy entero, ¿le podemos poner dos pares más?

El alcalde vió que los que estaban con él en el balcón le decían que no con la cabeza.

—Déjalo ya. Anda, coge el pincho y arrímate, que para eso te pago.

El Gallego se calló, porque para trabajar en público hay que ser muy humilde y muy respetuoso. Cogió los trastos, brindó al respetable y dejó su gorra de visera en medio del suelo, al lado del pilón.

Se fué hacia el toro con la muleta en la izquierda y el toro no se arrancó. La cambió de mano y el toro se arrancó antes de tiempo. *El Gallego* salió por el aire y, antes de que lo recogieran, el toro volvió y le pinchó en el cuello. *El Gallego* se puso de pie y quiso seguir. Dió tres muletazos más, y después, como echaba mucha sangre, el alguacil le dijo:

—Que te vayas.

Al alguacil se lo había dicho el alcalde, y al alcalde se lo había dicho el médico. Cuando el médico le hacía la cura, *el Gallego* le preguntaba:

—¿Quién cogió el estoque?

—*Cascorro.*

—¿Lo ha matado?

—Aún no.

Al cabo de un rato, el médico le dijo al *Gallego:*

—Has tenido suerte, un centímetro más y te descabella.

El Gallego ni contestó. Fuera se oía un escándalo fenomenal. *Cascorro,* por lo visto, no estaba muy afortunado.

—¿Lo ha matado ya?

—Aún no.

Pasó mucho tiempo, y *el Gallego,* con el cuello vendado, se asomó un poco a la reja. El toro estaba con los cuartos traseros apoyados en el pilón, inmóvil, con la lengua fuera, con tres estoques clavados en el morrillo y en el lomo; un estoque le salía un poco por debajo, por entre las patas. Alguien del público decía que a eso no había derecho, que eso estaba prohibido. *Cascorro* estaba rojo y quería pincharle más veces. Media docena de guardias civiles estaban en el redondel, para impedir que la gente bajara...

Baile en la plaza

La corrida de toros ha terminado. Aún no se han ido las autoridades del balcón del Ayuntamiento y aún los mozos más jóvenes, los que todavía no están emparejados, no acabaron de empapar en sangre los pisos de esparto de las alpargatas. Las alpargatas mojadas en sangre de toro duran una eternidad; según dicen, cuando a la sangre de toro se mezcla algo de sangre de torero, las alpargatas se vuelven duras como el hierro y ya no se rompen jamás.

Hombres ya maduros, casados y cargados de hijos, usan todavía el par de alpargatas que empaparon en la sangre de *Chepa del Escorial,* aquel novillero a quien un toro colorao mató, el verano del año de la República, de cuarenta y tantas cornadas sin volver la cabeza.

Los mozos y las mozas, en dos grandes grupos aparte que se entremezclan un poco por el borde, se miran con un mirar bovino, caluroso y extraño. La charanga rompe a tocar el pasadoble "Suspiros de España", y las mozas, como a una señal, se ponen a bailar unas con otras. Bailan moviendo el hombro a compás y arrastrando los pies. Sobre la plaza comienza a levantarse una densa nube de polvo que huele a churros, a sudor y a pachulí. Algunos mozos, más osados, rompen las parejas de las mozas; hay unos momentos de incertidumbre, que duran poco, cuando todavía no está claro quién va a bailar con quién. Los mozos bailan con el pitillo en la boca y no hablan; llevan el mirar perdido y la gorra de visera en la mano derecha, apoyada sobre el lomo de la moza. Los forasteros, que siempre son más decididos, hablan a veces.

—Baila usted muy bien, joven.

La moza sonríe.

—No; que me dejo llevar...

El mozo hace un esfuerzo y vuelve al ataque. Antes ha mirado a los ojos de la moza, que le huyen como dos liebres espantadas.

—¿Cómo se llama usted?

—Es usted muy curioso...

El mozo, aunque siempre recibe la misma respuesta, está unos instantes sin saber qué decir.

—No, joven; no es que sea curioso.

—¿Entonces?

—Es que era para llamarla por su nombre. ¿No me dice usted cómo se llama?

La banda ha arrancado con un vals, y la pareja, que no se suelta, sigue la conversación:

—Sí, ¿por qué no? Me llamo Paquita, para servirle.

La moza, después de su confesión, se azora un poco y mira para los lados.

—Oiga, que esto es un vals; no me agarre tan fuerte...

Al vals sucede un pasadoble, y al pasadoble otro vals. Algunas veces, y como para complacer a todos, la murga toca un fox de un ritmo antiguo, veloz y entrecortado, como el volar de los vencejos.

Las parejas tienen un gesto entre cansado y evadido y, si se fijasen un poco, notarían que les duelen los pies. La plaza está de bote en bote con la gente de los tendidos, de los balcones, de los carros y de las talanqueras volcadas, como un chocolate a la española, sobre la arena.

No puede darse un paso ni casi respirar. Suena la campanilla de la rifa: —"¡A probar la suerte! ¡A diez la tira!"— rechina el cornetín de las varietés. —"La pareja de baile de París, sólo por un día" — grazna el viejo churrero tuerto su mercancía. — "¡Que aquí me dejo la vida, que queman, que queman!" —Y un mendigo adolescente enseña sus piernas flaquitas a un corro de niños, pasmados y renegridos.

Mientras viene cayendo, desde muy lejos, la noche, comienzan a encenderse las tímidas bombillas de la plaza. Sobre el rugido ensordecedor del pueblo en fiesta se distinguen de cuando en cuando algunos compases de "España cañí". Si de repente, como por un milagro, se muriesen todos los que se divierten, podría oírse sobre el extraño silencio el lamentarse sin esperanza del pobre *Horchatero Chico,* que con una cornada en la barriga, aún no se ha muerto. *Horchatero Chico,* vestido de luces y moribundo, está echado sobre un jergón en el salón de sesiones del Ayuntamiento. Le rodean sus peones y un cura viejo; el médico dijo que volvería.

Las lucecillas rojas, y verdes, y amarillas, y azules de los tenderetes, también comienzan a encenderse. Un perro escuálido se escabulle, con una morcilla en la boca, por entre la gente, y dos carteristas venidos de la capital operan sobre los mirones de una partida de correlativa en el Café Madrileño.

Los mozos con éxito hablan, ya sin bailar, con la moza propicia.

—Pues sí; yo soy de ahí abajo, de Collado.

La moza coquetea como una princesa.

—¡Huy, qué borrachos son los de su pueblo!

—Los hay peores.

—Pues también es verdad.

Un grupo de chicas, cogidas del brazo, cantan coplas con la música del "¡Ay, qué tío!", y un grupo de quintos entona canciones patrióticas; menos mal que todos son de Infantería; si fuesen de Armas distintas, ya se habrían roto la cara a tortas.

Cae la noche; las preguntas de los mozos adquieren un tinte casi picante.

—Oiga, joven, ¿tiene usted novio?

La moza se calla siempre; a veces, ofendida; en ocasiones, mimosa.

Un borracho perora sin que nadie lo mire. Fuera de la plaza, el vientecillo de la noche sube por las callejas.

Sobre el sordo rumor del baile, casi a compás del pasodoble de "Pan y toros", las campanas de la parroquia doblan a muerto sin que nadie las oiga.

Horchatero Chico, natural de Colmenar, soltero, de veinticuatro años de edad y de profesión matador de reses bravas (novillos y toros), acaba de estirar la pata; vamos, quiere decirse que acaba de entregar su alma a Dios.

—Oiga, joven; ¿está usted comprometida?

La moza dice que no con un hilo de voz emocionada.

—Entonces, ¿me permite usted que la trate de tú?

La pareja, en el oscuro rincón, tiene las manos enlazadas con dulzura, como las bucólicas parejas de los tapices.

Un murciélago vuela, entontecido, a ras de los toldos de lona de los puestos y de las barracas.

Matías Martí, tres generaciones

Don Matías Martí, industrial, tenía setenta y cinco años. Matías Martí, perito agrícola, tenía cincuenta y dos. Matiítas Martí, poeta lírico, veinticinco. Una vez se sacaron una fotografía juntos; don Matías, de bombín; Matías, de flexible, y Matiítas, de gorra de visera blanca, de deportista.

—Estás hecho un hockeywoman—le decía su amiga Clarita, una chica que no sabía muy bien el inglés.

—¡Ay! ¿Tú crees?

Don Matías estaba convencido de que un refrán que había inventado era verdad, una verdad inmensa y tremenda como el mar. El refrán, decía: "Para prosperar, madrugar y ahorrar". Según don Matías, la humanidad no andaba derecha porque no había bastantes despertadores ni suficientes huchas. Cuando inventó su refrán —muy joven todavía, en los primeros años de la regencia— ordenó que se lo dibujaran sobre cristal esmerilado del mejor, y lo mandó colocar en la pared de su despacho, al lado de un pintoresco retrato de su padre —don Rosario Martí y López— y de un letrero en letra gótica, donde se leía:

Por razones de higiene
no escupir en el suelo.
¡Ay, Dios, cuánto desvelo
denota aquel que tiene!

—Oiga usted, don Matías —le solía preguntar algún visitante curioso—, ¿aquel que tiene qué?

—Pues aquel que tiene salud, ganso, aquel que tiene salud. ¿O es que no está claro?

El visitante hacía un gesto con la cabeza, como diciendo: "Hombre, pues tan claro no está", pero se callaba siempre.

Su hijo Matías Martí, el perito agrícola, no hacía versos, aunque también tenía ciertas concomitancias con la Literatura y las Humanidades. Su contribución a ese campo del saber era más bien de orden erudito y filológico, y lo que mejor hacía era inventar palabras, "voces y locuciones que —según aseguraba— darían una precisión sinóptica al lenguaje, enriqueciendo el léxico patrio al tiempo que se le otorgaba luminosidad y, sobre todo, concisión".

Las palabras inventadas por el perito Matías eran innumerables como las arenas del océano. Aquí vamos tan sólo a espigar media docena de ellas, elegidas al azar entre las que aportó a las tres primeras letras del alfabeto. La media docena de que hablamos es la siguiente:

Aburrimierdo.—Dícese de aquel que está más que aburrido y menos que desesperado.

Agromagister.—Perito agrícola. Uno mismo y cada uno de sus compañeros.

Bebidonsonio.—Dícese de aquel que se duerme bebiendo. Ebrio somnoliento o alcohólico soporífero.

Bizcotur.—Dícese de aquel que, amén de bizco, es atravesado, ruin y turbulento.

Cabezonnubio.—Híbrido de cabezota y atontado. Dícese de aquel que, aun teniendo la cabeza gorda, camina por las nubes, ausente de la dura realidad de la vida.

Ceonillo.—Ladronzuelo vivaracho y de mala suerte. Rata, gafe y de cortos vuelos.

Seguir con la lista de las palabras inventadas por el perito Matías sería el cuento de nunca acabar, algo por el estilo del cuento de la buena pipa.

Su hijo, Matiítas, el nieto de don Matías, era ya un literato convicto y confeso, y no un literato vergonzante como su padre y como su abuelo.

—¡Anda! ¿Y qué hay de malo?—solía decir cuando le echaban los perros, a la hora de la comida.

—¡Hombre! De malo, nada —le decía su madre, doña Leocadia, que parecía un sargento de alabarderos jubilado—, pero de memo, bastante, te lo juro.

—¡Anda! ¿Y entonces, Lope de Vega era un memo? ¿Y Zorrilla, el inmortal autor del "Tenorio", otro?

—Pues, hijo, ¡qué quieres que te diga! Para mí, sí.

El pobre Matiítas estaba horrorizado con las ideas de su madre.

—¡Qué burra es!—pensaba—. Pero, no —se añadía en voz alta, a ver si se convencía—, una madre es siempre una madre. El día de la madre le tengo que hacer un regalito de su gusto, un pequeño presente en el que vea mi buen deseo de... (iba a decir de corresponder...) de agradar.

Una tarde histórica, la tarde del doce de octubre, Fiesta de la Raza, don Matías y Matías acordaron llamar a capítulo a Matiítas:

—Oye, Matiítas, hijo —le dijeron—; te hemos llamado para hablarte. Eres ya un hombre...

—¡Ay, sí!

—Sí, hijo, todo un hombre. ¿Cuántos años tienes ya?

—Sumo cinco lustros.

Don Matías lo miró con aire preocupado por encima de sus lentes. El padre procuró disimular lo mejor que pudo.

—Bueno, hijo. Vamos a ver, ¿quieres un pitillo?

Matiítas se puso algo colorado.

—Gracias, papi, ya sabes que no fumo.

—De nada, hijo, no se merecen. Bien...

Sobre los tres Matías volaba torpemente una atmósfera vaga y cansada como el joven poeta. Doña Leocadia, en la habitación de al lado, hacía solitarios con cierta resignación: estaba de malas y no conseguía sacar ninguno bien hasta el final. Las cuatro sotas le salían siempre juntas, por más que barajaba.

El padre y el hijo se miraron y miraron para el nieto.

—Vamos a ver, hijito, ¿tú qué quieres ser?

Matiítas se puso un poco rabioso.

—¿Yo? Ya lo sabéis: ¡poeta, poeta y poeta!

—Pero, hombre, así, poeta a secas.

—Sí, papi, poeta lírico como el Dante.

—Bueno, pero el Dante sería otra cosa además. ¡Vamos, digo yo! A mí no me parece mal que seas poeta; lo que te quiero decir es que, para vivir, puedes ser de paso alguna otra cosa. Lo cortés no quita lo valiente. Ya ves don Rosendo, el del entresuelo, sin ir más lejos, que también es poeta y además está en la Renfe...

—¡Huy!

Don Matías y Matías se asustaron.

—¿Qué te pasa, Matiítas?

—Nada. Dejadme a solas con mi congoja.

El ademán de Matiítas era un gesto de la mejor escuela senatorial romana. Don Matías y Matías salieron de la habitación, se sentaron en el despacho, debajo del cristalito esmerilado del refrán, y estuvieron lo menos una hora sin hablar.

Don Matías, al cabo del tiempo, se atrevió a romper el hielo mientras limpiaba los cristales de las gafas con un papel de fumar.

—Me parece, hijo, que hemos llegado algo tarde.

Matías suspiró.

—Sí, padre, eso me parece.

Don Matías adoptó el aire del hombre que, resignadamente, está ya de vuelta de todo.

—Se acabaron los Matías, hijo mío. En fin, ¡pelillos a la mar! Si él es feliz así...

Matías, casi sin voz, todavía respondió...

—Sí... Si él es feliz así...

Doña Leocadia, que había asomado los hocicos por la puerta, terció:

—Si nos saliese un Zorrilla o un Campoamor...

Los dos hombres la miraron con un gesto de remota esperanza.

Celedonio Montesmalva, joven vallisoletano, era un mozo indeciso y algo poeta que, al decir de su padre, iba a acabar muy mal. El padre de Celedonio se llamaba don Obdón de la Sangre; pero el hijo, pensando que eso era muy poco poético, se inventó el timito de Montesmalva, falso apellido que sacaba de quicio al progenitor.

—Pero oye, tú, pedazo de mastuerzo ruin, ¿es que el apellido de tu padre te avergüenza, lila indeseable?

Don Obdón de la Sangre era muy retórico.

—No, papá, no me avergüenza; pero es que para los versos, ¿sabes?, parece que pega más eso de Montesmalva. ¿No crees? Es un nombre lleno de bellas sugerencias, de fragancias sin límite...

Don Obdón miró al niño por encima de los lentes.

—¿Lleno de qué?

—Lleno de bellas sugerencias, papá, y de fragancias sin límite.

Celedonio tomó un vago aire soñador.

—Un soneto de Montesmalva... ¿Tú te percatas?

—Sí, sí; ¡ya lo creo que me percato! En fin, ¡qué le vamos a hacer! Lo que yo te digo, ya lo sabes bien claro: que hagas versos me tiene sin cuidado, ¡allá tú con la gente!, y que te pongas ese nombre ridículo de transformista, también. Ya te espabilarás si te trinca la Guardia civil. Pero eso de que no des ni golpe, no; vamos, que eso, no. ¿Te das cuenta? No. Ya eres muy talludito para estar viviendo de la sopa boba.

—¡Ay, papá; si no tengo más que veintiocho primaveras!

Don Obdón lo miró con la cara que suelen poner los asesinos cuando, por esas cosas que pasan, perdonan a la víctima, a veces bien a su pesar.

—¿Y te parecen pocos? Yo, a tu edad, estaba ya harto de poner irrigaciones a las mulas, y llevaba ya cerca de diez años de veterinario en una cabeza de partido judicial.

—¡Ay, papá; pero reconoce que puede haber vocaciones para todo!

—Sí, para todo; ya lo sé. Y para pegar la gorra y estar a lo que caiga, también, ¿verdad?

—¡Ay, papá, qué cruel eres!

—Vamos, hijo, vamos...

La mamá del poeta, doña Visitación Manzana, solía estar callada, casi siempre, cuando salían esas conversaciones escabrosas. Algunos días, cuando ya veía al niño muy perdido, echaba tímidamente su cuarto a espadas.

—¡Pero, hombre, Obdón! ¿Por qué no dejas al niño seguir su vocación?

Don Obdón puso un gesto de un desprecio inaudito.

—¿No te lo imaginas?

—No.

—¡Cuando yo digo que eres más inútil que un pavo!

Doña Visitación, en cuanto que le decían lo del pavo, se echaba a llorar desconsoladamente.

—No llores, mamita; yo te comprendo muy bien. Todas tus preocupaciones encuentran un seguro eco en mi pecho.

Celedonio miró al padre con un gesto retador, con el gesto de un joven héroe de tragedia antigua.

—Sábelo bien, padre mío; yo soy respetuoso y buen hijo, pero no consiento que a mi mamita le llamen pavo delante de mí.

Don Obdón comenzó a liar un pitillo con parsimonia y no respondió. Cuando llegó al casino, le dijo a un amigo:

—Chico, no sé; pero esto me parece que va a acabar pero que muy mal; el día menos pensado lo deslomo.

¡Mira tú que yo con un hijo poeta! ¡Yo, de quien nadie puede decir, en los cincuenta y cinco años que tengo, nada malo!

Al mismo tiempo, Celedonio le explicaba a su madre:

—¿Lo ves, mamita? A estos tíos flamencos, como papá, lo mejor es levantarles el gallo. Se quedan viendo visiones y más suaves que un guante.

Carrera ciclista para neófitos

En aquel pueblo había muchos neófitos. El pueblo no era ninguna aldea, ciertamente, sino más bien casi una ciudad; pero, de todas maneras, había muchos neófitos, casi demasiados neófitos.

—¡Cuántos neófitos hay en este pueblo! —decían los forasteros—. ¡Cómo se ve en seguida que tiene una economía sana, basada en la agricultura y en la pequeña industria!

—Sí, señor; la mar de sana. Todo el mundo lo dice. Y muy autárquica, además. Aquí, lo que más llama la atención es la autarquía, ¿verdad usted?

—Ya, ya...

Doña Ramona, la dueña del café-fonda La Mercantil, que en tiempos de su padre se llamó La Perla de las Antillas, y en el de su abuelo El Triste Venado, tuvo un éxito muy grande organizando su carrera ciclista para neófitos.

—A las cosas —decía—, lo que hay que buscarles es aplicación. De nada nos vale tener lo que sea si no lo aplicamos. Un capitalazo como una casa, si es improductivo, es como un jardín sin flores.

—Anda, ¡pues es verdad! —le contestaba don Ildefonso, el escribiente del Juzgado, que era algo memo—. Yo, en eso, no había caído.

Doña Ramona pensó que, con los neófitos, lo mejor era organizar una carrera ciclista.

—En este pueblo hay un horror de neófitos; todo el mundo lo dice.

—Sí, señora; neófitos hay muchos. Lo que no hay son bicicletas.

Doña Ramona no se amilanaba fácilmente.

—Pues que las pidan prestadas a los pueblos de al lado. Yo creo que la cosa bien merece la pena. Vamos, ¡digo yo!

—Sí, señora; sí que merece la pena. Pero ¿y la autarquía?

—¡Ay, Ildefonso, hijo! ¡Usted siempre poniéndome chinitas en el camino!

—Bueno, me callo; haga lo que le dé la gana. Yo cumplo con advertirla.

Doña Ramona se encerró tres días en la trastienda del Café y se inventó las bases para la carrera. El cartel que encargó decía:

"Gran Premio Velocipédico de Valverde del Arroyo. Reservado para neófitos. Recorrido, cien vueltas al pueblo, yendo por el Camposanto, pasando por la Picota y volviendo por el Matadero. Inscripción gratuita. Primer premio, un hermoso salchichón y veinticinco pesetas. Segundo premio, otro salchichón más pequeño y diez pesetas. Tercer premio, un objeto de arte. Presidirán las autoridades, en compañía de las más bellas señoritas de la sociedad arroyense."

El éxito de inscripción fué grande, y para el premio de doña Ramona se inscribieron setecientos treinta neófitos. Una nube.

—El miedo que yo tengo es que tropiecen —decía doña Ramona—. ¡Qué barbaridad! ¡Qué aceptación!

—¡Hombre! Así, cualquiera. ¡Repartiendo salchichones y premios en metálico!

Cuando llegó el día de la carrera, los neófitos no cabían en la plaza. Menos dos o tres, que no entraron por eso de enseñar las piernas y se presentaron de pantalón largo, sujeto con unos alambritos por abajo, los demás optaron por el calzón de fútbol o por el albo calzoncillo prendido por delante con cuatro puntadas o con un imperdible para que no se abriese.

La salida la dió la Pura, que había sido "Miss Valverde del Arroyo" antes de la guerra, y que, aunque ya no era ninguna niña y tenía ya sus años y sus patas de gallo, aún no había sido desbancada por ninguna otra.

—¡Mírala, qué repajolera gracia tiene para agarrar la escopeta! —decía el tío Juan, un viejo verde y solterón, amigo del vino áspero, de las mozas galanas y de la caza de pluma—. ¡Si es que no hay otra como ella en muchas leguas!

Los neófitos, apelmazados en la plaza, los músculos en tensión, al manillar amartillados, un pie en el pedal y el otro en tierra, estaban pendientes de la escopeta de la Pura.

—Apunta para arriba —le había dicho doña Ramona—, no vayamos a tener tomate.

—Descuide usted.

En el balcón del Ayuntamiento, la Pura no podía revolverse entre tantas autoridades y jerarquías.

—¡Venga, dale ya!—le dijo el alcalde.

La Pura apretó el gatillo, pero la escopeta no escupió.

—¿Qué pasa?

—¡Anda! ¿Y yo qué sé?

—¡Que le aprietes, muchacha! Aprieta fuerte, y verás como sale.

La Pura hizo un esfuerzo y apretó con toda su alma.

—¿No sale?

—Pues no, señor. Ya usted lo ve.

—Bueno; es igual.

El señor alcalde se dirigió a los ciclistas. Antes pidió que le escuchasen, con un gesto apaciguador.

—¡Ciclistas!

Sobre la plaza resonó un hondo murmullo.

—¡Qué!

—Pues que vayáis saliendo, que esto no marcha.

La que se armó con la orden del alcalde no es para descrita. Setecientos y pico de neófitos, pedaleando como leones y echando los bofes por la boca, detrás del salchichón y de los cinco duros, por las cuestas de Valverde del Arroyo, es un espectáculo nada fácil de pintar.

El teniente de la Guardia civil decía:

—¡Qué barbaridad! ¡Parecen filibusteros!

Sansón García, fotógrafo ambulante

Sansón García Cerceda y Expósito de Albacete, cuando metía la jeta por la manga de luto de su máquina de retratar, miraba con el ojo diestro, porque el siniestro, por esas cosas que pasan, se lo había dejado en Sorihuela, en la provincia de Jaén, el día de San Claudio del año de la dictadura, en una discusión desafortunada que tuvo con un francés de malos principios que se llamaba Juanito Clermond, y de apodo Arístides Briand II.

A Sansón García le había nacido la afición a retratista desde muy tierna edad, motivo por el cual su padre, don Híbrido García Expósito y Machado Cosculluela, le arreaba unas tundas tremendas porque decía, y él sabría por qué, que eso de retratista no era oficio propio de hombres.

—Pero vamos a ver, padre —le argumentaba Sansón para tratar de apiadarlo—, ¿cuándo ha visto usted que los retratistas que van por los pueblos sean mujeres?

Don Híbrido, entonces, se ponía rabioso y empezaba a rugir.

—¡Cállate, te digo! ¡Más respeto es lo que tienes tú que tener con tu padre, descastado! ¡Más respeto y más principios, hijo desnaturalizado!

A don Híbrido, que era un dialéctico, no había quien lo sacase de ahí. Sansón, cuando veía que su progenitor se ponía burro, se callaba, porque si no, era peor.

—¡Cálmese, padre, cálmese, yo no he querido ofenderle!

—Bueno, bueno...

Don Híbrido García Expósito era, de oficio, fondista retirado. Durante treinta años, o más, había tenido una fonda en Cabezarados, en tierra manchega, al pie de la sierra Gorda y no lejos de las lagunas Carrizosa y Perdiguera, y había ganado sus buenos cuartos. Desde los tiempos de fondista, a don Híbrido le había quedado un carácter muy mandón, muy autárquico, según él decía.

—A mí siempre me han gustado los hombres de carácter autárquico, los hombres que dicen "por aquí" y por aquí va todo el mundo, mal que les pese. ¡Esos sí que son hombres! Lo malo es que, en los tiempos que corremos, ya no van quedando hombres autárquicos. ¡Para hombres autárquicos, el Cardenal Cisneros y Agustina de Aragón! ¡Aquellos sí que eran hombres autárquicos, y no estos que hay ahora, que se desmayan en cuanto que ven media docena de heridos graves! ¡Yo no sé a dónde iremos a parar!

Con esto del carácter autárquico, don Híbrido tenía metido el resuello en el cuerpo a todos los que le rodeaban, menos a su señora, que era de Lalín, y que un día, a poco de casarse, le dió con una plancha de carbón de encina en una oreja y se la dejó arrugadita y llena de jeribeques como una col de Bruselas.

Sansón, que era de temperamento más bien apacible, cosa que a don Híbrido le preocupaba lo suyo, porque no se explicaba a quién había salido, sufría mucho y, al acabar la guerra, cuando leía algunas declaraciones del señor ministro de Industria y Comercio hablando de la autarquía, se echaba a temblar y se le abrían las carnes.

—¡Pues vamos servidos! —pensaba—. ¡Ahora sí que la hemos hecho buena!

Sansón García, con su vieja máquina de trípode y manga de costillas, su ojo de menos y la palabra "autarquía" dándole alergia en el alma, llevaba ya muchas leguas españolas retratando niños hermosos de flequillo y sandalias con tacones de filips, soldados de Infantería que mandaban recuerdos a sus novias lejanas, criadas de servir con el pelo de la dehesa asomándoles por el cogote y grupos de señoritas de pueblo a las que se les habían despertado insospechadas hermosuras con el cap de vino blanco y el mal ejemplo de las bodas.

Sansón García, que era muy lírico, que era un verdadero poeta, se sentía dichoso con su industria ambulante.

—¡Qué satisfacción —pensaba, a veces, cuando había comido algo templado—, esto de poder vivir de ver sonreír a la gente! Yo creo que no hay otro oficio igual en el mundo, ni siquiera el de pastelero.

Sansón García amaba la Naturaleza, los niños, las niñas, los animales y las plantas. El ojo que le vació Arístides Briand II fué, precisamente, por reprenderle, un día que estaba experimentando con unos pobres gatos un nuevo modelo de guillotina.

El Arístides Briand II le dijo:

—Yo amo el progreso y soy satisfecho de poder contribuir a la evolución de la mecánica. Además, estoy extranjero y me rijo por las leyes de mi país.

Sansón García le contestó que aunque estuviese extranjero, los gatos eran españoles, y él no toleraba que los maltratasen. Por toda respuesta, Arístides Briand II le dijo:

—¡Cerdo! ¡Inculta mula de labranza!

Sansón García le dijo que más cerdo y más inculta mula de labranza era él, y entonces el francés le dió un golpe de mala suerte y lo dejó tuerto, tuerto para toda la vida.

Sansón se puso una ventanilla de paño negro en el sitio del ojo, cuando le curaron el estropicio, y el Arístides Briand II se marchó con su nuevo modelo de guillotina a experimentar en otros horizontes porque la gente de Sorihuela que, salvo raras excepciones, había tomado el partido de Sansón García, lo quería linchar.

Pues bien, a lo que íbamos: los datos y las señas particulares semovientes que van a desfilar por esta galería de la docenita de fotografías al minuto, los debe el firmante a la buena retentiva de su amigo Sansón y a la merced que le hizo de confiárselos.

—Si a usted le valen para algo —le dijo un día de este verano, en Cercedilla, al pie de Siete Picos—, úselos sin reparo, que cada cual sabe de su oficio. Yo ya les saqué los cuartos con la máquina de retratar, sáqueselos usted ahora con la péñola.

Sansón García, en seguida se echaba de ver, era un hombre muy bien hablado, un hombre que se expresaba con suma propiedad.

Genovevita Muñoz, señorita de conjunto

—Esta que ve usted aquí —aclaró Sansón García, mostrando la foto de una moza robusta— es la Genovevita Muñoz, señorita de conjunto, natural de Valencia del Mombuey, provincia de Badajoz, ya en la raya de Portugal, frente al cerro Mentiras, y moza de la que yo anduve una temporada un sí es no es enamoriscado.

Sansón García guardaba muy claro recuerdo de Genovevita Muñoz.

—Yo digo que éstas son las "vivencias", ¿verdad, usted?

Al coleccionista de estos apuntes le estremeció oír hablar de "vivencias" con la misma honda, cruel, resignada y amarga intención con la que suele hablarse de "mangancias".

—Sí, a mí me parece que eso deben ser las "vivencias".

Sansón García, con un gesto inefable de experimentado Don Juan de los barbechos, bebió un traguito de vino y continuó:

—La Genovevita Muñoz, aunque era cariñosa cuando quería serlo, tenía el genio algo pronto, grandes las fuerzas y yerma la sesera, lo que hacía que, cuando se encampanaba, cosa que solía ocurrirle de luna en luna, tuviéramos que huir de su presencia hasta los más allegados. Un servidor, sin ir más lejos, lleva en el cuero cabelludo un bache que le produjo la Genovevita, un día que no pudo darse el bote a tiempo, con una lezna de zapatero que guardaba en su maleta, vaya usted a saber para qué. Verá, toque usted aquí.

En el agujero que lucía Sansón en su colodrillo hubiera podido caber, incluso holgadamente, una perra gorda.

—Pero la Genovevita, no se vaya usted a creer, también tenía sus encantos y sus dotes naturales, y era hembra requerida con insistencia por todos los que la iban conociendo. Ella, lo primero que preguntaba no era el volumen de la cartera, como hacen otras, sino la naturaleza del pretendiente. Para empezar a hablar, ponía como condición que su galanteador fuera español. "Yo soy tan española como la Virgen del Pilar", decía, "y no quiero nada con franceses." Quizá tuviera sus razones.

Sansón García apuró el vaso y llamó al chico.

—¡Dos blancos!

—¡Va en seguida!

"Reportajes Sansón" —como se anunciaba al llegar a un pueblo nuevo— estaba elegíaco y sentimental. Cuando se ponía elegíaco y sentimental, la ventanilla negra que le tapaba el ojo que no tenía se le tornaba color ala de mosca con reflejos de un verde funerario.

—¡Vaya por Dios!

Un diablo de silencio, pesado y lento como una vaca mansa, cruzó por los densos aires de la taberna.

—¡En fin! La Genovevita Muñoz, ¡más vale seguir con su historia!, empezó de criada de servir, siendo aún muy tierna, en casa de unos señores de Barcarrota, el pueblo que tiene la plaza de toros metida dentro del castillo como un pie en el calcetín. Como el sueldo era escaso, mucho el trabajo y demasiado lo que su señorito entendía por "chica para todo", la Genovevita levantó el vuelo, a la primera ocasión que se le presentó, y fué a caer en Valverde del Camino, en territorio de Huelva y a la sombra de las lomas de Segundaralejo, donde se enroló en las huestes llamadas "Oriflamas de Andalucía, espectáculos folklóricos", que se ganaban la muerte a pulso sudando y ayunando de tablado en tablado por esos mundos de Dios. Como no sabía ni cantar ni bailar, lo que hizo el director de la compañía fué sacarla en enagua para que diese unos paseítos por el escenario. Lucida sí estaba, e incluso gallarda, y como el número, que se titulaba "Bañistas de New York", era del agrado del respetable, la Genovevita pronto se hizo algo famosa y pudo aspirar a mejor situación.

El chico de la tasca —camisa mugrienta, pantalón de pana y mandil a rayas verdes y negras— puso sobre la mesa los dos blancos y un platillo en el que se perdían dos canijas aceitunas con rabito.

—A la Genovevita la conoció un servidor en San Martín de Valdeiglesias, un pueblo grande y rico que crece en las tierras que Madrid mete, como una cuña, entre las provincias de Avila y Toledo. La Genovevita era, por aquel entonces, señorita de conjunto en un elenco artístico que se llamaba "Cálidos ecos del Caribe" y bailaba la rumba y el danzón, un poco en segundo término, ésa es la verdad, haciendo coro a las evoluciones de Belén Baracoa, "La voz de fuego del Camagüey", una mulata más bien llenita, nacida en Betanzos, que disimulaba lo mejor que podía su acento gallego. Verla y enamorarme de ella, se lo juro a usted por lo que más pueda importarme en este mundo, fué todo uno. Se lo dije, de la mejor manera que pude, ella me dió el ansiado sí y como en "Cálidos ecos del Caribe" un servidor no tenía acoplamiento, nos fuimos a la capital de España a vivir sobre el terreno, como la infantería, creyendo, ¡pobres de nosotros!, que en la capital de España se ataban los perros con longanizas. Pronto nos dimos cuenta de nuestro error y de que si los perros se atasen con longanizas, las longanizas hubieran pasado, más que aprisa, a la panza de sus amos, y, al tiempo de pensarlo, decidimos salir de naja con viento fresco, por eso de que más vale morir en el monte, como un conejo, que en un solar, como los gatos. ¡Dos blancos!

—¿Eh?

—No, no era a usted, es al chico del mostrador, que es medio pasmado. ¡Chico, otros dos blancos!

—¡Va en seguida!

—Pues como le decía. A un servidor, que es de natural más bien celoso, no le agradaba mucho el oficio de cómica de la Genovevita, por eso de que las cómicas, ya sabe usted, suelen tener mala fama, y un día que me armé de valor, pues fuí y se lo dije. "Oye, Genovevita, chata —fuí y le dije—, ¿a ti no te parece que sería mejor que te dedicases a otra cosa? No es por nada, pero a mí se me hace que para cómica no sirves." ¡Dios, y la que se armó! La Genovevita, hecha un basilisco, se me tiró encima y me dió semejante tunda —no tengo por desdoro el reconocerlo— que, a poco más, no la cuento.

Sansón García se iluminó con una tenue sonrisa.

—¡Estaba hermosa la Genovevita, con su pelo revuelto y sus ojos igual que los de un tigre! En fin... Usted me perdonará, pero no puedo recordarla sin nostalgia. ¿Le es a usted igual que sigamos otro día cualquiera con el cuento de la Genovevita?

—Como guste.

—Muchas gracias; hoy no podría continuar. ¡Chico, que sean cuatro!

Madrid-Cebreros, 1951.

BARAJA DE INVENCIONES

De Baraja de invenciones, *nueva refundición de textos dispersos, elijo una novela corta,* La naranja es una fruta de invierno, *que había aparecido, sola, en la «Colección Hordino», 1951, que dirigía en Santander el malogrado poeta Carlos Salomón, y dos cuentos muy disímiles entre sí y, por ende, más abarcadores de mis tendencias.*

La naranja es una fruta de invierno

La naranja es una fruta de invierno. Un sol color naranja se fué rodando, más allá de los montes, por los remotos caminos del mundo, por los ignorados y lejanos caminos del mundo.

En la sombra, al pie de una colina de pedernal, de una colina que marca a chispas veloces la andadura de la caballería, dos docenas de casas se aprietan contra el campanario. Las casas son canijas, negruzcas, lisiadas; parecen casas enfermas con el alma de roña, que va convirtiendo las carnes en polvo de estiércol. El campanario —un día esbelto y altanero—, hoy está desmochado y ruinoso, desnudo y pobre como un héroe en desgracia. El viento, a veces, se distrae en llevarse una piedra del campanario, una piedra que sale volando, como una maldición, contra cualquier tejado, y rompe cien tejas, que después ya no se repondrán jamás. Sobre el campanario, el vacío nido de la cigüeña espera los primeros soles rojos de la primavera, los soles que marcarán el retorno de las aves lejanas, de las extrañas aves que conocen el calendario de memoria, como un niño aplicado.

El vacío nido de la cigüeña ha echado misteriosas raíces, firmes raíces en la piedra. Al vacío nido de la cigüeña —doce docenas de secos palitos puestos al desgaire— no hay viento de la sierra que lo derribe, no hay rayo de la nube que lo eche al suelo. Sobre el vacío nido de la cigüeña, quizá vuele, como un alto alcotán, la primera sombra de Dios.

Al caserío le van naciendo, con la noche, tenues rendijas de luz en las ventanas que no ajustan del todo, en las ventanas que siempre dejan un resquicio abierto, quién sabe si a la ilusión, al miedo o a la esperanza: como un corazón anhelante, como un corazón que no encuentra consuelo en la soledad.

Entornando el mirar, las rendijas de luz semejan flacos fantasmas atados a las sombras, hojas de las peores facas, las facas que tienen luz propia como los ojos de los gatos, como los ojos de los caballos, como los ojos del lobo, que muestra el color del matorral del odio. Y su figura. Y su andar, que nos muerde los nervios de la cabeza, que forman un raro árbol dentro de la cabeza, un árbol que mete sus ramas espantadas por entre las junturas de los sesos.

Un vientecillo que pincha baja por la ladera, husmea como un can con hambre por las callejas y se escapa ululando por el olivar del Cura, el olivar que se pinta con el ceniciento color de la plata vieja, la plata de las monedas antiguas, el confuso color del recuerdo.

Al pie del olivar del Cura, conforme se sale hacia el arroyo, una cerca de adobe guarda del lobo negro de la noche las ovejas de Esteban Moragón, alias *Tinto,* mozo que va a casar. La alta barda de adobe se corona de espinas erizadas, de secas y heridoras zarzas, de violentas botellas en pedazos, de alambres agresivos, descarados, fríamente implacables. El *Tinto* se guarda lo mejor que puede.

* * *

La taberna de Picatel es baja de techo. Picatel es alto. La taberna de Picatel es húmeda y lóbrega. Picatel es seco y tarambana. La taberna de Picatel es negra y rumorosa. Picatel es albino, pero también decidor.

Picatel tiene cincuenta años. Picatel no come. A Picatel le zurra su mujer. Picatel es un haragán. Picatel es un pendón. Picatel es fumador, es bebedor, es jugador. Picatel es faldero. Picatel fué cabo en Africa. En Monte Arruit le pegaron a Picatel un tiro en una pierna. Picatel es cojo. Picatel está picado de viruela. Picatel tose.

Esta es la historia de Picatel.

* * *

—¡Así te vea comido de la miseria!

—...

—¡Y con telarañas en los ojos!

—...

—¡Y con gusanos en el corazón!

—...

—¡Y con lepra en la lengua!

Picatel estaba sentado detrás del mostrador.

—¿Te quieres callar, Segureja?

—¡No me callo porque no me da la gana!

Picatel es un filósofo práctico.

—¿Quieres que te cuente otra vez lo de tu madre, Segureja?

Segureja se calló. Segureja es la mujer de Picatel. Segureja es baja y gorda, sebosa y culona, honesta y lenguaraz. Segureja fué garrida de moza, y de rosada color.

Segureja se metió en la cocina. Iba en silencio.

* * *

El *Tinto* y Picatel no son buenos amigos. La novia del *Tinto* estuvo de criada en casa de Picatel. Según las gentes, Picatel, a veces, entraba en la cocina y le decía a la novia del *Tinto:*

—No te afanes, muchacha; lo mismo te van a dar. Que trabaje la Segureja, que ya no sirve para nada más.

Según las gentes, un día salió la novia del *Tinto* llorando de casa de Picatel. La Segureja le había pegado una paliza, que a poco más la desloma. La Segureja, según la gente, le decía a la gente:

—Es una guarra y una tía asquerosa, que se metía con Picatel en la cuadra a hacer las bellaquerías.

La gente le preguntaba a la mujer de Picatel:

—Pero, ¿usted los vió, tía Segureja?

Y la mujer de Picatel respondía:

—No; que si los veo, la mato; ¡vaya si la mato!

Desde entonces, el *Tinto* y Picatel no son buenos amigos.

* * *

De las vigas de la taberna de Picatel cuelgan unos chorizos y unas tiras de papel engomado que aún guardan las moscas del verano, las moscas zumbadoras y pendencieras de julio y de agosto.

El *Tinto* es un mozo jaquetón y terne, que baila el pasodoble de lado. El *Tinto* lleva gorra de visera. El *Tinto* sabe pescar la trucha con esparavel. El *Tinto* sabe capar puercos, silbando. El *Tinto* sabe poner el lazo en el camino del conejo. El *Tinto* escupe por el colmillo.

Las artes del *Tinto* le vienen de familia. Su padre mató una vez una loba a palos.

—¿Dónde le diste? —le preguntaban los amigos.

—En el alma, muchachos; que si no, no lo cuento.

El padre del *Tinto*, otra vez, por mor de dos cuartillos de vino que iban apostados, entró en una tienda y se comió una perra de todo: una perra de jabón, una perra de sal, una perra de cinta, una perra de clavos, una perra de azúcar, una perra de pimienta, una perra de cola de carpintero, tres piedras de mechero, una carpeta de papel de cartas, una perra de añil, una perra de tocino, una perra de pan de higo, una perra de petróleo, una perra de lija y una perra que sacó el amo del cajón del mostrador. Los seis reales los pagó el de la apuesta.

Después, el padre del *Tinto* se fué a la botica y se tomó una perra entera de bicarbonato.

* * *

El *Tinto* entró en la taberna de Picatel.

—Oye, Picatel...

Picatel ni le miró.

—Llámame Eusebio.

El *Tinto* se sentó en un rincón.

—Oye, Eusebio...

—¿Qué quieres?

—Dame un vaso de blanco. ¿Tienes algo de picar?

—Chorizo, si te hace.

Picatel salió del mostrador con el vaso de blanco.

—También te puedo dar un poco de bacalao.

El *Tinto* estaba recostado en la pared, con dos patas de la banqueta en el aire.

—No. No quiero el bacalao. Ni el chorizo.

El *Tinto* sacó el chisquero, encendió su apagado cigarro y echó una larga bocanada de humo, con la cabeza atrás, casi con deleite.

—Me vas a traer un papel de las moscas. Hoy me da la gana de comerte el papel de las moscas.

Picatel dejó el vaso de blanco sobre la mesa.

—El papel es mío. No lo vendo.

—¿Y las moscas?

—Las moscas también son mías.

—¿Todas?

—Todas, sí. ¿Qué pasa?

* * *

Lo que pasó en la taberna de Picatel, nadie lo sabe a ciencia cierta. Y si alguien lo sabe, no lo quiere decir.

Cuando llegó la pareja a la taberna de Picatel, Picatel estaba debajo del mostrador, echando sangre por un tajo que tenía en la cara.

La pareja levantó a Picatel, que estaba blanco como la primer harina.

—¿Qué ha pasado?

Picatel estaba como tonto. La herida de la cara le manaba sangre, lenta y roja como un sueño siniestro. Picatel, en voz baja, repetía y repetía la monótona retahila de su venganza:

—Por donde más te ha de doler... Te he de pinchar por donde más te ha de doler...

Los ojos de Picatel le bizqueaban un poco.

—Por donde más te ha de doler... Te he de pinchar por donde más te ha de doler...

La pareja se acercá al *Tinto,* que esperaba en su rincón sin mirar para la escena.

—¿Qué comes?

—Nada, papel de moscas. A la guardia civil no se le hace lo que yo coma.

* * *

La naranja es una fruta de invierno. El sol color naranja aún ha de tardar varias horas en oír la letanía de Picatel:

—Por donde más te ha de doler... Te he de pinchar por donde más te ha de doler...

La Segureja restañó la herida de Picatel con un pañuelo mojado en anís. Después le puso vinagre en la frente, para que espabilara.

—Por donde más te ha de doler... Te he de pinchar por donde más te ha de doler...

—Pero, ¿qué dices?

Picatel, con los ojos cerrados, no escuchaba la voz de la Segureja.

—Por donde más te ha de doler... Te he de pinchar por donde más te ha de doler...

* * *

En el cuartelillo, el *Tinto* le decía al cabo que él no había querido más que comerse el papel de las moscas.

—Se lo puedo jurar a usted por mi madre, señor cabo. Yo, en comiéndome el papel de las moscas, me hubiera marchado por donde entré.

El cabo estaba de mal humor; la pareja le había levantado de la cama. Cuando la pareja dió dos golpes sobre la puerta de su cuarto, el cabo estaba soñando que un capitán le decía:

—Oiga usted, brigada, se trata de un servicio difícil, de un servicio que tiene que ser prestado por un hombre de mucha confianza.

El cabo no entendía del todo lo del papel de las moscas.

—Pero, bueno, vamos a ver: usted, ¿por qué se quería comer el papel de las moscas?

El *Tinto* buscaba una buena razón, una razón convincente:

—Pues ya ve usted, señor cabo: ¡un capricho!

* * *

La gente, la misma gente que había preguntado a Segureja lo que había pasado entre su marido y la novia del *Tinto,* se agolpó ante la cerca de adobe que hay al pie del olivar del Cura, conforme se sale hacia el arroyo.

Una hora antes, Picatel había saltado como un garduño la alta barda de las espinas y las zarzas, de los vidrios y los alambres desgarradores.

Picatel llevaba en la mano una faca de acero brillador, una faca cuya luz semejaba en la noche el temblor de una tenue rendija en la ventana que no ajusta del todo, en la ventana que siempre deja un resquicio abierto, quién sabe si a la venganza, al miedo o a la desesperación.

Picatel llevaba en la boca la temerosa salmodia que le empujó por encima de los adobes del corral del *Tinto.*

—Por donde más te ha de doler... Te he de pinchar por donde más te ha de doler...

Picatel se acercó a las ovejas, tibias y prometedoras, aromáticas y femeniles. Su corazón le andaba a saltos, como cuando se encerraba en la cuadra con la novia del *Tinto.*

Picatel paseó entre las ovejas, celoso como un gallo, rendidamente lujurioso, como un sultán que vaga su veneno por entre las confusas filas de un ejército de esclavas desnudas.

A Picatel se le hizo un nudo en la garganta.

—Por donde más te ha de doler... Te he de pinchar por donde más te ha de doler...

Picatel palpó los lomos a una oveja soltera, a una

cordera que miraba como su mujer, de moza, o como la novia del *Tinto* derribada sobre el suelo de estiércol de la cuadra.

A Picatel le empezaron a zumbar las sienes. La cordera se estaba quieta y sobresaltada, como una novia enamorada y obediente.

A Picatel se le nublaron los ojos... La cordera también sintió que la mirada se le iba...

Fué cosa de un instante. Picatel echó el brazo atrás y descargó un navajazo temeroso en el vientre de la cordera. La cordera se estremeció y se fué contra el suelo del corral.

Una carcajada retumbó por los montes, como el canto de un gallo inmenso y loco.

La gente, la misma gente que decía que entre Picatel y la novia del *Tinto* había más que palabras, seguía, firme y silenciosa, ante el corral que queda al pie del olivar del Cura, conforme se sale del pueblo, camino del arroyo.

La pareja no dejaba arrimar a la gente.

Ese hombre que llega tarde a todos los acontecimientos preguntó:

—¿Qué ha pasado?

—Nada —le respondieron—; que Picatel despanzurró a las cien ovejas del *Tinto*.

* * *

Sí; la naranja es una fruta de invierno.

Cuando el sol color naranja llegó rodando, más acá de los montes, por los remotos caminos del mundo, por los lejanos e ignorados caminos del mundo, ya Picatel marchaba, más allá de la colina de duro pedernal, de espaldas a las casas canijas, negruzcas, lisiadas, por aquellos caminos que llevaban al mundo, andando como un sonámbulo, repitiendo a la media voz del remordimiento:

—Por donde más te ha de doler... Te he de pinchar por donde más te ha de doler...

El sol color naranja alumbraba la escena sin darle una importancia mayor.

Sí; sin duda alguna, la naranja es una fruta de invierno.

La memoria, esa fuente del dolor

Yo nací en casa del abuelo

Yo nací en casa del abuelo. El abuelo es viejo, tiene la barba blanca y lleva traje negro. El abuelo es tan viejo como un árbol. Su barba es tan blanca como la harina. Su traje, tan negro como un mirlo o como un estornino. Los árboles se pasan el día y la noche, el invierno y el verano, al aire libre, mojándose, cogiendo frío o asándose al sol, a la hora de la siesta, en el mes de julio. La harina se hace moliendo los granos de trigo, que están escondidos en la espiga amarilla. Los mirlos, a veces, se pueden amaestrar, y entonces llegan a silbar canciones hermosas. Los estorninos, no; los estorninos son más torpes y nunca llegan a silbar canciones hermosas.

Papá también nació en casa del abuelo. Papá es joven, tiene el bigote negro y lleva traje gris. Papá es joven como un soldado. Su bigote es finito como un mimbre. Su traje es gris como el agua del mar. Los soldados, cuando vienen las guerras, se pasan el día y la noche, el invierno y el verano, al aire libre, mojándose, cogiendo frío o asándose al sol, a la hora de la siesta, en el mes de julio; si Dios quiere, viene una bala del enemigo y les da en el corazón. Los mimbres crecen a la orilla del río, casi dentro del agua. En el mar no hay mimbres, hay algas de color verde, que parecen árboles enanos, y algas de color marrón, que parecen serpentinas y tienen, de trecho en trecho, una bolsita de agua.

Si el abuelo no hubiera nacido, yo no sería nadie, yo ni existiría siquiera. O sí, a lo mejor sí. Sería otro, sería Estanislao, por ejemplo, que es bizco y tiene el pelo rojo. ¡Qué horror! Mamá sería asistenta de tía Juana y andaría siempre diciendo: "¡Ay, Jesús! ¡ay, Jesús!", como una boba. No, no, yo no soy Estanislao, yo tampoco quisiera ser Estanislao. A veces, Dios mío, quiero ser un príncipe indio o un pescador de perlas. Perdóname, Dios mío, yo me conformo con seguir siendo siempre quien soy. Yo no te pido que me cambies por nadie. Por nadie...

Estanislao no tiene dos naranjos en su jardín. Yo, sí; yo tengo dos naranjos en mi jardín. Las naranjas son agrias y no las comen más que los marineros, pero los naranjos, desde muy lejos, cuando se viene por la carretera, se ven por encima de la verja, tan altos como la casa, con algunas ramas aún más altas que la casa.

Yo venía por la carretera, el otro día. La carretera es pequeña, es más bien un camino. A los lados crecen las zarzas y la madreselva y, por detrás de las zarzas y de la madreselva, cuelgan las ramas de los cerezos, de los nísperos y de los manzanos. Yo venía por el camino mirando para los dos naranjos del jardín. (Mañana prometo que no diré: "¡Aparta, aparta, toma la carta!", cuando pase por delante del cementerio. La abuelita está enterrada en el cementerio, debajo de un olivo. Sobre su tumba, el abuelito ordenó al jardinero que sembrase violetas.)

El primo Javier juega a la pelota en la pared del cementerio. A mí me parece que jugar a la pelota, en la pared del cementerio, es pecado. Mi primo Javier se baña en la presa del molino y es capaz de irse de noche hasta los álamos y allí sentarse y empezar a pensar...

Mamá me dijo:

—No vayas por la vía.

Yo, entonces, le pregunté:

—¿Es pecado?

Yo creo que mamá dice siempre la verdad.

—No, pecado no es.

—Bueno, de todas maneras te prometo que nunca iré por la vía.

Mamá y papá son mis padres. El abuelo a mi papá le llama hijo y a mi mamá, María. Yo creo que si el abuelo no hubiera nacido yo no sería nadie, ni Estanislao siquiera. A lo mejor yo era un gusano de luz. O un pato. O un pez. O un jilguero. O un corderito. O un trozo de cuarzo cristalizado. O un sello. O el rastrillo o la azada del jardín... No, de no ser yo sería, sin duda, un gusano de luz.

Por las noches, mientras alumbraba la hierba con mi barriguita luminosa, me helaría de frío. Además, no vería las copas de los naranjos, al venir por el camino. ¿A mí qué más me daría no ver la copa de los naranjos? Los naranjos no serían míos, ni el abuelo viviría. Los naranjos tampoco serían naranjos... Los gusanos de luz no andan por el camino, se están quietos al borde del camino, pero aunque anduviesen, sólo un día nada más, por el camino, no verían las copas de los naranjos. De eso estoy seguro. Bueno, no, seguro no estoy. No se puede decir de eso estoy seguro, cuando una cosa no se sabe bien. Mamá, ¿es pecado? Qué gracioso; mamá no está aquí. No, hijo, duérmete, eso no es pecado. Yo mañana me acostaré en el suelo y pondré los ojos a la altura de los ojos de los gusanos. Si no se ven las copas de los naranjos, gano. Entonces ya no me condenaré.

Yo no sabía que era tan viejo. A mí no me importa nada ser tan viejo.

Mamá no es mi mamá, mamá es hija mía. Yo no lo sabía porque yo no tengo memoria.

A mí me dicen de repente: "¿Qué hiciste ayer por la mañana?", y yo no sé lo que hice ayer por la mañana, no puedo recordarlo.

Que mamá no sea mi mamá, ya me da más pena. Cuando entre en casa ya no le podré decir:

—Toma estas violetas, te las regalo.

Mamá me dice:

—Hoy no me has traído violetas, ¿ya no me quieres tanto como me querías antes, cuando me traías violetas todos los días?

Yo me echo a llorar. Mamá no me dice nada; me lo dirá después; cuando entre en casa. A lo mejor lo que me dice no es eso, es otra cosa.

—¿Has llorado, hijito? Tienes los ojos encarnados.

Yo tendré los ojos encarnados como las cerezas y las moras verdes, que no se deben comer porque dan cólico.

A veces también le digo:

—¡Hoy la gallina "Pepa" ha puesto un huevo, yo la he oído cantar!

Ayer por la noche acampó al lado de casa una familia de gitanos. Tienen un fenómeno, un niño que tiene seis dedos y la cabeza gorda como una calabaza.

Las tías dicen que yo soy un fenómeno, que soy un viejo y que parezco un niño pequeño. Mamá no es mi mamá y ellas no son mis tías; me alegro, me alegro.

Delante de ellas no lloro. Ellas dicen:

—¿No te importa?

Y yo les contesto:

—No, no me importa nada.

Entonces es cuando me dan ganas de llorar, muchas ganas de llorar.

El jardinero me dice:

—¿Te vienes conmigo?

Y yo le digo:

—No.

Yo quiero que las tías sigan explicándome eso. "Tienes lo menos cien años, eres más viejo que el abuelo". Yo me río y les digo:

—Mejor, mejor.

Me entran otra vez ganas de echarme a llorar, a llorar sin descanso, toda la vida.

Soy muy desgraciado, pero no me lo nota nadie. ¿Cuántos años tendrán los naranjos del jardín? Muchos; a lo mejor más de cien, más que yo. Las tías se ríen; dentro de su corazón vuelan los grajos y las lechuzas.

—¿Sabes que eres muy viejo? ¿Sabes que eres muy viejo?

—Sí, ya lo sé.

Me voy, arrastrando los pies para hacer polvo; en los senderos del jardín se levanta polvo, una nube de polvo, cuando se arrastran los pies.

En el gallinero, la gallina "Pepa" canta subida en la escalera.

Yo, de repente, me echo a llorar.

Por las noches andan los muertos por el campo

Por las noches andan los muertos por el campo, vagando por el campo, a orillas del río, por entre los árboles, alrededor del cementerio, con un largo camisón blanco, como las almas.

Yo cierro bien la ventana y echo la tranca de hierro. La tranca de hierro está pintada de verde; como es muy vieja, por algunos lados está ya negra, ya sin pintura. El grillo se ha quedado fuera, en su jaula, haciendo "cri, cri, cri, cri". Los muertos no hacen nada a los animales, a los grillos, a los caballos, a las mariposas. Un gato puede escapar a tiempo; si viene una guerra, y si lo cogen prisionero, lo sueltan en seguida, siempre llegará un soldado que diga: "¡Pero, hombre, cogiendo gatos!"

Yo le pregunté una noche a papá:

—Papá, ¿es verdad que por las noches andan los muertos por el campo?

Y él me contestó:

—No, hijo, deja a los muertos en paz. ¿Quién te cuenta a ti esas cosas?

A mí me lo contó Rosa, la lavandera. Rosa, la lavandera, tiene tanta fuerza como un hombre y es capaz de llevar un cesto inmenso, todo lleno de ropa, en la cabeza. Rosa me dijo que los muertos, por las noches, salen del camposanto, al dar las doce, y se van hasta el río a ver correr el agua. Me dijo también que los muertos no hacen daño a los niños, pero que no les gusta que los miren. Yo no pienso mirar a los muertos, yo sólo miraría a mi mamá si se muriese; yo también me querría morir con ella y que nos enterrasen juntos, muy bien envueltos. Ahora no son las doce, son las nueve y media.

El grillo, en su jaula, sigue haciendo "cri, cri, cri, cri". El quinqué alumbra la habitación y hace sombras negras y grises sobre la pared. Los muertos no tienen la sombra negra, tienen la sombra blanca.

Por las noches andan los muertos por el campo, pienso. Después me tapo, cabeza y todo, y procuro dormir. No se oye nada, el grillo fué dejando de decir "cri, cri, cri, cri". Deben ser ya lo menos las diez.

El reloj de pesas, el molinillo del café y la bomba para subir agua del pozo

El reloj de pesas, el molinillo del café y la bomba para subir agua del pozo, son las tres máquinas que hay en casa del abuelo. Mis tías tienen unos prismáticos, unos gemelos de teatro y una lente de aumento, y mamá tiene una caja de música, un caleidoscopio y una máquina de retratar.

Las cosas deberían tener nombre, como las personas y los animales y los pueblos, los montes y los ríos.

El reloj de pesas se llama, seguramente, "Blas"; es un reloj muy serio, que mueve el péndulo despacio, haciendo "blas, blas, blas, blas", de un lado para otro.

Los relojes de pesas son como el tiempo gris del otoño, cuando empiezan las nieblas y llevan agua las cunetas de la carretera.

El molinillo del café se llama, probablemente, "Dick". También puede ser que se llame "Fernando", no estoy muy seguro; con los molinillos de café es más difícil acertar. El molinillo de café lleva poco tiempo en casa, yo me acuerdo muy bien del día que lo trajeron, con el vasito de cristal lleno de virutas, una vez que fueron papá y mamá a la ciudad. Yo me quedé muy triste todo el tiempo, pero me alegré mucho cuando desempaquetaron el molinillo de café.

Los molinillos de café son como los jilgueros y las moscas de hierro que usa el abuelo para pescar.

La bomba para subir agua del pozo se llama "Lola", como la doncella de las tías. Se parece más Lola a la bomba para subir agua del pozo, que la bomba para subir agua del pozo a Lola, eso es cierto. Yo le doy a la palanca y el agua empieza a salir por el caño, casi sin parar; como se han llevado el cubo, el agua se va por el suelo formando un charco largo que casi siempre se parece al abuelo apoyado en su bastón y con una mano en la cabeza.

Las cosas deberían tener nombre, como las personas y los animales. Hay animales, por ejemplo, los pájaros, que tampoco tienen nombre. Algunos, como el loro de doña Soledad, sí tienen nombre. El loro de doña Soledad, que según dicen es viejísimo, se llama "Coronel".

El reloj de pesas, el molinillo del café y la bomba para subir agua del pozo, son las tres máquinas que hay en casa del abuelo. Mis tías tienen unos prismáticos, unos gemelos de teatro y una lente de aumento; mamá tiene una cajita de música, un caleidoscopio y una máquina de retratar. Cuando es mi santo o mi cumpleaños, hace sonar la cajita de música, me deja mirar por el caleidoscopio unas rosas de muchos colores y me saca una fotografía en el jardín.

La casa del abuelo es una de las casas que tienen menos máquinas en el mundo.

El reloj de pesas se llama "Blas", el molinillo del café se llama "Dick" o "Fernando", no sé bien. Esto ya lo dije...

Vocación de repartidor

Robertito tenía seis años, el pelo colorado, un jersey de franjas, dos hermanas más pequeñas que él y una ilimitada vocación de repartidor de leche.

El misterioso planeta de las vocaciones está por explorar. El misterioso planeta de las vocaciones es un mundo hermético, recóndito, clausurado, pletórico de una vida imprevista, saturado de las más insospechadas enseñanzas.

—Niño, ¿qué vas a ser?

—General, papá.

El día estaba espléndido, radiante, y las golondrinas volaban, veloces, al claro y cálido sol.

—Niño, ¿qué vas a ser?

El día está nublado y frío, desapacible y gris. El niño rompe a llorar con un amargo desconsuelo.

—Nada, yo no quiero ser nada.

A Robertito, por la mañana temprano, la madre lo lava, lo peina, le echa colonia, le pone su jersey a franjas y le da de desayunar.

Robertito está nervioso, impaciente, preocupado, imaginándose que el reloj vuela, desbocado, desconsiderado. En cuanto Robertito se toma la última tierna, aromática sopa de café con leche, se lanza como un loco escaleras abajo. A Robertito le va latiendo el corazón con violencia. A Robertito, su libertad de cada mañana le hace feliz, pero su felicidad es una felicidad de finísimo cristal fácil de quebrar.

Robertito, ya en la calle, sale arreando hasta una esquina lejana, la distante esquina en la que piensa durante todo el día.

A lo lejos, por la acera abajo, vienen ya Luisito y Cándido, dos niños de nueve y diez años, los dos niños de la lechería, que ya han empezado el reparto, que ya se ganan su pan de cada día.

Luisito y Cándido son los dos héroes de leyenda de Robertito, sus dos espejos de caballeros. Robertito hubiera dado gustosamente una mano por conseguir la amistad de los dos niños de la lechería, su tolerancia al menos.

A Robertito le empieza a latir el corazón en el pecho y una dicha inefable le invade todo el cuerpo. Luisito y Cándido, sin embargo, no piensan ni sienten, ni tampoco padecen, lo mismo.

—¿Ya estás aquí, pelma?

Robertito siente ganas de llorar, pero procura sonreír. ¿Por qué Luisito y Cándido no quieren ser sus amigos? ¿Por qué no lo tratan bien?

—Sí —responde Robertito con un hilo de voz.

Robertito está relimpio, repeinado, casi elegante. Sus dos huraños, imposibles amigos aparecen sucios, despeluchados, desastrados. Robertito y los dos niños de la vaquería hacen un trío extraño; evidentemente, Robertito es el tercero en discordia.

—¿Me dejáis ir con vosotros?

La voz de Robertito es una voz dulcísima, suplicante.

—¡No! —oye que le responden a coro.

Robertito rompe a llorar a grito herido.

—¿Por qué?

—Porque no —le sueltan los dos—, porque eres un pelma, porque no queremos nada contigo, porque no queremos ser amigos tuyos.

Luisito y Cándido salen corriendo con el cajoncillo de lata donde guardan los botellines de leche. Robertito, hecho un mar de lágrimas, corre detrás. El no se explica por qué no le permiten que los acompañe a repartir la leche; él les daría conversación, les ayudaría a subir los botellines a los pisos más altos, les iría a recados con mucho gusto. A cambio no pedía nada: pedía, ¡bien poco es!, que lo dejasen marchar al lado, como un perro conocido.

Al llegar a una casa, los dos niños de la lechería se paran. Robertito se para también. Hubiera dado cualquier cosa por que le dijeran: "Anda, quédate guardando las cacharras", o "Anda, súbete esto al séptimo izquierda", pero Luisito y Cándido ni le dirigen la palabra.

Los dos niños de la lechería se meten en el portal, y Robertito, empujado por una fuerza misteriosa, entra detrás.

—Oiga, portero, eche usted a éste, que es un pelma, éste no viene con nosotros.

Robertito, al primer descuido del portero, sale corriendo detrás de los niños, subiendo las escaleras de dos en dos. Los alcanza en el sexto, adonde llega jadeante, con la frente sudorosa y la respiración entrecortada.

Los niños de la lechería, al verlo venir, lo insultan. Robertito llora y grita cada vez más desaforadamente. Un señor que bajaba las escaleras sorprende la escena.

—Pero, hombre, ¿por qué le pegáis, si es pequeño?

—No, señor; nosotros no le pegamos, es que no queremos hablarle.

El señor que bajaba la escalera pregunta ahora a Robertito:

—¿Tú vives aquí?

—No, señor —respondió Robertito entre hipos.

—¿Y eres de la lechería?

—No, señor.

—¿Y, entonces, por qué vienes con éstos?

Robertito miró al señor con unos ojos tiernísimos de corza histérica.

—Es que es lo que más me gusta...

* * *

Por aquel misterioso planeta, aquel séptimo cielo de las vocaciones que no se explican, corría una fresca, una lozana brisa de bienaventuranza.

Madrid, varias fechas anteriores a 1951.

LA GALERA DE LA LITERATURA

Y una conferencia, para terminar.

SE ha dicho, ¡y con cuánta amarga razón!, que escribir en España es llorar. Son palabras románticas y permanentes, la voz de un vuelo que se resiste, y hace bien, a posarse sobre la tierra que lo maltrata. El poeta francés, puesto en trance de definir la inspiración, respondió a la señora que se lo preguntaba: "La inspiración, madame, es trabajar todos los días." Es posible que jamás se haya llegado, en nada, a una más precisa y desnuda definición, a una fórmula más esquemática, más concreta, más justa y ceñida. Baudelaire, como todos los grandes poetas, poseía la extraña gracia, el raro secreto de la síntesis.

La vida del escritor, en España, es un mantenido y cotidiano llanto, un llanto que empieza pero que no termina, un llanto eterno, un infinito llanto. Quizás sea mejor así. El escritor, colocado en situación de bienaventuranza, tiende a holgazanear y a organizar su propia holgazanería: ese limbo que se presenta, a veces, vestido de mina de oro. Sería curiosa la estadística de los libros que se han escrito nada más que para poder parar un desahucio, para poder pagar una cuenta atrasada en la huevería o en la lechería, para poder seguir viviendo, para "ir tirando", que es lo menos que a la vida puede pedirse.

La espuela acuciante, el aguijón hiriente, de ese cotidiano "ir tirando" ha sido, en múltiples ocasiones, el motor de libros perdurables, la hélice que empujó páginas eternas y resplandecedoras, páginas únicas y sin par posible.

Hasta qué límites hay que agradecer a los acreedores este inmenso servicio que, sin soñarlo siquiera, prestan a la literatura, es algo que nadie, ni aun los mismos acreedores, puede sospechar. Quizás, de saberlo, se sentirían arrastrados por una violenta fuerza que les impediría hacerlo, que los paralizaría sin remisión.

Se escribe en trance de amargura, en instante de dolor, en el minuto que precede a la desesperación o al hastío, esa maldición de Dios que es peor que la desesperación, mucho peor que la desesperación. No vale ya —verdaderamente jamás ha valido— la lente de color con que el deshonesto y beocio poeta décimonónico quería convencer a las gentes de que se podía, sin más que apretar el resorte de la voluntad, cambiar el color de las cosas.

No, las cosas no son, jamás lo han sido, del color del cristal con que se miran. El escritor ha de luchar —por providencial designio, por fatal mandato— contra la acomodaticia estética de la mentira, contra la adocenada filosofía del fraude y del engaño.

Si el escritor muere en el empeño, peor para él. Una bella muerte puede aromar de honor toda una vida. La muerte es el eterno fracaso, pero, a nuestro entender, fracasar por una causa noble aún es más importante que triunfar al servicio de la abyección. Don Quijote sigue siendo un héroe actual, un héroe que, para los mejores espíritus, todavía no se presenta como un loco de atar.

Vivimos en el mundo del ser, en el concreto e inexorable planeta del ser. No en el del deber ser, en el limbo sin fronteras del deber ser. Es una ley a la que no podemos sustraernos. Las cosas, queramos o no queramos, nos convenga o no nos convenga, son como son, jamás como debieran serlo o haberlo sido, y de nada vale que nos queramos obstinar, con torpe y almibarada cerrazón, en ver rosicleres y amables tornasolados donde no hay más, absolutamente nada más, que negra vileza, amarillo dolor, verde veneno.

La vida no es buena; el hombre tampoco lo es. Quizás fuera más cómodo pensar lo contrario. La vida, a veces, presenta fugaces y luminosas ráfagas de simpatía, de sosiego e incluso también, ¿por qué no?, de amor. El hombre, en ocasiones, se nos muestra cordial y casi inteligente. Pero no nos engañemos. No se trata más que de la máscara, que del antifaz, que del engañador disfraz que la vida y el hombre se colocan para que no nos sintamos demasiado infinitamente desgraciados y huérfanos; tampoco inmensamente dichosos en nuestra desgracia y orfandad. Esa careta que, sonriente, se nos presenta, no es otra cosa que el más cruel de los simulacros, aquel que ayer nos engañó, que hoy nos engaña, que mañana seguirá engañándonos también sin remisión, sin escape posible, sin vuelta de hoja.

Se escribe no más que por una ley de inexorable fatalidad. Se escribe porque no se puede, ni se sabe, ni tampoco se quiere hacer otra cosa. El escritor escribe por la misma razón que el río fluye, que el ave vuela, que el lobo muerde, que el niño con la panza vacía sonríe abyectamente. Por eso en la literatura no es posible el aficionado, no cabe el diletantismo, nada vive detrás del vacío telón de las tortas y el pan pintado. El escritor, que es siempre el producto de una generación espontánea, como los antiguos creían que eran algunas especies de hongos, paga en sus flacas carnes las culpas de muchas generaciones que quisieron hacerlo y convertirlo en todo, en cualquier cosa, menos en escritor.

No es entretenido el oficio del escritor. No es remunerador el oficio del escritor. No es amable el oficio del escritor. El oficio del escritor no tiene compensación conocida alguna, ni premio, ni sonrisa. Tiene, quizás, toda una suerte extraña de ignoradas alegrías, de alegrías sin nombre, de alegrías que casi no lo son, pero que nos confortan, nos dan aliento, y nos permiten "ir tirando", que es, en definitiva, de lo único que se trata, porque dentro de cien años, todos calvos, que es la única verdad: todos criando malvas.

La dorada, la delicada y esplendorosa leyenda que suele rodear, en su triunfo, al escritor que lo consigue, el escritor la entiende, en los íntimos e insobornables oídos del alma, como el lúgubre himno a cuyos acordes, que él solo escucha, se siente ir muriendo poco a poco, pero sin posible resurrección. La carne resucitará: pero el talento literario no servirá para más que para estercolar dulzonas matitas de forraje. De todos los oficios conocidos, el del escritor es el más duro, el más obsesionante, el más esclavizador. Si el ser loco fuera un oficio, ese oficio sería, sin duda, el que más próximamente podría compararse al del escritor. Pero, ¡ay!, en la lista de los oficios conocidos aún no figura el del loco y sí figura, en cambio, el del escritor. El escritor, con la pluma en la mano, es el débil peón que no puede con la herramienta que ha de manejar; el infeliz siervo que, a cambio de su dolor, no espera otra cosa, no puede esperar más cosa, que el rincón y el olvido, o la carrera desbocada y, al final, el inclemente ballestazo en la espalda, esa minúscula anécdota en la cruel montería de las intenciones siniestras.

Los oficios, en general, suelen tener sus horas de diaria vacación, su día de semanal vacación, sus semanas de anual vacación. En el oficio del escritor la vacación es una palabra que se ha borrado de su diccionario, que no figura en su vocabulario, que no cabe en su léxico. A veces cuesta trabajo hacer creer a las gentes que uno trabaja cuando toma café, cuando se rasca la cabeza, cuando juega con su hijo pequeño, o cuando contempla una puesta de sol. A veces también cuesta trabajo hacer ver a las gentes que el sueño del escritor —que el dormir, no la ensoñación del escritor— no es el descanso, sino otro aspecto de ese su constante trabajo, de ese su trabajo sin costuras, como la túnica de Penélope.

De otra parte, los oficios, por lo común, suelen tener, como un lujo conquistado a firme pulso o a golpe de lanza, esa posibilidad de recuperación y de descanso que, paradójicamente, se llama la enfermedad. Los Estados, por lo menos en teoría, están detrás del oficiante enfermo, quizás para que el oficiante pueda, precisamente, seguir estando enfermo. Pero este providencialismo del Estado, que está en todas partes, falta también a espaldas del escritor. Diríase que las modernas concepciones del Estado han extendido hasta el escritor el desprecio que sentía Platón hacia los poetas de su República.

Para salir del paso —que es siempre un plausible subterfugio— el escritor, cuando es preguntado acerca de cómo tiene organizada su labor, o sobre cuáles son las horas que prefiere para trabajar, suele responder, con un aire de vaga imprecisión, "trabajo por las mañanas", "trabajo por las tardes", "trabajo por la noche". El escritor, cuando esto responde, sabe bien sabido que miente con la peor de las mentiras, aquella que uno mismo no llega a creerla jamás. Pero el escritor, al responder como lo hace, siente un poco —¡cuán vacuamente!— la ilusión de ser creído por los demás. El hombre que, a veces, descansa —toda especie humana, menos el escritor—, nunca nos perdonaría a los escritores el que nos supiésemos y nos proclamásemos esclavos de nosotros mismos, galeotes amarrados al inhóspito banco al que tan sólo nos hemos podido amarrar. El hombre de la calle —que quiere vernos dando saltos en el vacío o, más difícil todavía, haciendo volatines de trapecista de circo, pero sin circo y sin trapecio—, ni nos permite siquiera que nos demos cuenta de nuestra propia orfandad, de nuestra soledad sin remedio, de nuestro metafísico desamparo.

La literatura es una galera sin rumbo, una galera sin vigilancia, sin cuaderno de bitácora y sin carta de marear, en la que cada uno de sus hombres rema como le da la gana. Esta es la única verdad. También el único premio a que podemos aspirar.

Y, sin embargo, ni una situación de privilegio, ni un éxito de espectáculo, ni una posteridad que no nos importa, quizás por aquello de que a burro muerto cebada al rabo, puede compararse —también es verdad— con el placer que supone remar exactamente como nos da la gana. A veces, si bogamos a destiempo, el compañero de detrás nos mete un remo por la espalda o el extraño capitán de la nao nos pega un fustazo en la cara. Nada importa. El escritor, si es y se siente, realmente, tal escritor, sigue remando como prefiera hacerlo; el alma es quien mueve ese pesado remo que sujeta el escritor, y el alma ni tiene espalda ni tiene cara donde recibir los golpes. Esa es nuestra venganza.

Larra se quedó corto al circunscribir a España el constante y abundante derramamiento de lágrimas que supone el ejercicio de la pluma. Escribir es llorar en todo el mundo, y ¡ay de aquel país, de aquella cultura que quiera hacer olvidar al escritor su propio llanto! Las culturas mueren en aquellos pueblos que preconizan, oficialmente, una estética de la pureza y de la alegría. La literatura no admite dictados y se venga abriéndose su propio vientre, como un samurai. Este hara-kiri de la lite-

más sosegada el desentrañamiento, la vivisección, de este dolor que nos agarra por el cuello y que nos zarandea como a deshuesados peleles, como a colegiales raquíticos y desaplicados.

Por ahora cuidemos mimosamente, amorosamente, febrilmente, nuestro propio ser, ese dolor que con frecuencia nos engaña, rebosante de cariño y de lealtad, hasta el extremo de hacernos creer que llevamos una tímida florecilla silvestre plantada en los mismos bordes del corazón, esa linde de nuestra propia vida.

* * *

Ha debido pasar ya media hora. Media hora es un lapso de tiempo misterioso, tan misterioso como un milenio; tanto como un segundo. El tiempo es ese gran misterio que no se descifra ni multiplicándolo ni reduciéndolo a ceniza.

En media hora se nace, en media hora se ama y se aborrece. Pero la insondable tiniebla de qué es lo que es la vida del escritor, es algo que no se abre a la luz ni aunque sumáramos el tiempo de todos los relojes que han venido contando el tiempo desde que el tiempo existe.

El infinito no tiene medida. Y el tiempo, eso que llamamos el tiempo y que los relojes miden en extensión, aún no ha sido medido, todavía, en hondura, en profundidad. Al tiempo le sucede lo mismo que al cariño. Se sabe —por lo menos con cierta aproximación— durante "cuánto" tiempo se quiere; pero se ignora —aunque con frecuencia se imagine sublime— la densidad, el remoto trasfondo de ese mismo tiempo.

Ha debido pasar ya media hora: tiempo suficiente para mucho y, a lo mejor, insignificante para poco. Por los medios físicos a nuestro alcance, no podemos precisar la "calidad" de ese tiempo, del tiempo en general.

La media hora transcurrida pudo habernos servido para mucho y, quizás también, para nada. Hasta es posible que haya podido servirnos para mucho y para nada al tiempo, porque el tiempo, bien mirado, es algo que "sirve", aunque no se sepa bien para qué ni para qué no; aunque no hayamos aclarado, todavía, a qué tiránico señor de horca y cuchillo se rinde con cruel sacrificio.

Ha pasado media hora, y el secreto de la vida del escritor sigue resistiendo tercamente a la luz.

Quizás rodeando de puertas la cuestión —que es algo muy parecido a obstinarse en querer poner puertas al campo— podamos entrever, por cualquiera de ellas, el luminoso resquicio, el quebradizo y claro rayito de la verdad, esa estrella que finge desmayos en las almas.

Elijamos el número siete para contar las puertas que queremos ir abriendo con la cautela del destripador de corazones vírgenes.

Abramos la puerta número uno. En su dintel —y en gruesos trazos— se lee: "Puerta por la que salen los temas literarios recién nacidos".

Abrámosla con cuidado. Los temas, a un golpe brusco de la puerta, pueden derramársenos en tropel por el suelo.

La puerta ya está abierta. Nosotros miramos, tímidamente, al interior. Más allá de la puerta reina la oscuridad más absoluta, el más impenetrable vacío. Cuando la vista se hace a la tiniebla, vemos un yermo paisaje desolado, un vacío y doloroso erial. En una colina de huesos mondos está clavada una bandera blanca y rígida, en la que se leen las palabras de Salomón: "Nihil sub sole novum". Nada hay nuevo bajo el sol. El campo tenebroso también está, como todo, bajo el sol.

Vayámonos corriendo. Por la puerta número uno, nada nuevo saldrá. Los temas están ya todos en juego.

Acerquémonos a la puerta número dos. Un cartel nos advierte: "Puerta por la que se presentan los héroes."

Antes de abrirla ya se distingue una algarabía desconcertante. Los héroes por sacar a la luz parecen ser muchos todavía, semejan formar legión. Un ángel sin edad guarda la puerta número dos. El ángel advierte al visitante:

—Los héroes son de quien se los lleve. Trotaconventos y Hamlet, Don Quijote y Míster Babitt, Raskolnikov y Don Juan, Werther y Lazarillo, salieron por esta puerta. Los héroes son de quien los pueda coger vivos. Pero los héroes luchan con tesón y, a veces, mueren al salir de aquí, de tristeza, como los gorriones enjaulados, o luchando en la pelea que sostienen con quien los quiere apresar. Otras veces, los héroes matan a su cazador, devoran su cadáver y regresan a su alborotadora guarida, a su hirviente rincón.

El visitante suele responder al ángel:

—No abras la puerta de los héroes. No tengo fuerzas para la pelea.

Parémonos ante la puerta número tres. Un letrero nos avisa: "Puerta de la sabiduría."

La puerta de la sabiduría está abierta; por ella puede entrar quien quiera. La puerta de la sabiduría da a una estancia cuadrada y llena de frascos; parece una botica. En silencio, unos cuantos hombres trabajan, cada uno a la luz de su quinqué. Son los ecuánimes de las letras, los ponderados, los culteranos, los virtuosos, aquellos hombres que llenan de gozo al vecindario.

En la estancia cuadrada hace un frío de muerte. Nadie sonríe, ni nadie, tampoco, llora con lágrimas de hombre, con lágrimas de verdad.

Dejemos a los boticarios de la literatura a solas con su paciencia sin objeto. No interrumpamos su festín onanista.

Lleguemos hasta la puerta número cuatro. Un rótulo

luminoso nos dice: "Esta puerta abre la caja de los argumentos."

La puerta número cuatro tiene una mirilla de cristal por la que puede verse lo que pasa dentro. Dentro de la caja de los argumentos, llena de luz, mil multicolores pajaritos de la suerte saltan, enloquecidos, de rama en rama.

—¿Puedo tocar esos pajaritos? —pregunta el visitante al loro guardián.

Y el loro guardián responde:

—No, no se pueden tocar. Está prohibido. Aunque la prohibición no existiese, a los pajaritos tampoco podría tocarlos: son de aire, no son más que un puro espejismo.

El visitante se defrauda ante las palabras que acaba de escuchar. Pero, ¿no advirtió algo Unamuno de todo esto? Creemos recordar que sí.

El visitante sigue su camino. Aquí está la puerta número cinco. En fina caligrafía se confiesa: "Puerta que lleva al huerto del estilo."

El huerto del estilo no es tal huerto: es un jardín de recortados bojes, de recortados mirtos, de recortados rododendros. El jardín del estilo tiene, en medio de su geometría, una mansa laguna circular sobre la que vuela una purísima paloma blanca.

Sobre el estanque, una minúscula ranilla de San Antonio —verde y colorada— da saltos a una velocidad vertiginosa. La rana, sobre el nítido azul del cielo del jardín, dibuja con su vuelo despavorido una leyenda: "La preocupación por la estética es la primera señal de impotencia." Debajo se lee una firma confusa: quizás Dostoievski.

La rana, primer premio de acrobacia, se chapuza, de repente, en la laguna. No salta ni una gota de agua al aire.

Ya en prensa esta antología, han aparecido dos nuevos libros míos: uno de viajes, Judíos, moros y cristianos. Notas de un vagabundaje por Segovia, Avila y sus tierras [1], *y una novela,* El molino de viento, *que se publica con tres novelas cortas y ya no inéditas:* Timoteo el incomprendido, Café de artistas *y* Santa Balbina, 37, gas en cada piso. *Quede para mejor ocasión el elegir sus páginas preferidas.*

---

[1] En la edición se subtitula, por error, *Notas de un vagabundaje por Avila, Segovia y sus tierras.*